Barbara Delinsky

LA FILLE
D'À CÔTÉ

Roman

Traduit de l'américain par Maud Lesage

JC Lattès

Titre de l'édition originale
THE WOMAN NEXT DOOR
publiée par Simon & Schuster, New York

Prologue

S'ils avaient eu le choix, Amanda et Graham se seraient volontiers enfuis. À respectivement trente et trente-six ans, ils n'avaient qu'un seul désir : se marier vite et en toute discrétion. Mais le père d'Amanda voyait les choses différemment et tenait à offrir à sa fille unique des noces dignes de ce nom, pour le plus grand plaisir de sa femme qui adorait dépenser son argent et de la belle-famille qui ne refusait jamais une occasion de faire la fête.

Un somptueux mariage fut donc organisé au mois de juin et quelque trois cents invités conviés à la cérémonie qui se déroula dans le magnifique décor du Country Club de Cape Cod dont le père d'Amanda était membre. Après avoir échangé leurs vœux, les mariés entraînèrent leurs hôtes jusqu'au clubhouse qui dominait le parcours de golf, où un buffet les attendait. L'endroit baignait dans une végétation luxuriante. Du lilas et des pivoines jetaient des touches de couleurs vives et l'odeur enivrante des roses parfumait les lieux. Dans ce cadre idyllique, l'ambiance battit bientôt son plein et les invités voulurent tous lever leur verre, à commencer par le témoin, en l'occurrence Will O'Leary, le frère aîné de Graham qui leur souhaita une union heureuse et... particulièrement féconde.

Des sifflements et des acclamations saluèrent comme il se doit ce vœu pieux.

Le calme revenu, Beth Fisher, l'une des trois demoiselles d'honneur, s'approcha du micro et prit la parole de sa petite voix.

— Amanda et moi sommes restées longtemps célibataires, commença-t-elle, attendant le bon candidat. Et Dieu sait que cette situation nous a beaucoup inquiétées. Finalement j'ai rencontré mon mari et Amanda s'est plongée dans le travail, abandonnant sa quête de l'homme idéal. Elle ne cherchait donc plus lorsqu'elle a aperçu Graham pour la première fois, mais n'est-ce pas toujours ainsi que les meilleures choses arrivent ?

Elle leva son verre.

— À Amanda et à Graham. Puissiez-vous vous aimer à jamais.

Beth se trompait. Amanda n'avait jamais abandonné l'espoir de rencontrer un jour l'homme de ses rêves. Mais le destin se faisait tirer l'oreille. Et puis, par un banal après-midi du mois d'août, alors que pour fuir la canicule de Manhattan, elle avait décidé de rendre visite à son ex-responsable de thèse à Greenwich dans le Connecticut, Graham lui était apparu. Torse nu et en sueur, il plantait des genévriers près de la maison de son professeur avec cinq ouvriers. Pourtant, c'est vers lui que l'œil d'Amanda avait été irrésistiblement attiré.

Brun, le visage souligné d'une barbe courte, il dominait les autres et elle avait observé, fascinée, le jeu des muscles souples sous sa peau.

Comme elle devait l'apprendre par la suite, il participait rarement aux travaux. Maître d'œuvre, il organisait et supervisait et Amanda affirmait avoir immédiatement deviné ses qualités de chef. Comment ? À cause de ses yeux fixés sur elle qui soutenaient son regard sans faiblir. Totale impertinence ou suprême confiance, elle n'aurait pu le dire, mais les deux alternatives lui semblaient tout aussi excitantes. Ensuite, désireux de faire sa connaissance, il avait frappé à la porte de la maison, des plans à la main, et était parvenu à ses fins.

MaryAnne O'Leary Walker, la sœur aînée du marié, prit à son tour la parole.

— J'avais douze ans à ta naissance, lança-t-elle, et Dieu sait le nombre de fois où j'ai dû changer tes couches. À ton tour maintenant. Je vous souhaite à tous les deux beaucoup de bébés et... des tonnes de patience !

La foule l'acclama avec bonne humeur et bientôt une nouvelle demoiselle d'honneur s'avança.

— J'ai connu Amanda à l'université. Une fois nos diplômes en poche, nous avons eu la chance de trouver des postes de psychologues dans des écoles voisines à New York et sommes restées très proches jusqu'à ce que Graham me la vole. Je ne sais pas si je pourrai lui pardonner un jour ! Mais le fait est que depuis sa rencontre avec Graham, une nouvelle lumière brille dans les yeux d'Amanda et un sourire permanent éclaire son visage, ce qui veut tout dire. Quand vous exercez une profession comme la nôtre, vous savez reconnaître des signes aussi précieux et en apprécier la qualité. À Amanda et à Graham, ajouta-t-elle en levant son verre. Votre amour a jailli au premier regard, mais c'est le bon. Une vie pleine de sourires, de santé et de prospérité.

Amanda n'appréciait guère la précipitation. Elle préférait prendre son temps. Quand elle sortait avec un homme, elle voulait tout savoir à son sujet bien avant le premier baiser. Une méfiance naturelle dictée par l'expérience. Elle connaissait les problèmes d'un couple mal assorti, comme celui de ses parents. D'ailleurs, elle ne croyait pas au coup de foudre. L'attirance physique peut-être, mais pas l'amour.

Sa rencontre avec Graham bouleversa toutes ses théories. Dès leur première sortie, le lendemain même de leur rencontre à Greenwich, elle se transforma en amoureuse transie et lorsqu'il l'emmena danser, le surlendemain, elle rendit les armes. Une fois dans ses bras, toute velléité de résistance l'abandonna et quand il serra sa main contre son cœur, c'est Amanda tout entière qui se rapprocha de lui.

Pour Graham, ce fut un moment décisif. Il ne cherchait pas une épouse « parfaite » selon les critères de sa mère ou de ses frères. Il était déjà passé par là. Non, cette fois, il voulait une femme selon son cœur, une femme faite pour lui et la façon dont le corps d'Amanda s'adaptait au sien le convainquit qu'il venait de la trouver. Il ne s'agissait pas d'une simple réaction physique. À trente-cinq ans, il savait reconnaître une vulgaire attirance physique. Non, avec Amanda, c'était différent. Elle avait de la classe, elle était réservée, mais sans froideur. Au contraire, elle semblait ressentir avec la même intensité les étincelles qui jaillissaient entre eux à chaque contact. Quand il l'attira contre lui, la surprise qu'il lut dans ses yeux ne fut pas feinte. Pourtant, elle ne le repoussa pas et il comprit alors qu'elle avait choisi de lui accorder sa confiance.

Un instant dont il se souviendrait toute sa vie. Jamais il ne s'était senti aussi fort, invincible, unique. Pour tout dire, indispensable.

Dorothy O'Leary, la mère du marié, ne leva pas son verre. Le sourire figé, le regard sombre, elle se tenait dans un coin avec sa famille comme si elle ne faisait pas partie de la fête. Son regard ne s'éclaircit que lorsque son troisième fils prit la parole. Alors seulement, les traits de son visage s'adoucirent.

Prêtre jésuite, Peter O'Leary était doté d'un remarquable charisme. Auréolé par son col romain, il n'eut aucune difficulté à capter l'attention de la foule.

— Je me serais sûrement inquiété quand vous avez

choisi de célébrer votre mariage dans un country club plutôt qu'une église si je n'avais passé autant de temps en votre compagnie à tous les deux, au cours des derniers mois. Et pour tout vous dire, je n'ai jamais vu couple mieux assorti.

Abandonnant le micro, il s'approcha des nouveaux mariés et, une main sur l'épaule de Graham, leva son verre.

— L'amour brille sur vos visages. Puisse-t-il durer toujours. Que votre vie soit longue, que vous donniez toujours plus que vous ne recevez, que vous serviez Dieu de multiples façons et...

Ses origines irlandaises reprirent alors le dessus et son œil pétilla d'un éclat malicieux.

— Et... que vous ayez beaucoup d'enfants !

On aurait difficilement pu qualifier Amanda de fille facile. Elle n'avait connu que deux hommes avant Graham, était sortie avec eux plusieurs mois et avait longuement réfléchi au moment, à l'endroit et aux précautions à prendre avant de se décider à ôter ses vêtements.

Avec Graham, il en alla tout autrement. Un jour, il lui proposa de faire une randonnée, ce qu'elle s'empressa d'accepter, enchantée, en s'imaginant une petite promenade. Quand il débarqua avec des duvets, de la nourriture pour deux jours et la clé du chalet d'un de ses amis, perdu au milieu des bois, elle en resta bouche bée.

Amanda n'avait jamais fait de véritable randonnée. Pourtant, il ne lui vint pas à l'esprit de refuser. Graham, lui, était tout à son affaire et prit beaucoup de plaisir à la guider et à répondre à toutes ses questions. Et puis, son sourire franc et direct lui donnait un air juvénile irrésistible. En un mot, cette aventure se révéla le moment le plus excitant qu'Amanda ait connu jusque-là.

Une végétation abondante recouvrait la montagne sillonnée de nombreux ruisseaux d'eau claire où ils purent se désaltérer en écoutant le chant des oiseaux dans les arbres. Dans ce paysage magnifique, Graham qui connaissait bien le chemin, l'entraînait d'un pas sûr et alerte.

Ils n'atteignirent jamais le chalet. Ils venaient à peine de terminer leur pique-nique lorsque Graham l'attira dans un coin abrité, à l'écart du chemin, et lui fit l'amour en pleine lumière. La pensée des préservatifs traversa brièvement l'esprit d'Amanda sans s'arrêter. Elle avait trop envie de lui pour s'embarrasser de telles précautions et quand il la pénétra enfin, le sentiment de plénitude qui l'envahit combla toutes ses attentes.

— Ma famille est incorrigible, déclara Kathryn O'Leary Wood au micro.

Ses yeux effleurèrent Megan Donovan, la première femme de Graham, son amie d'enfance et un membre à part entière de la famille, avant de revenir se poser sur Amanda et son frère.

— Megan se joint à moi pour ce message. Amanda, tu as choisi le meilleur. En plus d'être absolument magnifique, mon frère est intelligent, sensible, ouvert, qualités que tu sembles posséder, toi aussi. Nous attendons avec impatience vos magnifiques bébés ! Je vous souhaite à tous les deux bonheur et prospérité.

Ses yeux se fixèrent sur Graham, son cadet de trois ans.

— En ce qui te concerne, Graham O'Leary, qu'il soit bien clair que ceci est la toute dernière fois que je fais ça pour toi !

Debout devant l'autel, Graham attendait. Il était déjà passé par là une fois, mais ce qu'il ressentit ce jour-là fut totalement différent. Ce fut comme si le monde autour de lui reculait brusquement dans la pénombre et que toute la lumière se concentrait sur la femme qui s'avançait vers lui, si belle que les larmes lui montèrent aux yeux.

Amanda représentait la femme de ses rêves les plus fous et, malgré leurs différences, pas une dispute n'avait encore troublé leur entente. Ils avaient les mêmes goûts et rêvaient tous deux d'une grande maison pour abriter la nombreuse progéniture qu'ils se promettaient d'avoir. Depuis qu'il avait posé les yeux sur Amanda, Graham avait le sentiment ridicule que son mariage avec Megan avait dès le départ été voué à l'échec parce que, quelque part, Amanda l'attendait.

Quand leurs regards s'étaient croisés dans cette petite ville du Connecticut, Graham avait alors compris sans l'ombre d'un doute qu'il venait de rencontrer la femme de sa vie.

Malcolm O'Leary s'approcha à son tour du micro. L'aîné de la famille était propriétaire avec le second, James, de la quincaillerie de feu leur père, et papa lui-même de cinq enfants.

— Je n'aurai qu'un conseil pour mon frère et sa belle épouse, dit-il. Foncez, Amanda et Gray. Vous n'avez plus de temps à perdre.

Amanda et Graham fêtèrent leur premier anniversaire de mariage en visitant une maison. Ils en avaient vu beaucoup auparavant, mais aucune aussi grande et belle et qui leur plaise autant que celle-ci. Le prix demandé était passablement élevé, toutefois le travail de Graham en tant qu'architecte paysagiste s'était suffisamment développé pour lui permettre d'embaucher un assistant à plein temps et Amanda venait d'obtenir un poste de psychologue scolaire dans la ville même où se trouvait cette maison.

Nichée au creux des collines, à l'ouest du Connecticut, la ville de Woodley, paisible et prospère, était située à quatre-vingt-dix minutes en voiture de New York. Parmi ses quatorze mille résidants elle ne comptait pas moins d'une demi-douzaine de P-DG des plus importantes sociétés du pays et un nombre incalculable de médecins et avocats, sans parler de la liste grandissante des nouveaux riches liés à Internet. La population rajeunissait à vue d'œil et les demeures, plus belles et plus grandes les unes que les autres, poussaient comme des champignons tandis que les plus vieux prenaient leur retraite et la direction du Sud.

La maison qui ne datait pas de plus de dix ans, faisait partie d'un groupe de quatre demeures victoriennes construites au bout d'une impasse bordée d'arbres. Elle ne détonnait pas au milieu des autres avec sa large façade jaune et ses finitions blanches, son porche accueillant et les pittoresques piquets de sa palissade. Et l'intérieur tenait sa promesse. Le hall d'entrée, vaste et lumineux, débouchait d'un côté sur la salle à manger et de l'autre sur le salon, deux pièces spacieuses avec des moulures au plafond, des placards encastrés en acajou et de hautes fenêtres. À l'arrière, une grande cuisine dotée d'un plan de travail en granit, d'un parquet au sol et d'une véranda. Un escalier, agrémenté de banquettes sous les fenêtres à chacun des deux paliers, permettait d'accéder aux quatre chambres du premier étage dont l'une était immense et manifestement destinée au maître de maison. Et comme si cela ne suffisait pas, l'agent immobilier leur montra deux autres chambrettes au-dessus du garage.

— On pourrait en faire nos bureaux, murmura Amanda quand la jeune femme tourna le dos pour répondre à un appel sur son téléphone portable.

— Tu te vois en train de recevoir tes clients ici ? demanda Graham.

— Sans problème. Pourrais-tu dessiner des plans ici ?

— Bien sûr. Regarde-moi ce bois. Et cette odeur de lilas. Un vrai paradis ! As-tu vu ces chambres ?

— Elles sont tellement grandes...

— Sauf la petite près de la nôtre. Ce pourrait être la nursery.

— Non, non. Je préfère mettre le berceau dans notre chambre et transformer cette pièce en boudoir. Ce serait parfait pour lire des histoires, le soir.

— Nous donnerions à Zoé et Emma la chambre en face de la nôtre et à Tyler et Hal, celle du bout.

— Pas Hal, supplia Amanda. Graham Jr. Et s'ils ressemblent un tant soit peu à toi et à tes frères, ils ne seront pas à court d'idées en matière de sottises. Je pense qu'il vaudrait mieux les avoir plus près de nous.

— Hal, insista Graham. Et je les veux loin de nous. Les garçons font du bruit. Je sais de quoi je parle, fais-moi confiance sur ce point.

Glissant un bras autour de sa taille, il l'attira près de lui et son regard l'enveloppa, chaud et tendre.

— Tu as ôté ton diaphragme ? demanda-t-il dans un murmure.

Amanda eut soudain du mal à respirer.

— Oui.

— Nous allons le faire, ce bébé ?

— Ce soir.

Ils s'étaient volontairement accordé une année pour profiter pleinement l'un de l'autre avant de voir leur vie chamboulée.

— Si cette maison était à nous, continua Graham d'une voix rauque, où voudrais-tu... ?

— Dans la véranda de la cuisine. Ainsi, dans quelques années, quand nous nous regarderons par-dessus la tête de nos bambins pendant le petit déjeuner, nous nous rappellerons ce moment merveilleux. Et toi ?

— Dans le jardin, derrière. Cachés des voisins par les arbres. Ce serait comme pour notre première fois.

Mais ce n'était plus la première fois. Ils étaient mariés et partageaient désormais des rêves bien précis.

— La maison est parfaite, Gray. Tout comme le voisinage. As-tu remarqué les balançoires dans les jardins alentour ? De toute évidence, ces maisons sont occupées par des familles avec des enfants. La question est : pouvons-nous nous permettre d'habiter ici ?

— Non. Mais nous trouverons le moyen.

Ils célébrèrent leur deuxième anniversaire de mariage par un rendez-vous chez le gynécologue d'Amanda. Ils faisaient l'amour sans précaution depuis maintenant un an et aucun bébé ne pointait son nez. Après des mois de dénégation, des mois à se rassurer l'un l'autre, ils commençaient à se poser des questions.

Le médecin examina Amanda et leur annonça qu'elle était en parfaite santé. Mais ce n'est que lorsque Graham l'attira contre lui avec un grand sourire qu'elle se détendit.

— J'avais peur, avoua-t-elle au médecin. On raconte tellement d'histoires.

— Ne les écoutez pas.

— Plus facile à dire qu'à faire.

Ses belles-sœurs s'avéraient les pires en matière d'anecdotes et, malheureusement, Amanda ne pouvait guère leur tourner le dos. Évidemment, leurs histoires ne concernaient que des amies ou des amies d'amies. Les O'Leary n'avaient jamais eu aucun problème pour avoir des enfants et, sur ce point, Amanda et Graham restaient une énigme.

Le médecin s'appuya au dossier de sa chaise et croisa les mains sur son ventre, adoptant une pose très docte.

— J'exerce ce métier depuis plus d'une trentaine d'années, dit-il. Je connais bien les difficultés dans ce domaine et la seule que je vois ici est votre impatience.

— Comment pourrait-il en être autrement ? Amanda a trente-deux ans et moi trente-huit.

— Et vous êtes mariés depuis deux ans et tentez d'avoir un bébé depuis un an, ce qui ne me paraît pas très long. Je me suis demandé si le stress n'aurait pas sa part de responsabilité, mais vous semblez tous les deux parfaitement heureux dans votre travail. Je me trompe ?

— Non, répondirent-ils en chœur.

— Et vous vous plaisez à Woodley ?

— Beaucoup, dit Graham. Notre maison est magnifique.

— Les voisins sont adorables, ajouta Amanda. Six

enfants en tout et des parents formidables. Il y a également un couple plus âgé...

Elle s'arrêta net et jeta un regard triste vers Graham qui la serra contre lui.

— June vient juste de mourir, expliqua-t-il au médecin. On lui a diagnostiqué un cancer et, six mois après, elle était morte. Elle n'avait que soixante ans.

Amanda ne s'était pas encore remise de cette peine.

— Je ne connaissais June que depuis un an, mais je l'adorais. Tout le monde l'aimait. Elle était comme une mère... Mieux que ça, une confidente. On pouvait tout lui dire. Elle écoutait et les solutions apparaissaient, évidentes. Ben est perdu sans elle.

— Et que disait June à propos de vos efforts pour tomber enceinte ?

— Elle me conseillait de me montrer patiente, m'assurant que cela finirait par arriver.

— Elle avait raison. Honnêtement, vous êtes en parfaite santé. Tout est en bonne place, votre cycle est régulier et nous savons que vous ovulez.

— Mais cela fait un an. Les livres disent...

— Fermez les livres, ordonna-t-il. Emmenez votre mari chez vous et amusez-vous.

Pour leur troisième anniversaire, Amanda et Graham prirent rendez-vous avec un spécialiste à Manhattan. Il s'agissait en fait de leur troisième médecin. Ils avaient abandonné le premier parce qu'il persistait à affirmer que rien ne clochait chez eux. Ce qu'Amanda et Graham ne croyaient plus. Ils estimaient que quelques tests s'imposaient. Ils s'étaient donc rendus chez un deuxième médecin, un spécialiste de la fertilité qui avait affirmé que le problème venait de leur âge.

— Bon, dit Graham. Alors que devons-nous faire ?

— Il est malheureusement impossible de remonter le temps, répondit le médecin en haussant les épaules.

— Comment traitez-vous les... vieux couples qui veulent des enfants ? demanda Amanda.

Graham la dévisagea, les yeux ronds.

— Vieux couple ? Notre âge moyen est de trente-six ans. Ce n'est pas vieux.

Elle leva la main pour l'apaiser et permettre au médecin de répondre.

— Il reste quelques solutions. Comme l'IA ou l'IIU et l'ISIC. Et, si tout cela échoue, on pourra envisager la FIV.

— Pourriez-vous traduire ? grommela Graham.

— Oui, s'il vous plaît, renchérit Amanda.

— N'avez-vous donc rien lu à ce sujet ? La plupart des couples dans votre situation ont fait des recherches.

Amanda en resta bouche bée. Les médecins qu'ils avaient rencontrés jusque-là leur conseillaient de ne pas se bourrer le crâne inutilement en lisant tout ce qui existait sur le sujet.

— Voulez-vous un bébé, oui ou non ?

Il s'agissait moins d'une question que d'une simple constatation, prononcée sans la moindre agressivité, mais ces quelques mots firent néanmoins leur effet.

Graham se leva.

— Je ne pense pas que nous puissions nous entendre.

Amanda était d'accord. Ils avaient besoin de quelqu'un qui les comprenne, pas d'un juge.

— Vous pouvez voir des dizaines de médecins, ils vous diront tous la même chose, expliqua le spécialiste en haussant les épaules. Vos options sont l'insémination artificielle, l'insémination intra-utérine, l'injection de sperme intra-cytoplasmique et la fécondation in-vitro. Les techniques sont de moins en moins chères à mesure que vous progressez de l'une à l'autre, mais vous vieillissez dans le même temps et devenez de moins en moins aptes à concevoir.

Quand Graham regarda Amanda et lui indiqua la porte d'un geste du menton, elle se leva en un éclair.

Et c'est ainsi qu'ils se retrouvèrent donc, à New York,

pour leur troisième anniversaire de mariage. Ce nouveau spécialiste leur parut énergique et plein de ressources. Il ordonna aussitôt une batterie de tests, dont un certain nombre pour Graham, ce qui était nouveau. Les premiers résultats ne signalèrent aucune anormalité. Il décida de leur fournir une pile de documents à lire et un classeur plein d'instructions et de graphiques. Après leur avoir expliqué qu'à son avis, rien de négatif ne ressortirait des derniers tests, il les renvoya chez eux avec des instructions précises qui devaient permettre à Amanda de déterminer sa période de fertilité grâce à sa température et à Graham de maximiser le nombre de ses spermatozoïdes en restant au moins deux jours sans éjaculer.

Ils en plaisantèrent sur le chemin du retour, mais leurs rires sonnaient faux. Tous ces problèmes avaient évidemment une influence sur leurs relations sexuelles. Leur volonté de concevoir un bébé passait maintenant avant le plaisir et plus ce but semblait inaccessible, plus leur malaise s'amplifiait.

Leur quatrième anniversaire de mariage se passa tranquillement. Amanda se remettait d'une petite opération bénigne réalisée par un nouveau médecin. Une femme, cette fois, qui dirigeait une clinique spécialisée dans le traitement de la stérilité, à une demi-heure au sud de Woodley. Âgée d'une quarantaine d'années, mère de trois enfants de moins de six ans, et écœurée par ses collègues qui mettaient sur le compte du stress les problèmes qu'ils ne pouvaient résoudre, elle commença par insister pour qu'ils l'appellent par son prénom – Emily – et leur posa des questions qu'aucun de ses confrères n'avait posées, avant d'ordonner des tests différents. C'est ainsi qu'elle remarqua un petit blocage au niveau d'une des trompes d'Amanda et, même si rien ne prouvait que ce soit la cause du problème, elle préconisa néanmoins un nettoyage de précaution.

Amanda et Graham approuvèrent aussitôt. Ils avaient

réduit leurs ambitions à trois enfants – Tyler, Emma et
Hal. La maison qu'ils avaient choisie pour leur future
grande famille leur paraissait maintenant bien trop
grande. Et même s'ils refusaient de l'admettre, il leur arrivait de plus en plus souvent de se demander s'ils parvien-
draient un jour à avoir un enfant.

Ils ne firent pas l'amour pour leur quatrième anniversaire. Amanda était encore trop fragile et d'ailleurs le
timing ne convenait pas. Ils n'échangèrent donc que de
gentilles attentions. Graham lui apporta son petit déjeuner
au lit et lui offrit une paire de boucles d'oreille en forme
de cœur. Elle lui déclara à nouveau son amour et lui
donna un livre sur les arbustes exotiques. Puis chacun prit
le chemin du bureau.

En fait, le travail restait le seul point positif dans leur
vie. L'entreprise de paysage O'Leary était florissante. Graham louait maintenant un local de plusieurs pièces au
centre de Woodley pour accueillir deux assistants à plein
temps et un directeur. Les trois plus grandes pépinières
du Connecticut lui réservaient leurs meilleurs plants et il
entretenait par ailleurs d'excellentes relations commer-
ciales avec d'autres sociétés dans l'État de Washington et
en Oregon, ainsi qu'avec plusieurs fermes en Caroline.
Enfin, il occupait régulièrement deux des équipes de Will
pour les plantations.

De son côté, Amanda avait été nommée psychologue
coordinatrice pour les écoles de Woodley, ce qui lui avait
permis de changer un peu les habitudes. Elle avait par
exemple institué des déjeuners de groupe et des programmes d'aide à la communauté, grâce auxquels elle
rencontrait les élèves dans des situations non traumati-
santes. Elle gardait également la porte de son bureau
ouverte pour permettre aux jeunes qui en ressentiraient le
besoin de s'arrêter pour discuter avec elle de façon infor-
melle – conversations qui pouvaient durer cinq minutes
ou se prolonger bien plus longtemps. Elle encourageait
également les étudiants à communiquer par e-mail si cela

leur semblait plus facile pour confier leurs problèmes. Enfin, elle travaillait en coordination avec des psychiatres ou des avocats pour les cas difficiles et avait mis sur pied une cellule de crise.

Ainsi, Amanda et Graham avaient leur maison, leur travail, leurs voisins et leur amour. Une seule chose manquait à leur bonheur en ce quatrième anniversaire : un enfant.

Deux mois avant la date de leur cinquième anniversaire, Amanda et Graham déjeunèrent ensemble. À ce stade, Amanda avait la nette impression de n'être plus qu'un robot conçu pour produire des œufs.

Pendant le repas, ils parlèrent du temps, de leur travail, du choix de leurs plats, mais pas de ce qu'Amanda avait fait ce matin-là – à savoir passer un ultrason pour déterminer son taux de folliculine – ou de ce qu'ils feraient dans l'après-midi : Graham devait donner son sperme et Amanda subir une insémination artificielle.

Cette procédure avait déjà échoué une fois et ils abordaient maintenant le deuxième des trois essais prévus.

Un peu plus tard, Amanda se retrouva dans une chambre de la clinique. Graham, sa part du contrat remplie, avait regagné son bureau et Emily avait disparu, appelée pour une urgence, après avoir passé la tête quelques minutes à la porte pour la saluer. Depuis, Amanda se morfondait. Finalement, une infirmière – une nouvelle qu'Amanda ne connaissait pas – entra dans la chambre. Âgée d'une vingtaine d'années tout au plus, la jeune femme semblait dénuée de toute chaleur humaine. Amanda était si nerveuse que, après avoir tenté, en vain, de lancer la conversation, elle se contenta de fixer le plafond pendant que la fille lui injectait le sperme de Graham. Une fois sa tâche accomplie, l'infirmière quitta la chambre sans un mot, la laissant à nouveau seule.

Amanda connaissait la procédure. Elle devait rester les jambes repliées sur elle pendant une vingtaine de

minutes afin de permettre au sperme une meilleure péné-
tration. Puis elle allait se rhabiller et rentrer chez elle pour
attendre avec angoisse les résultats.

Pourtant aujourd'hui, elle ressentit une drôle de sensation au creux de la poitrine. Elle aurait voulu y voir un
signe mystique, la preuve incontestable qu'un bébé
commençait à cet instant même son périple de neuf mois
de vie intra-utérine, mais elle n'en était plus à se faire
des idées et elle devina que cette sensation n'était que la
manifestation de sa propre peur.

1

Graham O'Leary maniait la pelle avec hargne, soulevant et rejetant la terre d'un geste mécanique, insensible aux réactions de ses muscles endoloris. Il parvenait à se défouler grâce à cet exercice, évacuant ainsi une forte tension nerveuse. On était mardi, le jour J. Amanda aurait ses règles ou pas. Il souhaitait désespérément que non, car, bien sûr, il voulait un enfant, mais aussi pour le salut de son mariage. Les difficultés qu'ils rencontraient commençaient à peser sur leur relation et un mur s'élevait incontestablement entre eux. Leur complicité de jeunes mariés avait disparu et Graham sentait que sa femme s'éloignait peu à peu de lui.

Tout cela avait un air de déjà-vu.

Fulminant contre cette injustice, il souleva une énorme pelletée de terre qu'il envoya au loin puis replongea rageusement l'outil dans le trou. Un choc brutal entraîna une vibration douloureuse le long de son bras. Il avait heurté un caillou. Il se redressa en poussant des jurons. Graham avait parfois l'impression que le sol ne renfermait que de la pierraille. Et qu'on ne lui parle pas des murs de pierre élevés autrefois par les hommes pour séparer leur propriété de celle du voisin. Il aurait pu parier que ce genre de construction servait uniquement à ôter ces satanées pierres des champs !

Il se baissa en pestant, glissa sa pelle sous la pierre et l'écarta. Débarrassé de cet obstacle, il reprit son travail avec acharnement.

— Eh !

Oui, il savait reconnaître les signes du déclin. Il en avait déjà fait la cruelle expérience avec Megan. Sans qu'on y prenne garde, la situation se dégradait lentement, sournoisement, jusqu'au moment où elle vous échappait. On se retrouvait alors face à une étrangère, incapable de deviner ses sentiments. Avec Amanda, la cause du problème était évidente, mais cela ne simplifiait rien.

Grognant à nouveau, il plongea la pelle plus profondément. Il se souvenait d'une de leurs prises de bec, une semaine auparavant, quand il avait fait l'erreur de suggérer qu'elle réduise un peu son temps de travail, ce qui lui permettrait de se détendre et peut-être de débloquer la situation. Elle n'avait pas besoin d'être à la tête d'une douzaine de programmes différents, lui avait-il fait remarquer d'un ton qu'il jugeait gentil. D'autres étaient sans doute à même d'assumer certaines de ses responsabilités. Elle pourrait ainsi rentrer à la maison plus tôt un ou deux après-midi par semaine pour lire, cuisiner ou regarder la télévision.

Cette idée l'avait rendue furieuse et Graham n'était pas près d'aborder à nouveau le sujet.

— Gray !

Serrant les dents, il souleva une autre pierre. D'accord, il travaillait beaucoup lui aussi, mais ce n'était pas son corps qui devait fournir un cocon hospitalier propice au développement d'un enfant. Il n'y avait évidemment pas fait allusion devant Amanda. Elle l'aurait sûrement pris comme une critique.

— Eh, toi !

Elle l'accusait même de n'avoir pas été présent lors de la deuxième insémination artificielle – comme si cette procédure pouvait avoir lieu sans son sperme ! C'est vrai qu'il était retourné travailler dès son devoir accompli.

Mais, ne lui avait-elle pas elle-même dit de partir ? Bien entendu, elle affirmait maintenant qu'elle avait précisé qu'il n'était pas « obligé de rester » s'il se sentait mal à l'aise.

— Graham !

Il releva la tête. Son frère, Will, le regardait, accroupi au bord du trou.

— Je te croyais parti.

L'équipe travaillait de 7 heures à 15 heures et il était près de 17 heures.

— Je suis revenu. Qu'est-ce que tu fais ?

Plantant sa pelle dans la terre, Graham repoussa quelques mèches humides sur son front.

— Je prépare un trou pour cet arbre, répondit-il en désignant le monstre en question.

Un bouleau de belle taille devait être le point central du patio qu'il avait conçu. Il lui avait fallu du temps pour trouver l'arbre idéal.

— Il faut creuser large et profond. C'est capital.

— Je sais. J'ai d'ailleurs réservé le matériel nécessaire pour demain.

— Oui. Je me suis dit qu'un peu d'exercice me ferait du bien, expliqua Graham en se remettant à la tâche.

— Des nouvelles d'Amanda ?

— Non.

— Tu avais dit qu'elle appellerait dès qu'elle saurait.

— Eh bien, je suppose qu'elle ne sait pas encore ! répliqua-t-il en colère.

Il en voulait à Amanda. Ils ne s'étaient pas parlé depuis qu'il avait quitté la maison, tôt ce matin-là et, s'il y avait du nouveau, elle se gardait bien de l'en informer. Son portable se trouvait dans sa poche, silencieux comme une tombe.

— Tu as essayé de la joindre ?

— Non. J'ai appelé hier après-midi et elle m'a demandé de ne pas la stresser.

— De mauvais poil, hein ?

Graham émit un petit ricanement avant de soulever un autre tas de terre.

— Ils disent que c'est à cause du Clomid, ce médicament qu'elle doit avaler. Mais ce n'est pas facile pour moi non plus. Je me sens comme un eunuque, ajouta-t-il dans sa barbe.

— Aucune raison. À propos, tu sais que tu as une admiratrice ?

Graham s'arrêta, essuya la sueur de son front d'un revers de main puis jeta un coup d'œil désabusé à son frère.

— Ouais, répondit-il en reprenant son travail.

— Belle femme.

— Son mari est un génie de l'informatique. Ils ont à peine trente ans et plus d'argent qu'ils ne peuvent en dépenser. Alors lui s'amuse avec son ordinateur et elle regarde les hommes qui travaillent sur sa pelouse. Passablement pathétique si tu veux mon avis.

— Je dirais plutôt flatteur.

Graham le regarda entre deux pelletées.

— Va lui parler, alors, reprit Graham.

— Pas le temps. Je dois rentrer. Mikey et Jake ont foot et c'est moi l'entraîneur. Ne reste pas trop tard, d'accord ? ajouta-t-il. Laisses-en un peu pour la machine.

Graham continua encore un moment, au moins pour oublier le match de football de ses neveux. Quand il s'arrêta enfin, ses muscles imploraient grâce. Jetant d'abord son outil, il se hissa hors du trou et se dirigea vers sa camionnette – un pick-up vert foncé avec le logo de sa société sur la porte. Il récupéra une bouteille d'eau à l'arrière et but une longue gorgée avant d'attraper une serviette et de s'essuyer tant bien que mal. Puis il enfila un T-shirt, sauta au volant et prit la direction de la maison.

— À vous, dit Jordie Cotter, assis sur le bord d'un des fauteuils du bureau.

Âgé d'une quinzaine d'années, il avait les cheveux

aussi blonds que ses trois jeunes frères et sœur. Amanda les connaissait bien, les Cotter habitaient près de chez eux. Elle n'avait pas de dossier sur Jordie et, heureusement, ce dernier ne soupçonnait pas que cette partie de dames était en fait une séance de thérapie déguisée sinon il aurait décampé en vitesse. Officiellement, elle l'avait convoqué pour discuter des modalités du service d'aide à la communauté, qu'elle dirigeait. Cela faisait quand même trois fois qu'il venait, ce qui n'était certainement pas anodin.

Ravie de cette diversion, Amanda étudia le damier sur lequel se trouvaient cinq pions noirs dont quatre transformés en dame, et trois blancs. Évidemment, les blancs lui appartenaient, ce qui signifiait qu'elle perdait.

— Je n'ai pas beaucoup de choix, constata-t-elle.

— Jouez !

Amanda poussa le pion qui lui paraissait le moins menacé, anticipant néanmoins une perte. À juste titre... Jordie lui prit deux pions d'un coup.

— Bravo ! Je n'ai rien vu venir !

Il ne sourit pas, ne leva pas les bras au ciel en signe de victoire.

— À vous, dit-il simplement.

Elle étudia de nouveau la situation. Quand elle releva la tête, le garçon lui parut plus sombre encore.

— Allez-y, la pressa-t-il.

Elle s'exécuta, puis il joua et prit son dernier pion, gagnant la partie.

D'un mouvement souple, il se rejeta au fond du fauteuil, le visage dénué de la moindre trace de joie ou de fierté.

— Vous m'avez laissé gagner exprès ? demanda-t-il.

— Pourquoi aurais-je fait ça ?

Il haussa les épaules et détourna la tête. C'était un beau garçon malgré cette allure dégingandée propre aux adolescents. Son T-shirt et son jean n'avaient rien de débraillé, ses cheveux étaient propres et bien coupés et aucune trace d'acné n'abîmait son visage, contrairement à pas mal de ses copains. Dans les villes comme Woodley, les dermatologues travaillaient presque autant que les orthodontistes.

— Pour être aimée, répondit-il sans la regarder. Ça peut aider de perdre.

Amanda retint son souffle.

— Je sais ce que c'est, dit-elle. Je le faisais parfois à l'école. Je ratais délibérément une interrogation pour ne pas avoir l'air de fayoter.

— Ce n'est pas mon genre, répliqua Jordie.

Amanda n'en crut pas un mot. Les raisons ne manquaient pas d'agir ainsi, comme la tension qui régnait en lui par exemple. Une seule certitude s'imposait. Quelque chose ne tournait pas rond chez ce garçon. Ses notes dégringolaient depuis le milieu du trimestre et il ne se départait plus de cette expression d'ennui perpétuel.

Soudain, il tourna la tête et la fixa de ses yeux sombres et méfiants.

— Ma mère vous a parlé ?

— Au sujet de tes notes ? Non. Et d'ailleurs, elle ignore que nous avons discuté.

— Nous n'avons pas « discuté ». Pas dans le sens où vous l'entendez.

Il indiqua le damier.

— Ce n'est pas parler. C'est seulement mieux que de faire son travail.

Amanda porta la main à son cœur.

— Ah, touché ! gémit-elle avec une grimace.

— C'est bien pour ça que vous avez des jeux ici, non ? Pour attirer les élèves.

— On appelle ça des briseurs de glace.

— Comme Harry Potter ? demanda-t-il en fixant le livre sur l'étagère.

— Je trouve Harry très sympa.

— Les jumeaux aussi.

Ses frères jumeaux avaient huit ans.

— Je leur ai dit que Harry volait dans le bois derrière

la maison, assis sur son manche à balai. Ça les empêche de me suivre quand je vais me promener. J'aime bien notre forêt. Elle est réelle. Pas Harry.

Il se redressa sur le fauteuil et commença à replacer les pions sur le damier.

— En ce qui concerne le service d'aide à la communauté, je serais d'accord pour apporter mon assistance aux enfants si je pensais que j'en suis capable, ce qui n'est pas le cas.

— Pourquoi pas ?

— Je n'ai jamais été bon pour les discours.

— Pourtant, j'ai l'impression que tu parles avec tes copains.

— Ils parlent, j'écoute.

— Eh bien, cela me semble parfait, assura Amanda d'un ton encourageant. C'est exactement le but de ce service. Les enfants ont besoin de s'exprimer pour se défouler et tu leur prêtes une oreille attentive.

— Ouais, mais parfois j'ai aussi envie de dire des choses.

— Comme quoi par exemple ?

— Comme j'en ai marre de l'école, j'en ai marre de la maison, j'en ai marre du base-ball.

— Du base-ball ? Je croyais que tu aimais le base-ball.

Il revenait justement de l'entraînement. La séance avait peut-être été difficile.

— J'aimerais si je jouais, mais je reste toujours sur le banc de touche. Si vous saviez comme c'est embarrassant avec tous les autres qui regardent. Mes parents aussi. Pourquoi faut-il qu'ils assistent à tous les matchs ? Ils pourraient s'abstenir de temps en temps. Je veux dire, ma mère est toujours à l'école. Julie adore ça, mais qu'est-ce qu'elle y connaît ? Elle n'a que six ans.

— Ta maman fait beaucoup de choses pour le lycée.

— Vous ne pouvez pas imaginer comme c'est gênant.

— Effectivement, je n'en sais rien, répondit Amanda en choisissant de prendre un risque. Mes parents étaient bien trop occupés à s'engueuler pour avoir le temps ou l'énergie de s'intéresser à l'école ou à moi.

Jordie haussa les épaules.

— Les miens s'engueulent aussi. Mais seulement quand ils pensent qu'on ne peut pas entendre.

Amanda émit un petit grognement. Après avoir rassemblé ses idées, Jordie continua. De toute évidence ce sujet tenait une place importante dans son esprit.

— Et même si on ne peut pas entendre, on peut s'en rendre compte. Ma mère ne sourit plus, elle n'organise plus des trucs drôles comme elle le faisait avant. Elle invitait tous nos copains à dormir à la maison. Je veux dire, ce n'est pas ce que j'ai envie de faire, je suis trop vieux, mais Julie et les jumeaux pourraient, eux. Maman organisait parfois des soirées où nous nous retrouvions une vingtaine avec mes copains pour manger du pop-corn, des pizzas et regarder des vidéos et ça m'était égal si les jumeaux ou ma sœur tournaient autour de nous parce que ça faisait partie de la fête, vous comprenez ?

Son enthousiasme céda la place à un lourd silence, puis à la colère.

— Maintenant, elle se contente de passer la tête à la porte de la chambre et de poser des questions.

— Merde ! lança une voix perçante et nasale.

Amanda fronça les sourcils en direction du cacatoès vert vif enfermé dans sa cage, près de la fenêtre.

— Du calme, Maddie.

— Elle dit toujours ça, fit remarquer Jordie. Comment ça se fait qu'ils vous autorisent à la garder ?

— Elle jure seulement avec les jeunes. Elle est parfaite en présence de M. Edlin ou de l'un des professeurs. Avec eux, elle se montre d'une politesse exemplaire.

Maddie faisait également partie des « briseurs de glace » d'Amanda. Certains des élèves s'arrêtaient tous les jours quelques minutes pour donner à manger à l'oiseau jusqu'à ce qu'ils trouvent le courage de parler avec Amanda.

— C'est une bonne fille, ajouta cette dernière.

— Je t'aime, répliqua Maddie.

— Même les bonnes filles peuvent dire des gros mots quand elles sont en colère. Maddie a appris à jurer chez son précédent maître qui avait l'habitude de la poursuivre avec un balai. C'est ainsi que je l'ai adoptée. Elle connaît la colère et elle est triste quand les enfants sont malheureux, comme toi avec le base-ball.

— Je ne parlais pas du base-ball quand elle a juré.

Non, il évoquait sa mère. Il le savait bien, et c'est pourquoi il était maintenant debout et jetait son sac sur son dos. Parler de ses parents n'était pas facile pour un gamin comme Jordie et exprimer ses sentiments encore moins.

Jordie avait besoin de rencontrer un psychologue extérieur, quelqu'un de neutre, qui ne connaîtrait pas sa famille. Mais pour cela, il fallait que lui-même ou l'un de ses parents en prenne l'initiative mais pour l'instant, personne ne bougeait. Aussi Amanda s'arrangeait-elle pour être disponible quand Jordie passait la voir. Malheureusement, elle ne pouvait le forcer à rester et, avant qu'elle ait pu dire un mot, il s'éloignait déjà dans le couloir, perdu à nouveau dans ses sombres pensées.

Attends, eut-elle envie de crier. Nous pouvons en discuter. Nous pouvons parler des mamans qui se disputent avec leur mari, de tes sentiments à ce sujet, de ce que tu fais au lieu d'étudier. Je suis disponible pour t'écouter. J'ai même tout le temps voulu parce que je dois absolument m'occuper l'esprit pour ne pas réfléchir à mes propres soucis.

Mais Jordie était déjà loin et, une fois de plus, les yeux d'Amanda revinrent se poser sur la photo de Graham. Ce dernier souriait à travers sa barbe bien taillée. Toutes les femmes qui pénétraient dans le bureau ne manquaient pas de remarquer ce visage. À sa façon, Graham O'Leary était également un briseur de glace.

Elle devait l'appeler. Elle savait qu'il attendait, mais

ne parvenait pas à s'y résoudre. D'ailleurs, elle n'avait encore rien à lui dire.

Depuis quelque temps, leur seul sujet de conversation tournait autour du bébé et Dieu sait que la pression pesait lourdement sur les épaules d'Amanda. Elle ne pouvait rien reprocher à Graham. Il avait rempli sa part du marché et ce, à plusieurs reprises. Non, le problème semblait venir de son corps à elle. Évidemment, Graham ne le disait pas aussi explicitement, mais ce n'était pas nécessaire. Elle devinait sans peine son impatience.

Et pourtant que pouvait-elle faire de plus ? Elle suivait les instructions d'Emily à la lettre : elle mangeait bien, se reposait, faisait de petits exercices, sauf aujourd'hui. Elle redoutait tellement que quoi que ce soit provoque l'arrivée de ses règles qu'elle remuait le moins possible.

C'était ridicule, bien sûr. Quelques mouvements ne risquaient pas de stopper une grossesse, mais elle était tellement désespérée qu'elle ne voulait prendre aucun risque. Elle n'avait pas quitté son bureau depuis le déjeuner et bien qu'elle aurait eu besoin d'aller aux toilettes, elle se retenait. Pour se changer les idées, elle s'assit sur le divan et jeta un coup d'œil à sa montre en pensant à Quinn Davis. Il était 17 h 30. Elle lui avait dit qu'elle resterait dans son bureau jusqu'à 18 heures et elle tiendrait parole.

Quinn lui avait envoyé plusieurs e-mails ce matin-là, dans lequel il écrivait : « Je dois vous parler, mais c'est très personnel. Est-ce possible ? »

« Aucun problème, avait-elle répondu. Tout ce que tu me diras restera entre toi et moi. C'est la loi. Je serai disponible en fin de matinée, cela te convient-il ? »

Mais il n'était pas venu et elle avait reçu un autre e-mail.

« Allez-vous dire à mes parents que nous nous sommes rencontrés ? »

« Non, cela restera confidentiel. Ils ne seront pas avertis sauf si tu signes une lettre m'y autorisant. J'ai une demi-heure à t'accorder après les cours, mais si tu as entraînement de base-ball, tu peux venir plus tard. Je serai là jusqu'à 18 heures. Qu'en penses-tu ? »

Elle n'avait pas obtenu de réponse. Quelque chose clochait chez Quinn, elle le sentait instinctivement et cela n'avait rien à voir avec ses courriers électroniques. De nombreux élèves communiquaient ainsi avec elle parce que c'était plus facile. Elle suggérait souvent qu'ils viennent la voir, mais sans rencontrer beaucoup de succès. Elle ne pouvait rien faire pour les y obliger sinon garder un œil sur eux. Pas question de les forcer.

Cependant avec Quinn Davis, la situation s'avérait différente. Quinn était la star du collège. En plus d'être délégué de sa classe, il assurait le rôle de conseiller auprès des élèves et avait été déclaré meilleur buteur de l'équipe de basket, l'hiver dernier, avant de devenir leader de l'équipe de base-ball. Ses deux frères aînés, ex-stars de l'école eux aussi, poursuivaient leurs études, l'un à Princeton, l'autre à West Point. Ses parents, ardents activistes, étaient souvent cités dans le journal et passaient leur temps à Hartford à se battre pour une cause ou une autre.

Amanda se demanda si Quinn viendrait et, surtout, ce qu'il avait à lui dire. Peut-être voulait-il lui parler d'un élève qui avait besoin d'aide ? Un des buts du conseiller était justement de repérer les élèves en difficulté avant qu'ils ne perdent les pédales. Toutefois elle doutait que ce fût le cas puisque Quinn avait insisté sur l'aspect secret de leur rencontre vis-à-vis de ses parents.

Ôtant ses chaussures, elle replia ses jambes sous elle. Elle se sentait vidée, tant émotionnellement que physiquement, et quand elle osait espérer qu'il s'agissait là des premières manifestations de sa grossesse, un nœud lui serrait l'estomac. En tout cas, elle se réjouissait que son travail lui permette de s'habiller de façon décontractée. C'était même indispensable. Les élèves devaient voir en elle une professionnelle bien sûr, mais aussi une personne accessible. Pour ça, Amanda jouissait d'un avantage certain. Sa petite taille et ses boucles blondes et rebelles lui donnaient un air juvénile ; on lui donnait plutôt vingt-cinq que trente-cinq ans.

Ce jour-là elle portait un chemisier de couleur prune et un pantalon en toile assorti.

Un bruit dans le couloir la tira de ses pensées – un son étouffé, puis le silence. Craignant qu'il ne s'agisse de Quinn, Amanda sauta sur ses pieds et courut à la porte. Au bout du couloir se trouvait le gardien, un chariot plein de balais devant lui.

— Voiciiiiii Johnny, cria Maddie dans sa cage.

— Monsieur Dubcek, reconnut Amanda, soulagée.

L'homme, les cheveux blancs et tout voûté, n'avait pas loin de quatre-vingts ans, il refusait pourtant de prendre sa retraite. Il connaissait non seulement les parents des élèves, mais également leurs grands-parents, ce qui lui valait le respect de tous. Personne ne l'appelait jamais par son prénom – Johann – sauf Maddie, qui ignorait les règles élémentaires de savoir-vivre. Pour le cacatoès, le vieil homme était celui qui lui donnait à manger, nettoyait sa cage et l'emportait toutes les nuits dans son petit appartement, au sous-sol de l'école.

— S'il y avait eu quelqu'un avec vous, je serais parti, expliqua le gardien. Je ne voulais pas vous déranger.

— Il n'y a personne, répondit-elle avec un sourire qui s'effaça soudain quand une sensation bien connue réveilla son bas-ventre.

Le cœur battant, elle se dirigea vers les toilettes. Bien avant de baisser son pantalon, elle savait. Un profond sentiment de perte, mêlé à une dizaine d'autres émotions, l'envahit. Elle se laissa tomber sur le siège, posa ses coudes sur ses cuisses et, la tête entre ses mains, se mit à pleurer.

Elle devait être là depuis un bon moment, parce que soudain des coups à la porte la firent sursauter ainsi que la voix affolée du gardien.

— Madame O'Leary ? Est-ce que ça va ?

Madame O'Leary. Quelle ironie ! Dans son métier, elle avait toujours été Amanda Carr. Mais lorsqu'elle s'était installée à l'école, quatre ans plus tôt, elle avait croisé le gardien et lui avait présenté son mari qui l'aidait à transporter ses affaires. Depuis, pour le vieil homme, elle était Mme O'Leary.

Et alors, où était le problème ? Un jour normal, elle n'y aurait pas fait attention. Elle était fière d'être mariée à Graham et avait toujours pensé qu'une fois qu'ils auraient des enfants, elle utiliserait le nom de O'Leary plus souvent que celui de Carr.

Une fois qu'ils auraient des enfants... S'ils en avaient un jour. Et sans ? Avait-elle le droit de porter ce nom ?

— Madame O'Leary ? appela à nouveau le gardien.

— Tout va bien, répondit-elle en reniflant. Je n'en ai pas pour longtemps.

Amanda fit un effort pour se ressaisir, puis sécha ses larmes.

Quelques minutes plus tard, elle sortit et se lava les mains. Elle pressa la serviette en papier contre ses yeux. Brusquement, une sourde migraine l'assomma et elle ne se sentit plus les forces nécessaires pour affronter le problème, quel qu'il soit, de Quinn Davis. Priant pour que le gamin ne fasse pas son apparition, elle regagna son bureau, retoucha un peu son maquillage, éteignit son ordinateur et, après un signe de la main au gardien, quitta l'école.

Graham songea à retarder son retour pour laisser à Amanda le temps d'appeler. Les endroits où s'arrêter ne manquaient pas, dix minutes ici, dix minutes là. Mais il ne pouvait plus attendre. Il resta donc sur l'autoroute, le pied au plancher.

Le téléphone sonna soudain, son cœur fit un bond dans sa poitrine.

— Allô ?

Ce n'était pas Amanda, seulement une cliente – une

femme qui dirigeait une agence immobilière et qui l'avait engagé pour refaire ses bureaux. Un petit boulot, avec, toutefois, un gros potentiel. Cette agence gérait une clientèle haut de gamme et si la propriétaire appréciait ses réalisations, elle le recommanderait certainement. Vu la tension qui régnait dans son foyer, son travail restait un exutoire bienvenu.

— Je voulais savoir quand vous comptiez passer, demanda-t-elle.

Une main sur le volant, il saisit son agenda de l'autre.

— Vous êtes sur ma liste. Vos plans seront prêts au début de la semaine prochaine.

Il tourna quelques pages.

— Que diriez-vous de mardi prochain, à 16 heures ?

— Parfait. À mardi alors.

Graham avait à peine raccroché que le téléphone sonnait à nouveau. Mais ce n'était que son frère, Joe.

— Des nouvelles ?

— Non. Je rentre.

— Maman se demandait.

— J'imagine. Je vais te dire, il y a des jours où je regrette d'en avoir parlé.

— Nous t'avions posé la question.

Ça, aucun doute. Les questions avaient débuté un mois après son mariage et n'avaient plus cessé. Avec le recul, il aurait dû prétendre qu'Amanda et lui avaient décidé de ne pas avoir d'enfants pour qu'ils les lâchent. Toute la famille était au courant de leurs déboires, ce qui était aussi humiliant qu'exaspérant. Les hommes O'Leary n'avaient jamais connu une situation pareille. Joe venait d'avoir son cinquième enfant et Graham le soupçonnait, lui et sa femme, de ne pas en avoir fini.

— Elle commence à désespérer, renchérit Joe à propos de leur mère, Dorothy. Elle veut connaître tes enfants avant de mourir.

— Elle n'a que soixante-dix-sept ans.

— Elle a l'impression qu'elle s'affaiblit.

— Et que devrais-je faire de plus d'après elle ? demanda Graham, désespéré.

— Elle dit que c'est son dernier souhait.

— Joe, bon sang. Je n'ai vraiment pas besoin de ça maintenant.

— Je sais. Je t'avertis, c'est tout. Elle n'arrête pas de répéter que tu devrais toujours être avec Megan.

Rien de nouveau là non plus.

— Eh bien, ce n'est plus le cas. Fais-moi plaisir, Joe. Rappelle-lui que je suis marié à Amanda et que si j'ai un enfant, ce sera avec elle. Oh, j'ai un signal d'appel. Je te laisse. À plus tard.

Il avait menti, mais cette conversation devenait insupportable.

Il continua sa route dans un silence pesant. Cette satanée journée ne finirait donc jamais. Il ne comprenait pas pourquoi Amanda ne l'appelait pas. S'il n'y avait rien de nouveau, elle aurait au moins pu le lui dire. Elle savait qu'il attendait.

Quittant l'autoroute, il emprunta des voies secondaires qu'il connaissait comme sa poche, ce qui étrangement lui remonta le moral. Il adorait Woodley, ses collines verdoyantes, ses forêts, son centre-ville où les immeubles ne dépassaient pas deux étages et ses îlots de maisons, disséminés dans la campagne, comme celui où ils habitaient.

Toutes les rues étaient bordées d'arbres – des pins, des hêtres, des érables, des bouleaux ou des chênes. Au détour d'un chemin, il longea un champ recouvert de coquelicots d'un rouge lumineux, suivi un peu plus loin de jonquilles jaune vif.

Les bois d'alentour regorgeaient de multiples espèces et Graham en tirait quelque fierté. Sa famille vivait à moins d'une heure de là, mais les deux endroits ne se ressemblaient guère. Ses parents habitaient une ville populaire, une cité ouvrière où beaucoup rêvaient de s'installer dans un lieu comme Woodley. Graham, lui, avait réalisé son rêve.

Du moins, une partie. Et, si les nouvelles s'avéraient bonnes, il serait alors doublement heureux de vivre là. Woodley présentait un cadre idéal pour élever des enfants.

Le centre-ville était niché au sommet d'une colline à l'intersection de trois rues ombragées. Des bancs en bois invitaient au farniente et les devantures de magasins rivalisaient d'ingéniosité pour attirer le chaland en hiver comme en été. Des odeurs appétissantes embaumaient l'air – pâtisseries chaudes, café fraîchement moulu, chocolat émanant de la boutique de bonbons. Une douzaine de petits restaurants étaient à la disposition des quatorze mille âmes qui composaient la population locale, particulièrement huppée. La table à la mode restait un établissement chic qui servait les repas dans un patio vitré ou ouvert dès que le temps le permettait. Un peu plus loin, après une galerie d'art et un magasin d'antiquités, une librairie offrait un large choix d'ouvrages et proposait également un conteur pour les enfants. Plusieurs boutiques de vêtements étaient réparties dans le centre qui comptait en outre une pharmacie – dont le pharmacien prenait le temps de conseiller ses clients. Une quincaillerie, un photographe et un salon de thé renforçaient l'offre.

La municipalité interdisait les constructions de plus de deux étages. Certains commerces occupaient ainsi tout l'immeuble, mais la plupart du temps, le second restait le domaine des avocats, médecins ou autres professions libérales. L'entreprise de Graham se trouvait au-dessus d'un magasin d'articles ménagers qui lui avait adressé nombre de nouveaux arrivants.

Il ne s'arrêta pas à son bureau, pas plus qu'au supermarché bien qu'une place se soit libérée sur son passage. En temps ordinaires, il en aurait profité pour faire un saut et acheter une barre de chocolat aux amandes, le péché mignon d'Amanda.

Ce jour-là cependant, il ne se sentait pas d'humeur à échanger des politesses, ce qui ne manquerait pas de se produire s'il pénétrait dans le supermarché. Il en voulait à Amanda de ne pas l'avoir appelé, de ne pas penser à lui pour une fois. De ne pas tomber enceinte, point final.

Cette pensée le frappa de plein fouet. Il savait qu'il était injuste, mais son esprit refusait de l'admettre et sa culpabilité grandit de plus belle.

Il se redressa sur son siège et s'efforça d'adopter une attitude décontractée. Il posa son coude sur la fenêtre ouverte, une main sur le volant et l'autre sur le dossier du siège passager comme si tout allait pour le mieux dans le meilleur des mondes.

Amanda sortit de sa torpeur sur le chemin du retour et l'énormité de la situation lui apparut dans toute son horreur. Il n'y aurait pas de bébé cette fois encore. Pas de bébé... Elle se sentait vide – une coquille vide –, inutile, frustrée, perdue et complètement démoralisée.

Ils s'étaient pourtant montrés prudents, cette fois-là, prenant soin de ne pas se laisser emporter par leurs espoirs. Seule entorse : ils avaient quand même envisagé de mettre une paire de chaussures sous l'arbre de Noël pour le bébé à naître et ils avaient porté un toast le jour de l'an. Ils avaient aussi admis que les réunions de famille chez les O'Leary deviendraient drôlement plus faciles à vivre quand ils attendraient un enfant bien à eux.

Retirant le peigne en écaille qui retenait ses cheveux, Amanda secoua ses boucles et s'exhorta à des pensées positives. Après tout, elle n'avait pas le droit de se plaindre. Elle possédait tellement plus que la plupart des gens. Par exemple, une belle maison dans un endroit charmant et très bien fréquenté – un environnement parfait pour des petits.

Sauf qu'elle n'en avait pas.

En revanche, elle avait trois voisines charmantes, dont deux étaient devenues des amies proches. La troisième – la jeune veuve de Ben – gardait ses distances, mais les autres compensaient largement cette froideur. Les familles, maris et enfants compris, entretenaient d'étroites relations, partageant au fil des saisons pique-niques dans les jardins, séances collectives de ramassage des feuilles mortes ou pizzas du dimanche soir. Sans compter les innombrables discussions entre femmes au téléphone, sous le porche ou encore près de la piscine des Cotter.

Une de ces conversations lui ferait d'ailleurs le plus grand bien. L'une ou l'autre de ses amies la rassurerait et lui dirait combien elle l'enviait. Aucune n'avait un emploi comme le sien. Karen, mère au foyer, travaillait dur, mais sans le bénéfice d'un salaire et le poste de Georgia qui, au contraire, était très bien rémunéré, exigeait de fréquents déplacements qui la retenaient loin de sa famille plusieurs jours par semaine.

Le salaire d'Amanda n'était peut-être pas très impressionnant, mais elle adorait son travail et – comble de chance – l'exerçait dans une école située à moins de dix minutes de chez elle. Si elle avait un enfant, elle pourrait éventuellement choisir de s'installer comme psychologue indépendante et recevoir ses patients à domicile. Le bureau au-dessus du garage disposait d'une entrée indépendante qui conviendrait parfaitement.

Elle avait même la voiture familiale idéale – la SUV de rigueur à Woodley. Évidemment, elle roulait avec depuis quatre ans et cela commençait à se ressentir. Au cours des derniers mois, ils avaient dû remplacer le système d'injection, les suspensions et la batterie. Ils avaient même envisagé de changer de véhicule mais, sans l'annonce d'un bébé, cet achat avait paru superflu.

La voiture ronronnait joyeusement tandis qu'elle approchait de sa maison.

Le pick-up de Graham n'était pas en vue.

Cette constatation lui inspira des sentiments mitigés qu'elle refusa d'analyser. Ouvrant les deux fenêtres avant, elle laissa une douce brise lui caresser le visage, ce qui lui procura un apaisement bienvenu. En ce début du mois de mai, la nature s'éveillait autour des quatre maisons. L'herbe, qui avait brusquement verdi, venait d'être coupée comme en témoignaient les traces de la tondeuse et l'odeur caractéristique qui flottait encore dans l'air. Les grands chênes arboraient un feuillage d'un beau ton vert pâle et les bouleaux à l'écorce blanche bourgeonnaient. Après leur éclosion, les crocus s'en étaient allés, cédant la place aux forsythias. Quelques taches jaunes témoignaient encore de la résistance des jonquilles et les tulipes commençaient à s'ouvrir. Du lilas ornait les porches des maisons et bien que sa floraison ne soit pas tout à fait terminée, son parfum imprégnait déjà les allées.

Une fois devant chez elle, Amanda respira à pleins poumons. Le printemps avait toujours été sa saison préférée parce qu'il apportait avec lui un renouveau, une renaissance de la nature et une impression de propreté.

Une renaissance... Coupant le moteur, elle se demanda pourquoi on en revenait sans cesse au même point. Des tas de personnes vivaient sans enfant et d'ailleurs, de nombreuses femmes qui ne souhaitaient pas en avoir se trouvaient parfaitement heureuses ainsi. Le problème était qu'elle, elle en voulait un, mais n'y parvenait pas sans que quiconque pût lui expliquer pourquoi.

Était-elle punie pour avoir privilégié sa carrière ? Ou conservé son nom de jeune fille ? Ou parce qu'elle avait choisi de repousser le moment de devenir mère ? Il lui aurait sans doute été plus facile de tomber enceinte dix ans plus tôt, mais elle ne se sentait pas prête à vingt-cinq ans. D'ailleurs elle ne connaissait pas encore Graham à l'époque et elle ne regrettait pas de l'avoir attendu. Il en valait la peine, même si sa mère semblait croire le contraire.

Elle affirmait que leur différence génétique était tout simplement trop importante pour qu'ils puissent concevoir ensemble. Graham était grand, costaud avec des yeux verts tandis qu'elle était petite, mince aux yeux marron. Il avait des cheveux sombres et raides. Les siens étaient blonds et bouclés. Il avait sept frères et sœurs, elle était fille unique. Il était sportif, elle, non.

Amanda ne prêtait guère attention aux théories de sa belle-mère, un tas de foutaises. Cette constatation ne lui remontait malheureusement pas le moral. Ils y avaient tellement cru cette fois. Graham allait être très déçu.

Elle aurait dû l'appeler. Certaines choses passaient mieux au téléphone ou par e-mail. Elle aurait dû le mettre au courant ainsi, partager sa peine, lui confesser son échec.

Il n'était pas trop tard, mais le courage lui manquait.

Poussant un profond soupir, elle attrapa sa serviette. Elle s'apprêtait à sortir quand un mouvement dans le rétroviseur attira son regard. Gretchen Tannenwald, la jeune veuve de Ben, se promenait dans son jardin. Elle avait passé de longues heures à l'automne à planter des bulbes, tournant le dos à ses voisins, seule dans son coin, même quand les autres se regroupaient pour discuter. Toutes les tentatives de leur part pour briser la glace s'étaient soldées par un échec. Difficile de croire que cette femme avait été mariée au génial Ben.

Et finalement, pas si difficile que ça. Gretchen avait à peine la moitié de l'âge de Ben et était l'antithèse de June. Là résidait peut-être l'explication. Un changement aussi radical ne pouvait que se révéler bénéfique pour Ben et lui avait sans doute permis de sortir de son chagrin.

Les hommes du voisinage se montraient plus conciliants. « Il est évident qu'elle l'idolâtre, affirmait Russ Lange, le romantique. Les hommes aiment ça. »

« D'ailleurs comment ne pas l'aimer ? renchérissait Lee Cotter. C'est un sacré brin de fille. »

Graham suggérait que Ben devait apprécier son énergie. « Elle l'entraîne au tennis, en voyage ou en balade, alors qu'avec June, il menait une vie pépère. Gretchen lui a ouvert de nouveaux horizons. »

Le jugement des femmes s'avérait nettement moins

généreux. De leur point de vue, le mariage de Ben et Gretchen se fondait sur deux choses : le sexe pour Ben et l'argent pour Gretchen.

Évidemment, cette théorie n'expliquait pas pourquoi Gretchen s'attardait ici après le décès de son mari. Amanda avait pensé qu'elle s'empresserait de vendre la maison, d'empocher l'argent et de décamper. Mais non. Elle se promenait parmi ses plates-bandes, vêtue d'une robe courte dans laquelle on lui donnait bien moins que ses trente-deux ans.

Soudain, Amanda retint son souffle et fronça les sourcils. En réalité, cette robe lui donnait l'air d'être... enceinte.

Le cœur serré, elle se tourna pour l'observer attentivement par la vitre arrière. Quelques secondes plus tard, la lumière souligna le corps de Gretchen de profil, mettant en évidence ce qui ressemblait fort à un ventre bombé.

Que penser de ça? Ben était décédé depuis un an, trop longtemps pour avoir quoi que ce soit à voir avec une éventuelle grossesse et Gretchen ne sortait plus depuis sa disparition. Par ailleurs, tout le monde aurait remarqué un nouvel homme dans les parages et, à la connaissance d'Amanda, les seuls qui avaient franchi le seuil de sa maison pendant l'année écoulée avaient été le plombier, le menuisier, l'électricien, mais également, sous un prétexte ou un autre, Russ Lange, Lee Cotter et Graham O'Leary.

2

Amanda regardait encore par la vitre arrière quand le pick-up vert de Graham apparut dans son champ de vision. Le cœur battant, elle oublia instantanément Gretchen et descendit de voiture.

Elle adorait la décontraction de Graham au volant. La première fois qu'ils étaient sortis ensemble, il possédait une Mustang décapotable et quand elle l'avait vu si à l'aise, le vent dans ses cheveux, son attirance pour lui avait encore grandi. En le regardant aujourd'hui, elle ressentait toujours le même pincement au creux de l'estomac. Puis elle se rappela ce qu'elle avait à lui annoncer.

Graham ralentit, levant au passage la main gauche pour saluer Gretchen qui tourna brièvement la tête, avant de venir se garer près du véhicule d'Amanda.

Cette dernière contourna le pick-up. Les yeux de Graham ne la quittaient pas, l'interrogeant silencieusement, puis devinant. Visiblement découragé, il se laissa aller contre le dossier de son siège.

— Tu as eu tes règles.

Elle se sentit soulagée de ne pas avoir à prononcer ces mots.

— Il y a une demi-heure.

— Tu en es sûre ? Il ne s'agit peut-être que de quelques pertes.

Elle secoua ses boucles blondes. Les crampes dans son ventre n'étaient que trop familières.

— Tu devrais peut-être faire un test.

— C'est inutile.

Rejetant la tête en arrière, il poussa un profond soupir, puis d'un air las, ouvrit sa portière. Les yeux pleins de larmes, Amanda fit demi-tour pour aller récupérer ses affaires. Elle ferma sa voiture et remonta l'allée pavée. Appuyé contre un pilier, Graham contemplait le jardin. Il l'avait non seulement dessiné, mais il en avait planté chaque graine, chaque buisson. Ses soins commençaient à porter leurs fruits et, bien que la belle saison ne fît que commencer, le jardin se parait déjà de différents tons de vert. Il faisait l'admiration des voisins, mais Amanda soupçonnait Graham, à cet instant, de ne même pas le voir.

— J'y croyais tellement cette fois, dit-il d'une voix sourde. Tellement...

— Moi aussi, répondit Amanda en s'appuyant à son tour contre un des piliers. Et le médecin également. Le timing était parfait.

— Alors, quel est le problème ? s'écria-t-il, frustré.

— Je l'ignore. Il y avait huit ovules, deux de plus que le mois dernier, sept de plus que les femmes ne produisent. Un au moins aurait dû être fécondé. Mon Dieu, nous l'aurions bien mérité.

— J'ai l'impression que nous avons laissé passer notre chance, murmura Graham le regard toujours dans le vague.

Il tourna la tête et fixa sur elle ses magnifiques yeux verts.

— Qu'est-ce qui ne marche pas ? demanda-t-il.

L'estomac noué, Amanda avait du mal à respirer. Elle ne supportait pas qu'ils puissent devenir ennemis et surtout pour cette raison. Elle avait besoin de lui à ses côtés.

— Je ne sais pas, Gray. Personne ne sait. Près de quinze pour cent des cas d'infertilité demeurent inexpliqués. Tu as entendu Emily.

— Ouais. Et elle a aussi dit que soixante pour cent de ces cas concevraient un enfant naturellement dans les trois ans. Alors, pourquoi pas nous ?

— Je l'ignore. Je suis scrupuleusement ses instructions. Je prends ma température, j'avale du Clomid. J'ai même subi un ultrason, cette fois, afin de vérifier que le jour retenu pour l'insémination était bien le meilleur.

— Alors, pourquoi ne tombes-tu pas enceinte ?

Amanda tenta d'ignorer le ton mordant de sa voix, de se convaincre que seule la situation motivait sa colère et non pas elle, mais son agressivité ne l'en blessa pas moins.

— Je n'en sais rien.

— Nous avons attendu trop longtemps, affirma-t-il soudain. Tu avais déjà trente ans quand nous nous sommes mariés. Nous aurions dû nous y mettre tout de suite.

— Comme si une année de plus ou de moins pouvait changer quelque chose. Voyons, Graham, ne sois pas injuste.

— Plus le temps passe, plus c'est difficile. Ils nous l'ont expliqué.

— Oui, un million de fois. En fait, ce qu'ils ont dit, c'est que le taux de fertilité dégringole brusquement à trente ans, puis encore à trente-cinq et encore à quarante. Alors, peut-être était-il effectivement déjà trop tard lors de notre mariage. Mais puisqu'on en est aux accusations, où étais-tu quand j'avais vingt-trois ans ?

— Dans le Nord-Ouest, fit-il évasivement.

Elle le savait, mais insista, désireuse de lui faire partager les torts.

— Tu te remettais de ta séparation avec Megan. Tu avais vingt-neuf ans et tu étais bien décidé à profiter de la vie. Tu ne souhaitais pas te lier à nouveau. Tu crapahutais dans les montagnes, descendais des rapides en raft et tu rigolais avec tes copains. Évidemment, il aurait sans doute été préférable de commencer plus tôt, mais si nous nous étions rencontrés à cette époque-là, tu n'aurais eu aucune envie de te marier et encore moins de devenir père.

Graham ne répondit pas tout de suite. Les arguments d'Amanda semblaient avoir porté et il paraissait plus calme, ce qui la rassura. Sa capacité de réflexion était une des qualités qu'elle appréciait le plus chez lui. Il savait écouter et entendait les différents arguments.

— Tu ne peux pas savoir ce qui se serait passé si nous nous étions rencontrés à ce moment-là.

— En effet.

Elle frotta un point douloureux entre ses seins. Une fêlure dans son cœur ?

— Alors, s'il te plaît, arrête de prétendre que tout est de ma faute, reprit-elle. Ça n'a pas été facile pour moi et j'ai parfois l'impression de faire tout le travail alors que c'est toi qui veux un bébé.

— Oh, oh ! s'exclama-t-il en levant une main. Es-tu en train de me dire que tu ne veux pas d'enfant ?

— Tu sais très bien que j'en veux un. C'est mon souhait le plus cher. Mais toi, tu aurais été partant pour en avoir un tout de suite après notre mariage, ce que je peux comprendre.

Comment aurait-il pu en être autrement ? Graham avait grandi à cinquante kilomètres de là où toute sa famille vivait encore et ils se réunissaient souvent.

— Tu as sept frères et sœurs qui, à eux tous, totalisent déjà vingt-sept descendants.

— J'adore les gosses, dit-il.

— Moi aussi, mais je ne suis pas une lapine.

— De toute évidence, fit-il remarquer, ironique.

Soudain, un gouffre parut s'ouvrir entre eux.

— Que veux-tu dire ? cria-t-elle.

Baissant la tête, Graham se frotta la nuque. Puis, il se redressa et la regarda d'un air triste.

— Cette conversation ne nous mènera à rien. Je ne veux pas que nous nous disputions.

Amanda non plus. Elle détestait cet abîme qui semblait se creuser chaque jour un peu plus et les séparait, cette solitude qui l'oppressait. Elle haïssait cette pression incessante et le sentiment qu'elle avait d'être seule responsable de ce gâchis, comme si la faute incombait à une défaillance de son seul corps.

Au bord des larmes, elle attendit une minute avant de parler.

— J'ai juste besoin que tu comprennes ce que je ressens. Je fais tout ce que je peux, tout ce qu'Emily me demande. Peut-être que le problème vient d'elle...

— Non, non, non et non. C'est le quatrième médecin que nous voyons et nous étions convenus qu'elle nous paraissait compétente.

— C'est vrai, pourtant elle ne peut expliquer pourquoi ton sperme s'avère incapable de féconder un seul œuf.

— Je ne suis pas responsable, dit-il l'air décontenancé.

— Je sais, mais ça n'en reste pas moins difficile pour moi, Gray. À la fois, sur le plan émotionnel parce que mes espoirs ne cessent de monter et descendre, de remonter pour dégringoler plus bas encore, mais aussi sur un plan physique. Les médicaments que je suis obligée d'avaler me donnent des nausées et des douleurs dans la poitrine. Et inutile de préciser que j'aurais les mêmes symptômes si j'étais enceinte mais, si j'étais enceinte, ça me serait égal. C'est aussi pénible sur le plan professionnel. La moitié de mes patients ces derniers temps sont des adolescentes enceintes.

Appuyant son dos contre le pilier et glissant les mains dans les poches de son jean, Graham étira ses longues jambes et ricana.

— Quelle ironie ! dit-il. Elles font l'amour une seule fois et, crac, un bébé, alors que nous essayons depuis quatre ans, en vain.

Ironie. Ce mot pouvait effectivement définir la situation, mais Amanda en voyait d'autres qui conviendraient tout aussi bien, comme « injustice » ou même « cruauté ». Et puisqu'on en était là autant aller jusqu'au bout, toutes les femmes tombaient enceintes, sauf elle.

— Gretchen est enceinte, lança-t-elle.

Graham ne parut pas entendre d'abord, perdu dans ses pensées, mais après une minute, il releva la tête, l'air ébahi.

— Gretchen ? La Gretchen de Ben ?

— Oui. Je l'ai aperçue dans le jardin, il y a quelques minutes. Elle est enceinte.

— Je l'ai vue moi aussi. Elle ne l'est pas, affirma-t-il en secouant la tête.

— Elle n'était pas de profil.

Il ferma les yeux et soupira.

— Allons, Mandy, nous en avons déjà discuté. Tu vois des femmes enceintes partout.

— Non, ce n'est pas vrai. Nous sommes au printemps et les femmes enlèvent leurs manteaux. Ces ventres gonflés sont bien réels. J'en rencontre partout, au supermarché, dans la galerie commerciale, à la librairie et même à l'école.

Sa voix grimpait dans les aigus sans qu'elle puisse se retenir.

— Il m'arrive parfois de me demander ce que Dieu souhaite exactement. Cherche-t-Il à nous envoyer un message ? À me faire comprendre que cela ne devait pas arriver ?

Elle espérait bien entendu que Graham allait protester et la rassurer. Mais il ne le fit pas.

— Qu'est-ce qui ne devait pas arriver ? demanda-t-il en la regardant avec méfiance. Nous ?

Cette même peur, qui l'avait envahie dans la chambre

de la clinique, revint la hanter, sournoise. Elle était en train de perdre son mari. La vie les éloignait l'un de l'autre.

— Les bébés sont censés être le fruit d'un acte d'amour. Ils sont censés être conçus dans l'intimité d'une chambre. Or, nous ne faisons rien de tout ça. La partie la plus précieuse de notre vie de couple n'est qu'une suite de rendez-vous avec des médecins, cachets à avaler, température à prendre, emplois du temps. Tout ça finit par agir sur nous, Graham. Nous ne nous... amusons plus.

Elle pleurait maintenant à chaudes larmes, le corps tremblant, si pathétique que Graham n'aurait pas été Graham s'il n'avait réagi. Il l'attira dans ses bras, la serra contre lui et, pendant une minute, blottie au creux de ses bras, respirant son odeur, elle se rappela leurs bons moments et souhaita les retrouver.

Mais trop vite, il la relâcha et glissa les mains dans ses poches en se tournant de nouveau vers le jardin.

— Au sujet de Gretchen, dit-il, tu te trompes. Ce devait être un effet d'optique. Comment pourrait-elle être enceinte alors que son mari est mort ?

Amanda essuya ses larmes sur ses joues.

— Les maris ne sont pas toujours les concepteurs des enfants, fit-elle remarquer.

Graham se tourna vers elle.

— Es-tu en train de parler de nous ou d'elle ? demanda-t-il.

— D'elle.

— Alors, à ton avis, si elle est vraiment enceinte, qui est le père ?

— Aucune idée, mais je suis certaine de ce que j'ai vu.

Décidée à en avoir le cœur net et surtout à échapper un moment au drame qui se jouait entre elle et son mari, elle descendit les marches et s'éloigna.

— As-tu appelé le médecin ? demanda Graham dans son dos.

— Demain.

— Nous allons encore essayer, n'est-ce pas ?

— Je ne sais pas, répondit-elle sans ralentir.

— Où vas-tu ? cria-t-il, l'air ennuyé cette fois.

— Chez les voisins. Je vais demander à Russ s'il a remarqué quelque chose à propos de Gretchen. Après tout, il passe ses journées ici. Si elle reçoit un homme, il doit le savoir.

Abandonnant l'allée, Amanda traversa la pelouse, puis se glissa entre des buissons de genévriers et d'ifs avant de couper par la petite pinède qui séparait leur maison de celle des Lange. L'odeur de terre humide et de pin, si forte à cet endroit, eut un effet apaisant. À moins que ce ne soit le fait de marcher et surtout de s'éloigner de chez elle. En tout cas, elle avait retrouvé son calme quand elle grimpa l'escalier à l'arrière de la maison voisine.

La porte s'ouvrit brusquement et elle n'eut que le temps de faire un bond de côté avant qu'Allison Lange, quatorze ans depuis peu, ne dégringole les marches.

— Désolée, s'excusa-t-elle avec un petit rire.

Amanda retint la porte.

— Tout va bien ?

Allison trottinait maintenant à reculons à travers la pelouse.

— Oui, mais je n'ai pas le temps de parler. Jordie a besoin d'un coup de main en algèbre.

Pivotant sur elle-même, elle s'élança en direction de la maison des Cotter.

Jordie était le fils aîné de Karen et Lee Cotter et le meilleur ami d'Allison depuis l'école primaire. Ils étaient maintenant en première année au collège et, bien qu'Allison soit plus jeune d'un an, plus grande de quelques centimètres et plus douée pour les études, ils n'en restaient pas moins très proches.

Amanda adorait Allison, une adolescente chaleureuse

et très extravertie pour une fille de son âge. Jordie, pour sa part, offrait un abord beaucoup plus abrupt.

— Je viendrais bien t'accueillir, cria Russell Lange de la cuisine, mais si j'arrête de tourner cette sauce, c'est foutu.

Russ, grand gaillard dégingandé aux rares cheveux auburn et ébouriffés, se tenait devant la gazinière, ses petites lunettes rondes perchées au milieu de son nez. Un tablier autour de la taille, il portait un T-shirt et un short, les pieds nus comme à son habitude, quelle que soit la température à l'extérieur. Il se plaisait à répéter que marcher sans chaussures était un des avantages majeurs de sa position de père au foyer, mais Amanda le soupçonnait de détester enfermer ses pieds qui étaient immenses.

Russ était journaliste. L'essentiel de ses revenus provenait de son travail de critique littéraire, mais sa grande joie restait la rubrique hebdomadaire qu'il écrivait sur l'art d'être parent. Sa femme, Georgia, avait créé sa propre société dont elle était présidente, ce qui l'obligeait à de fréquents déplacements. Plusieurs jours par semaine, Russ s'occupait des enfants. Et pour autant qu'Amanda puisse en juger, il était devenu un père très estimable doublé d'un cuisinier hors pair.

— Qu'est-ce qui sent aussi bon ? demanda-t-elle.

— Du veau marsala, annonça-t-il avec emphase, pas trop chargé en vin à cause des deux gosses, encore que je crois que je viens juste de perdre la fille.

Assis au bout de la table Tommy, onze ans, qui avait hérité des mêmes cheveux sombres et épais que sa sœur et sa mère, leva la tête de ses devoirs pour mettre son grain de sel.

— Allie a dit que si tu ajoutais un peu de vin, elle reviendrait.

Amanda s'approcha du jeune garçon et serra affectueusement ses épaules.

— Que sais-tu du vin, toi ? demanda-t-elle.

— Juste qu'Allie aime en boire.

— Et où ça ?

— Ici. Dans le verre de maman.

— Comment va ta maman ?

— Bien. Elle va appeler tout à l'heure.

— Où est-elle ?

— À San Antonio. Elle revient demain.

Le garçon descendit de sa chaise.

— Je vais à côté, papa.

Russ agita sa longue cuillère en bois en direction de son rejeton.

— Si c'est pour discuter sur le net avec Trevor et John, pas question.

— C'est pour faire pipi.

— Oh ! dit Russ en jetant un regard amusé vers Amanda. Autant pour moi. OK, mais reviens ici tout de suite après. Tu dois finir ta rédaction.

Il suivit son fils des yeux jusqu'à ce qu'il disparaisse dans le couloir, puis se remit à tourner sa sauce.

— Comment vas-tu ? demanda-t-il à Amanda.

— J'ai connu mieux.

Elle s'approcha de lui et jeta un coup d'œil dans la casserole. L'odeur qui s'en dégageait était aussi appétissante que la viande légèrement dorée qui attendait dans un plat sur le feu voisin. Un sentiment de culpabilité l'envahit soudain. Elle ne cuisinait jamais rien d'original. Graham avait des goûts simples en matière culinaire – le genre steak-frites – faciles à contenter. Quand ils restaient à la maison, ils cuisinaient ensemble, mais ils sortaient souvent.

De toute façon, elle doutait de pouvoir avaler quoi que ce soit, après cette journée.

— J'ai besoin de ton avis. Gray et moi ne sommes pas d'accord. J'ai l'impression que Gretchen est enceinte et il affirme que non. Qu'en penses-tu ?

Elle aurait pu jurer que Russ avait rougi. Puis elle réalisa que ce devait être la chaleur dégagée par le plat.

— Enceinte ? répéta-t-il. Ouah... ! Je ne suis pas au courant.

— Tu n'as pas remarqué sa silhouette ?

Sa rougeur s'intensifia et la chaleur n'y était pour rien, cette fois. Ses lunettes n'avaient même pas de buée.

— Sa silhouette ?

Évidemment qu'il avait remarqué sa silhouette... Quelle question ! Avec Graham et Lee, ils avaient même une conscience aiguë du physique de leur voisine.

— Son ventre ? insista-t-elle. Tu n'as rien constaté ?

— Non, rien du tout.

Mais il n'ajouta pas qu'elle se faisait des idées.

— Enceinte ? Comment cela aurait-il pu se produire ?

Si son moral avait été meilleur, Amanda aurait sûrement éclaté de rire.

— Comme pour tout le monde, je suppose. J'ai dit à Gray que tu aurais certainement remarqué si un homme lui rendait visite.

— Non. Mais tu sais, je suis scotché devant mon ordinateur toute la journée.

— Tu entendrais bien une voiture approcher ?

— Avant oui, mais le défilé a fini par me lasser. Le facteur, l'exterminateur de cafards, le gars pour les recommandés, ça n'arrête pas. Je ne prends même plus la peine de lever les yeux.

Il se mit à mordiller l'intérieur de sa joue, l'air pensif.

— Quoi ?

— Je pensais à Ben. Il aurait sûrement adoré avoir un enfant à son âge.

Selon Amanda, tous les hommes adoraient devenir père, quel que soit leur âge. Après tout, n'était-ce pas un signe de virilité ? Elle se demanda brusquement si cela tracassait Graham.

— Les enfants de Ben ne l'auraient certainement pas vu d'un bon œil, fit-elle remarquer. Ils ont déjà eu beaucoup de mal à accepter Gretchen. Un bébé n'aurait fait qu'ajouter du sel sur la plaie. Mais il ne peut s'agir de Ben. Le timing ne correspond pas.

— Es-tu certaine qu'elle est enceinte ?

— Ça m'en a tout l'air.

— De combien ?

— Je dirais cinq mois, peut-être six. Enfin, je crois. Je ne suis pas à proprement parler un expert dans ce domaine.

Russ garda le silence un moment.

— Quoi de neuf pour toi ? demanda-t-il ensuite, doucement.

— Rien. Je devrais peut-être prendre des leçons de cuisine. Qui sait ? Si ça se trouve, le secret de la fertilité réside dans un bon plat.

Elle se dirigea vers la porte, regrettant soudain d'avoir tourné le dos à Graham. Il souffrait lui aussi.

— Je pourrais aller poser la question à Gretchen, offrit Russ. J'irai peut-être après le dîner. Il y a un moment que je ne lui ai pas parlé. On voit moins les gens l'hiver. Il faut dire que je suis toujours à l'intérieur, occupé à travailler, à surveiller mes enfants ou à flirter avec ma femme quand elle fait une halte à la maison.

Le téléphone sonna.

— Cela deviendrait vraiment très intéressant si Gretchen était effectivement enceinte, conclut-il.

Amanda sortit, mais Russ la rappela comme elle arrivait en bas des marches.

— C'était Graham. Il faut que tu rentres. Une urgence à ce qu'il paraît.

Elle remercia d'un signe de tête et s'éloignait déjà quand Karen Cotter fit son apparition, un plat recouvert d'un torchon dans les mains.

Karen n'avait rien d'une femme sophistiquée. Les jours où elle se maquillait se comptaient sur les doigts d'une main et un simple bandeau tenait généralement ses cheveux en place. Le meilleur adjectif qui venait à l'esprit pour la décrire était « banale ». Pourtant, à une époque, cet aspect avait paru très secondaire. Quand Amanda l'avait connue, elle compensait en énergie ce qui lui manquait en sophistication. Elle menait alors une vie trépidante, organisant de nombreux et très appréciés galas de charité tout en trouvant encore le temps pour une sortie entre femmes avec Georgia et Amanda, ce qui ne leur était plus arrivé depuis des lustres sans que ce soit la faute des deux dernières. Chaque fois que celles-ci proposaient un dîner, Karen prétextait une réunion, un enfant malade ou une migraine pour s'y dérober. Dernièrement, les seuls souvenirs qui subsistaient de ses sourires d'antan étaient les fines rides au coin de sa bouche qui donnaient à son visage un air fatigué et crispé.

— Il y a une vente de gâteaux à l'école demain, expliqua-t-elle à Amanda. J'ai proposé à Russ de lui épargner ce souci et j'ai préparé quelques biscuits supplémentaires que Tommy pourra emporter.

— Toujours ton côté bon Samaritain, dit Amanda, énonçant par là une évidence.

Karen était la meneuse des parents d'élèves de la communauté, éternelle présidente des réunions, animatrice des brocantes dans les jardins ou coordinatrice des journées des arts. Tout cela avec quatre enfants de six à quinze ans. C'était une travailleuse infatigable et Amanda la prenait en exemple, espérant en secret pouvoir assumer son rôle de mère avec autant de brio et de résistance que Karen en manifestait – ou, du moins, en avait manifesté.

— Comment vont les enfants ? demanda-t-elle.

— L'asthme des jumeaux empire avec le pollen, mais les autres vont bien. Et toi ?

— Ça va.

Karen leva un sourcil, incitant à une extrapolation, mais Amanda secoua la tête.

— Ça n'a pas marché.

— Oh, Mandy, je suis désolée.

— Moi aussi. Tomber enceinte semble si facile pour certaines. À ce sujet, as-tu parlé à Gretchen récemment ?

— Parlé ? Pas vraiment. Nous nous faisons un signe de la main quand nous nous croisons. C'est à peu près tout.

— Je crois qu'elle est enceinte.

Karen eut un mouvement de recul.

— Enceinte ? Oh, non, je ne pense pas. Ce n'est pas possible, elle ne voit personne. Elle ne sort jamais et elle porte toujours le deuil de Ben. Qu'est-ce qui te fait croire une chose pareille ? ajouta-t-elle en baissant la voix.

— Je l'ai aperçue tout à l'heure et c'est l'impression que j'ai eue. Elle a toujours eu une belle poitrine, mais son ventre était plat.

— Ouais. Comme un mannequin. Lee me dit de ne pas faire de comparaison, mais comment l'éviter ? Ils bavent tous face à elle et se mettent en quatre pour l'aider dans ses petits travaux. Ça m'étonnerait beaucoup qu'ils manifestent un tel empressement pour sa seule conversation... Je n'ai jamais vu de voiture devant chez elle, la nuit, mais évidemment, il suffit de la rentrer dans le garage, ajouta-t-elle, inquiète soudain.

— Non. L'un d'entre nous aurait fini par remarquer des allées et venues suspectes.

— Peut-être pas. Pas si cette personne prend la précaution de se garer plus loin et de venir en catimini.

Très pâle, elle s'anima soudain.

— C'est impossible. Elle ne peut pas être enceinte. Vraiment pas.

— Mandy ! appela Graham au loin.

— Un appel urgent, expliqua Amanda en prenant congé de Karen avec une petite pression amicale sur son bras et en se précipitant vers sa maison.

Son cœur se serrait toujours face à cette femme si peu appréciée par ceux dont elle se préoccupait tant, à commencer par son mari.

Mais Karen affirmait que son époux avait ses bons côtés et Amanda, impuissante, ne pouvait que lui offrir son amitié et son soutien. Elle accéléra le pas. Graham semblait sur le point de perdre patience.

On ne l'appelait pas souvent chez elle le soir, mais avec le stress des examens qui approchaient et les problèmes de redoublement, la saison s'y prêtait. Sans parler des habituels déboires familiaux – violence domestique, séparation des parents, parfois même la mort. Le lycée de Woodley n'était malheureusement pas épargné bien que ses habitants figurent parmi les nantis de ce monde. Au contraire, le fait que la population soit aussi privilégiée rendait l'existence de tels problèmes d'autant plus pénible.

Elle grimpa les marches en courant et pénétra dans la cuisine. Graham était appuyé contre le comptoir, près du téléphone. L'expression de son visage trahissait son mécontentement – du moins est-ce ainsi que la conscience coupable d'Amanda l'interpréta. Il paraissait contrarié, inhabituellement désœuvré comme s'il ne savait pas quoi faire de lui-même. Elle était persuadée qu'il était resté au même endroit depuis son départ, ruminant en attendant son retour pour reprendre leur discussion.

— Alors, elle l'est ? demanda-t-il.

Amanda mit quelques secondes à comprendre de quoi il parlait.

— Personne ne sait de façon certaine, répondit-elle en remarquant le papier dans sa main.

Il lui tendit la note.

— C'était Maggie Dodd.

Maggie était la directrice adjointe de l'école, mais le numéro correspondait au bureau du directeur. S'emparant du récepteur, Amanda tapa les chiffres. On décrocha après la première sonnerie et une voix masculine prit la parole.

— Fred Edlin, se présenta-t-il.

— Fred, c'est Amanda Carr. Maggie vient de m'appeler.

— Elle est à côté de moi. Je lui laisse le soin de vous expliquer la situation.

— Je suis désolée de gâcher votre soirée, commença celle-ci, mais nous avons un problème. Un incident sur le terrain de base-ball, cet après-midi. Quinn Davis est en cause.

L'estomac d'Amanda se contracta et la culpabilité l'envahit. Elle aurait dû insister après leur échange d'e-mails, chercher à le rencontrer, rester plus longtemps à l'école...

— Quinn Davis ? répéta-t-elle à l'attention de Graham.

Il le connaissait. Difficile de faire autrement dans une ville où il ne se passait pas une semaine sans que le journal local ne fasse son éloge, le présentant comme un héros. Évidemment, sa famille se trouvait souvent en première ligne.

— Lui et un groupe de copains se sont présentés à l'entraînement ivres, annonça Maggie.

— Oh, non ! s'exclama Amanda dans un souffle.

— Oh, si. L'entraîneur les a immédiatement amenés ici. Je vous aurais appelée plus tôt, mais il nous a fallu du temps pour parvenir à joindre les parents de Quinn. Ils se trouvaient au Capitole à débattre de la question des marécages et n'ont pas été très contents d'être dérangés. Ils sont dans l'autre pièce et se disputent avec l'entraîneur et Fred quant à la punition à infliger. Nous avons besoin de votre aide. Les parents veulent étouffer l'affaire. Ils disent que leur fils fait trop pour ce lycée pour qu'on le montre du doigt. Le problème, c'est que toute l'équipe l'a vu ivre. Si nous ne le sanctionnons pas, que vont penser les autres ?

Amanda devinait sans peine quelle conclusion en tireraient les élèves, un message qui ne serait bénéfique pour personne. Quinn devait assumer ses actes, surtout dans sa position de leader.

Elle se demanda soudain pourquoi il avait souhaité

lui parler et ce qui n'allait pas chez lui pour le pousser à boire après l'école.

— Ceux qui l'accompagnaient ont été punis ? interrogea-t-elle.

Pendant que Maggie la mettait au courant des décisions prises, Amanda soutenait le regard de Graham. De toute évidence, ce dernier luttait pour contenir son impatience, sans y parvenir vraiment. Une telle situation s'était déjà présentée à plusieurs reprises et il avait toujours fait montre de compréhension devant les impondérables de son travail. Mais pas aujourd'hui. Ses yeux vert foncé réclamaient un peu de son temps et exigeaient qu'elle donne priorité à leurs problèmes avant de s'occuper de ceux des autres.

Pourtant, un fait s'imposait. Elle n'était pas enceinte et aucune discussion ou explication n'y changerait rien. Un brusque sentiment d'impuissance la submergea. Elle ne supportait plus d'avaler tous ces médicaments, de vivre ainsi en comptant les jours, d'attendre chaque mois la venue ou non de ses règles. Elle ne supportait plus d'aller à la clinique et d'être traitée comme une machine fonctionnant mal, comme une ratée. Elle en était malade et ne pouvait envisager de recommencer tout de suite le processus.

Pour le moment, elle avait besoin de se sentir utile et aider Quinn et ses parents lui en fournissait l'occasion. D'ailleurs, après ses e-mails, elle tenait à rencontrer ce garçon. La présence de sa famille serait tout aussi bénéfique.

— J'arrive, dit-elle à Maggie.

Graham serra les mâchoires et détourna la tête. Quand Amanda raccrocha, il la fixa, le regard lourd de reproches.

Elle le mit au courant de la situation, pour qu'il comprenne.

— Les autres élèves ont été suspendus de l'équipe jusqu'à la fin de l'année scolaire. Les parents de Quinn refusent qu'il en soit ainsi pour leur fils. Ce qui m'inquiète est le pourquoi de cette attitude. J'ai malheureusement l'impression que leurs raisons n'ont rien à voir avec Quinn.

— Ce sont ses parents, ils ont le droit d'avoir leur idée.

— Oui, mais l'important est de prendre la meilleure décision pour le gamin.

— Et Maggie ne peut le faire ?

— Ils ont besoin d'un arbitre.

— Et toi, tu sais ce qui est mieux pour lui ?

— Non. Pas avant d'être allée là-bas et d'en avoir entendu plus.

— Sa famille est très influente. Ils ont déjà réussi à faire renvoyer des professeurs. Nous en avons tous entendu parler. Edlin et Dodd cherchent peut-être à faire de toi un bouc émissaire. Tu risques de te retrouver dans une position délicate.

— Mais je n'ai pas le choix, Gray. La seule chose qui compte, c'est Quinn.

— Ce soir ? Tout de suite ? Ça ne pourrait pas attendre demain ?

— Les Davis veulent régler la question immédiate-ment. Ils ne tiennent pas à ce que des rumeurs commen-cent à circuler.

— Et nous ?

— Je ne serai pas longue.

Il lui lança un regard dubitatif.

— Je t'assure, insista-t-elle en attrapant son sac. Quelque chose ne va pas chez Quinn, ajouta-t-elle. Il a tenté de me parler ce matin, par mail, mais je n'ai pas réussi à le convaincre de venir me voir. Je dois absolument l'aider.

— Ce gamin a de la ressource. Seigneur, quand on voit tout ce qu'il fait !

— Il se peut justement que le poids de cette image lui pèse. Ses deux frères aînés sont des superstars dont il se doit de suivre les traces, sans parler de ses parents qui sont dotés d'un ego de la taille du Texas. Je les ai rencontrés. Ils sont durs. On ne peut pas savoir, Gray, mais il se pourrait que la vie de ce garçon ne soit pas aussi idyllique qu'il y paraît.

— Et tu connais ça.

— Oui, reconnut Amanda. Ma situation était différente. Moi, j'étais au milieu de la bagarre. Quinn, lui, est le sujet de la bagarre. Ce n'est pas juste.

— Beaucoup de choses ne sont pas justes, murmura Graham avant de tourner les talons.

Amanda éprouva soudain le désir pressant d'en parler. Parler de ce qui était juste et de ce qui ne l'était pas, de qui méritait quoi. Des qualités indispensables pour devenir de bons parents et du fait qu'elle et Gray les possédaient sans aucun doute. Elle voulait parler de ce qui risquait de détruire leur couple et du meilleur moyen de l'éviter. Elle souhaitait évoquer ses rêves qui dernièrement semblaient s'envoler en fumée.

Mais la force lui manquait. Auparavant, discuter avec Graham était aussi facile que respirer. À présent, il lui fallait d'abord réfléchir à ce qu'elle voulait dire et surtout prendre le temps. Or du temps, elle n'en avait pas pour le moment.

— Je ne serai pas longue, répéta-t-elle en se dirigeant vers la porte.

3

Amanda venait de partir quand Karen ressortit de chez elle, un autre plat de biscuits dans les mains qui n'était pas destiné à l'école, cette fois. Cette fournée, elle la réservait à la veuve et, bien qu'un geste de paix eût été d'actualité, cette démarche n'avait rien d'une douce attention de voisinage. En réalité, ce cadeau était plutôt un pot-de-vin.

Karen partait en quête d'informations. Il fallait absolument qu'elle sache si la veuve était enceinte et, si oui, de qui.

Russ clamait son ignorance. Karen l'avait dûment interrogé et, s'il savait quelque chose, il n'avait pas lâché le morceau. Il affirmait qu'Amanda avait été la première personne à y faire allusion et que même si c'était vrai, il ne chercherait pas à connaître l'identité du père par respect pour Ben. Sa réponse ressemblait furieusement à une dérobade, ce qui ne fit que renforcer les craintes de Karen qui interpréta ce refus de se prononcer comme une protection à l'égard de ses amis Graham et Lee plutôt qu'un acte de respect envers le défunt Ben. Évidemment, s'agissant d'une histoire d'hommes, on pouvait leur faire confiance pour se serrer les coudes...

La maison de Gretchen Tannenwald était bleu pâle

avec des finitions blanches. Semblable par la forme aux trois autres, elle s'en distinguait pourtant par le petit balcon du dernier étage où Ben et June avaient l'habitude de s'installer l'été. Après la mort de June, Ben y montait encore de temps en temps. Les autres considéraient ce petit promontoire comme un endroit calme et propice à la contemplation. Le fait qu'ils n'y aient jamais aperçu Gretchen, avec ou sans Ben, leur paraissait significatif.

De par sa position, la maison était directement voisine de celle des Cotter et il ne fallut que quelques secondes à Karen pour traverser les deux jardins. Elle gravit l'escalier à l'arrière et frappa, se remémorant les nombreuses discussions qu'elle avait eues avec June sous ce porche.

June avait été comme une mère pour les trois jeunes femmes et bien qu'elle soit morte depuis près de trois ans, son absence pesait toujours pour Karen. Comme personne ne répondait, elle sonna, puis abritant ses yeux, regarda à travers le vitrage de la porte. Alors que la cuisine de June avait été de style campagnard, décorée des dessins de ses petits-enfants, celle de Gretchen était en acier brillant et immaculé. Ce qui, de l'avis de Karen, correspondait parfaitement à sa propriétaire – une femme froide, très chic, glacée.

Karen s'apprêtait à sonner une nouvelle fois quand Gretchen apparut, vêtue de collants épais et d'une large chemise d'homme, constellée de peinture. Quand elle reconnut la visiteuse, son regard se fit circonspect. Les deux femmes n'avaient jamais eu beaucoup d'atomes crochus.

Traversant la cuisine sans se presser, elle vint ouvrir.

Karen lui tendit le plat.

— Biscuits au chocolat, annonça-t-elle. Pour célébrer l'arrivée du mois de mai.

Gretchen jeta un coup d'œil soupçonneux en direction de l'assiette.

— C'est gentil, dit-elle d'une voix réservée, à son image.

Pourquoi aujourd'hui ? Pourquoi vous ? Pourquoi, en un mot ? aurait-elle pu ajouter.

Karen haussa les épaules.

— Je les ai préparés pour la vente au lycée, mais j'ai vu un peu grand, alors j'en ai donné à Russ pour ses enfants et comme il restait du chocolat, j'ai continué.

— Ah, dit Gretchen qui semblait loin d'être convaincue.

— Vous me rendez service en les acceptant. J'en ai encore plus qu'il ne m'en faut et si je les garde, je vais en manger autant que les enfants et mes hanches en feront les frais. Vous n'êtes pas au régime, j'espère ? Non, vous êtes si mince.

Ce qui constituait une excellente excuse pour examiner sa taille, une occasion que Karen s'empressa de saisir. Malheureusement, la chemise faisait bien son office et dissimulait tout éventuel ventre bombé.

— Je n'ai jamais eu besoin de suivre un régime, avoua Karen en prenant le plat. J'ai de la chance, je crois.

— Je vous envie. J'ai essayé tous ceux qui existent : Atkins, Pritikin, Weight Watchers, Jenny Craig et j'en passe. Ce n'est pas que je sois grosse à proprement parler, mais quelques kilos de moins ne me feraient pas de mal. Vous faites de l'exercice ?

Gretchen secoua la tête.

— Non, évidemment. Vous êtes naturellement énergique. Vous aviez une bonne influence sur Ben. Il me manque toujours.

Le téléphone sonna.

— Excusez-moi, fit Gretchen avant d'aller répondre.

Karen gardait l'œil sur son ventre, mais sans parvenir à distinguer quoi que ce soit.

Après avoir décroché, Gretchen écouta, puis après un silence, raccrocha.

— Démarchage ? demanda Karen. Bon sang, c'est la

bonne heure. Asseyez-vous pour dîner et hop, les voilà qui passent à l'attaque. S'il n'y avait pas les copains de Jordie qui téléphonent sans arrêt, j'enregistrerais un message leur précisant d'aller se faire voir ailleurs. Vous pourriez, vous aussi.

— Il ne s'agissait pas d'un démarcheur, dit Gretchen. Personne n'a parlé.

— C'est encore pire. Ça vous arrive souvent ?

Gretchen réfléchit un instant, avant de secouer la tête. Quand elle se tourna pour poser le plat de biscuits sur le comptoir, le mouvement de son bras ramena la chemise près de son corps, révélant ainsi son secret.

— Oh, mon Dieu ! murmura Karen, levant les yeux une seconde trop tard.

Gretchen ne chercha pas à nier. Au contraire, elle posa la main sur son ventre et si Karen conservait encore quelques doutes, ils s'évanouirent instantanément.

Pourtant, elle se sentit obligée de poser la question.

— Vous êtes... ?

Gretchen hocha la tête.

— Depuis combien de temps ?

— Sept mois.

Sept ! Les rouages se mirent aussitôt à tourner dans le cerveau de Karen. On était en mai, ce qui faisait remonter donc la conception au mois de novembre. Non, octobre.

— Vous n'avez pas l'air enceinte de sept mois, dit-elle.

Octobre signifiait que le coupable pouvait être tout aussi bien Graham que Lee. Graham avait redessiné le jardin à l'automne et passé pas mal de temps avec Gretchen à l'intérieur de la maison pour examiner les plans. Et Russ figurait également parmi les suspects. Sa femme travaillait, les enfants allaient en classe et il n'y avait personne alentour dans la journée – à l'exception de Karen – pour voir ce qu'il faisait. Or, justement, le mois d'octobre avait été terrible pour elle avec toutes les activités du début de l'année scolaire à mettre en place, ce qui l'avait retenue loin de chez elle.

— Et c'est bien ou mal de ne pas en avoir l'air ? demanda Gretchen.

— Bien. Très bien même. Enceinte, ouah... Quelle nouvelle !

Elle se tut pour donner à Gretchen l'opportunité de faire une remarque quant au père.

Comme celle-ci ne semblait guère décidée à se confier, elle indiqua les taches de peinture sur sa chemise.

— Vous décorez sa chambre ? demanda-t-elle.

— Oui.

— Bleu et jaune ?

Gretchen hocha la tête.

— C'est joli. Vous pouvez vous le permettre avec le premier quand vous n'avez pas un autre bambin accroché à vos jupes. J'ai adoré ma première grossesse. C'est devenu plus difficile ensuite, particulièrement pour la dernière. Lee n'a jamais été très efficace pour s'occuper des trois garçons, alors je devais jongler pour suivre leurs emplois du temps avec mon gros ventre. On grossit un peu plus à chaque nouvel enfant. Les muscles perdent de leur élasticité. Mais j'ai été heureuse d'avoir une fille. Il y a une différence, quoi qu'on en dise. C'est génétique. Au fait, vous connaissez le sexe du bébé ?

Gretchen secoua la tête.

— Non, évidemment. Ils ne commencent à envisager l'amniocentèse que lorsque la femme a plus de trente-cinq ans. Vous êtes encore jeune et cet examen ne se justifierait que si quelque chose n'allait pas, comme un risque de maladie congénitale de votre côté ou de celui du père.

Elle s'arrêta, mais Gretchen garda le silence.

— Vous aviez... Cette grossesse était... préméditée ?

— Non. Vraiment pas.

Bon, c'était déjà quelque chose, songea Karen, mais elle n'avait toujours pas de réponse à sa question.

— Mais vous voulez garder cet enfant ?

— Oh, oui !

— À votre avis, que dirait Ben ? demanda-t-elle avec un sourire.

— Il serait très heureux. Il savait que je voulais un enfant.

— Et le père du bébé ?

Voilà. Elle avait réussi à poser sa question de façon tout à fait naturelle.

Gretchen la laissa en suspens en haussant les sourcils comme pour demander : Quoi le père du bébé ?

— Comment a-t-il accueilli la nouvelle ?

— Il ne sait pas qu'il s'agit de son enfant.

Oh, mon Dieu ! fit Karen.

— Vous ne comptez pas lui annoncer ?

— Je ne sais pas.

— Ne croyez-vous pas qu'il a le droit de savoir ?

— Non. Il a d'autres obligations.

Karen n'aimait absolument pas la tournure que prenait la conversation. Tout cela arrivait bien trop près de chez elle.

— Et dire que nous pensions tous que vous dormiez seule ? plaisanta-t-elle.

Gretchen ne sourit pas.

— C'est le cas, rétorqua-t-elle.

Ne sachant quoi ajouter, Karen prit congé.

— Bien. J'espère que les biscuits vous plairont, fit-elle avant de s'éloigner avec un geste de la main.

Elle ne rentra pas chez elle et coupa droit sur la maison de Russ. Gretchen était vraiment la voisine la plus désagréable qu'elle ait jamais eue. On ne répondait pas ainsi, par monosyllabes, quand quelqu'un venait vous offrir des biscuits. Cette femme devait certainement avoir quelque chose à cacher.

Affolée à l'idée que ce quelque chose ait à voir avec son mari, Karen monta les marches de la véranda et s'engouffra dans la cuisine des Lange où elle chargea sur Russ qui se trouvait heureusement seul.

— Elle est enceinte de sept mois. Elle vient juste de me le confier.

— Sept ? répéta-t-il en relevant la tête de l'évier où il était en train de laver la vaisselle. Et nous ne nous doutions de rien...

— Elle refuse de dire qui est le père. Tu dois bien avoir vu quelque chose, Russ. Tu passes plus de temps ici que n'importe lequel d'entre nous.

Russ leva les mains en signe de défense.

— Non. Je ne surveille pas Gretchen. Vraiment. J'ai mieux à faire. D'ailleurs, ça ne s'est peut-être pas passé ici. Il lui arrive de sortir.

— Pas longtemps.

— Il n'y a pas besoin de beaucoup de temps.

— Graham travaillait chez elle à l'automne. Il passait de longs moments en sa compagnie.

— Graham aime Amanda. Tu te trompes.

— Mais ils ont des problèmes. Tu sais, pour l'enfant. L'atmosphère est tendue entre eux.

— Pas à ce point-là.

— Alors, il ne reste que Lee, lança Karen, la gorge serrée. Tu es au courant pour cette dentiste qu'il voyait l'année dernière. Gretchen est peut-être sa dernière conquête.

— Ça m'étonnerait.

— Mais tu n'en es pas certain.

— Je ne lui ai pas posé la question, si c'est ce que tu insinues. La dernière fois que j'en ai entendu parler, c'était terminé avec la dentiste. Il m'a d'ailleurs juré qu'il avait changé. Et puis, je ne crois pas qu'il soit assez bête pour tourner autour de la voisine, juste sous tes yeux.

— Pourquoi pas ? La dentiste soignait aussi mes dents.

— Tu sais très bien ce que je veux dire, Karen.

— Alors, si ce n'est pas l'un de vous, qui est-ce ?

— Aucune idée.

— Tu dois bien avoir des soupçons.

Elle voulait, elle avait besoin d'être certaine que ce n'était pas Lee. Elle se moquait de savoir qui c'était du moment qu'il ne s'agissait pas de son mari.

— Lui as-tu posé la question directement ?

— Non. Elle ne s'est pas montrée très aimable. Je lui ai offert des biscuits et elle ne m'a même pas remerciée.

— Elle était probablement sous le choc de recevoir ta visite. Vous ne lui avez pas réservé un accueil très chaleureux, toi et les autres femmes.

— Nous avons été polies.

— Polies, mais pas amicales.

— Gretchen n'est pas June.

— Et vous ne vous êtes pas privées de le lui faire remarquer.

— Nous n'avons jamais dit ça.

— Pas en paroles.

Karen pinça son nez entre deux doigts. Ce n'était pas seulement le fait que Gretchen ne soit pas June. Mais elle avait trente-deux ans et Karen quarante-trois, elle était belle et Karen, terne. Gretchen était le genre de femme que les hommes recherchaient, particulièrement ceux dans la quarantaine qui n'acceptaient pas de vieillir. Lee avait quarante-sept ans et un passé de coureur de jupons.

Soudain abattue, elle baissa les bras.

— Bon, inutile de rester ici. Tu ne parleras pas de toute façon.

— Je ne peux confesser ce que j'ignore, précisa Russ.

Karen ne le croyait pas, mais elle savait qu'il était vain d'insister. Le dîner était dans le four et les enfants ne tarderaient pas. Qui sait ? Lee leur ferait peut-être même l'honneur de rentrer à temps pour manger avec eux.

Sur le chemin du retour, elle espérait presque qu'il allait téléphoner arguant une autre mauvaise excuse, du genre un appel important qu'il attendait ou une réunion qu'il ne pouvait éviter ou bien encore un dîner avec l'équipe d'informaticiens parce qu'ils avaient terminé leur travail dans les temps. S'il lui tendait la perche, elle ne raterait pas l'occasion de le mettre au pied du mur.

Lee était un génie de l'informatique. Du moins, c'est ce que Karen en concluait au vu des résultats de sa société – bien qu'elle ignorât si ce succès tenait à son propre cerveau ou à celui des gens qu'il embauchait. Elle ne s'intéressait pas aux ordinateurs et Lee ne l'encourageait pas à en apprendre le fonctionnement. D'après lui, si elle s'en mêlait, ils deviendraient un couple ennuyeux.

En période de crise, elle se demandait s'il ne craignait pas qu'elle découvre quelque chose au cas où elle se mettrait à manipuler l'ordinateur de son bureau et à lire ses e-mails. Puis la culpabilité l'envahissait d'avoir de telles idées et elle se reprochait de se montrer si soupçonneuse. Lee était son mari, un mariage qui durait depuis dix-sept ans. Quand elle avait appris sa liaison avec la dentiste, elle avait menacé de le quitter et Lee avait fondu en larmes en jurant que tout était terminé. Il avait affirmé l'aimer et promis de lui rester fidèle à l'avenir.

Toutefois cette aventure n'était pas la première à son actif et il avait déjà juré ses grands dieux auparavant sans jamais respecter ses promesses. Karen ne savait plus très bien que croire.

Elle trouva sa cuisine déserte, mais la table était dressée et une bonne odeur de lasagnes parfumait la pièce. Le temps de préparer une salade et sa fille Julie, six ans, vint la rejoindre. Karen coupa du pain et Julie mit les tranches dans un panier, puis dressée sur la pointe des pieds, glissa le tout dans le four à micro-ondes.

Les jumeaux, Jared et Jon, firent bientôt leur apparition. Âgés de huit ans, ils avaient les mêmes cheveux ébouriffés et la même voix nasillarde due aux allergies qui bouchaient leurs nez. Toutefois, elle n'aurait probablement pas plus compris ce qu'ils disaient si leur voix avait été claire. Ils se parlaient d'une façon très personnelle, totalement inintelligible pour les autres. Ce n'était pas exactement un langage différent, plutôt un jargon incompréhensible. Ils communiquaient ainsi depuis qu'ils étaient en âge de s'exprimer. Toujours ensemble, ils étaient totalement soudés l'un à l'autre et bien que Karen les conduise à l'école, prépare leurs repas, nettoie leur chambre et achète leurs vêtements, leur attitude à son égard lui donnait nettement l'impression d'être un élément superflu de leur environnement. C'était une des raisons pour lesquelles elle adorait Julie. Julie avait besoin d'elle. Julie l'aimait.

Les trois enfants venaient de se mettre à table quand Jordie apparut. Depuis quelques mois, chaque fois qu'elle posait les yeux sur lui, Karen éprouvait un choc. À quinze ans, son corps venait de se réveiller et de prendre son élan, bien décidé à rattraper le temps perdu. Il la dépassait maintenant d'une bonne tête et ressemblait de plus en plus à un homme – à Lee, en fait – ce qui ne manquait pas d'agacer Karen.

À son habitude, Jordie semblait pressé, attrapant du pain et engloutissant ses pâtes comme s'il craignait qu'on lui arrache son assiette. De toute évidence, il avait des projets pour la soirée.

Il lui échappait. Son attitude trahissait son désir d'être ailleurs, loin de la maison, loin d'elle, un comportement qui la rendait nerveuse.

Pourtant, elle ne pouvait lui interdire de sortir – les garçons de son âge avaient besoin de passer du temps avec leurs copains. Mais ses absences prolongées ne l'en inquiétaient pas moins.

Elle lui posa des questions sur sa journée, auxquelles il marmonna de vagues réponses entre deux bouchées. Elle plaisanta en faisant remarquer qu'il s'exprimait comme les jumeaux qui protestèrent aussitôt de façon intelligible, cette fois, car ils tenaient à ce qu'elle comprenne leurs protestations.

Soudain Julie hurla. Elle venait de se brûler le doigt sur le plat chaud de lasagnes. Karen se précipita et l'entraîna vers l'évier où elle maintint son doigt sous l'eau froide. Puis elle lui donna un morceau de glace à tenir sur la brûlure. Jordie terminait son repas sans ralentir la cadence.

Elle lui demanda de manger plus lentement, mais il répliqua que ses copains l'attendaient déjà chez Sean pour écouter un nouveau CD. Elle s'enquit de ses devoirs et il affirma qu'il les terminerait là-bas. Quand elle lui dit qu'elle voulait qu'il soit rentré pour 22 heures, il lui jeta un regard incrédule et lui demanda pourquoi. Comme elle lui faisait remarquer qu'il y avait école le lendemain, il rétorqua qu'il ne se couchait jamais avant minuit de toute façon et qu'il ne voyait donc pas pourquoi il devait rentrer si tôt. Il précisa que les parents de Sean seraient là, qu'il ne sortirait pas et qu'il détestait quand elle ne lui faisait pas confiance.

Sur ce, Lee fit son apparition – toujours aussi beau avec ses cheveux châtain clair, ses longues jambes et son air décontracté – et demanda avec un sourire pourquoi ils se disputaient.

Furieuse contre son mari qui rentrait tard sans même avoir pris la peine de prévenir, la poussant ainsi à imaginer des situations horribles, et qui débarquait ensuite avec un sourire innocent, elle coupa sans un mot une part de lasagne qu'elle posa sur une assiette avant de la glisser dans le four à micro-ondes. La conversation derrière elle avait pris un tour très animé, ce qui l'énerva d'autant plus. Après tout, c'était elle qui passait ses journées à se mettre en quatre pour les enfants. Pourquoi se montraient-ils aussi heureux de voir leur père ?

Elle devait admettre qu'il savait les prendre. Il les écoutait, plaisantait avec eux et jouait le rôle du gentil, réservant à sa femme celui du méchant. Justement, comme elle lui apportait son assiette, elle l'entendit autoriser Jordie à rester jusqu'à 22 h 30 pour cette fois seulement. Son fils lui décocha alors ce qui ressemblait furieusement à un sourire de triomphe. Même sa petite

Julie chérie la trahissait, assise sur les genoux de son père, un bras passé autour de son cou.

Après avoir déposé sans douceur l'assiette devant son mari, Karen s'assit à sa place, mais ne participa pas à la conversation. Elle n'écoutait que d'une oreille, l'esprit occupé par l'image de Gretchen, cherchant quand Lee aurait pu trouver le temps de la rencontrer. Et les opportunités ne manquaient pas. Karen avait l'habitude de marquer toutes les réunions et autres activités auxquelles elle participait sur le calendrier de la cuisine. Lee connaissait ainsi son emploi du temps et celui des enfants à l'école. Sans parler des fois où il prétextait du travail en retard pour échapper à un événement auquel Karen et les quatre enfants devaient assister. À plusieurs occasions, ils l'avaient trouvé à la maison à leur retour.

— Je viens juste de rentrer, disait-il avec un grand sourire.

D'accord, il venait de rentrer. Mais d'où ? Du travail ou de chez Gretchen ? Qui pouvait le savoir ?

Grinçant des dents d'une façon que le dentiste lui avait totalement déconseillée, elle se leva et posa son assiette dans l'évier – une assiette vide. Elle avait tout avalé sans même s'en rendre compte. Après l'avoir rincée, elle la glissa dans le lave-vaisselle en se jurant intérieurement que si Lee l'avait trompée avec Gretchen, elle ne le lui pardonnerait jamais. Dix-sept ans de mariage s'évanouiraient en fumée. Fini. Terminé. S'il était le père de cet enfant, Karen se désintéresserait de lui à jamais. Plus question de le nourrir, de dormir près de lui ou même de laver ses chaussettes. S'il était le père de cet enfant, elle ne voulait plus jamais le revoir.

Elle avait conscience de réagir trop violemment à toute cette histoire, mais comment s'en étonner ? Avec les prétendues soirées de travail de son mari d'où il rentrait tard dans la nuit, les appels téléphoniques qu'il prenait sans préciser qui était au bout du fil, les dépenses inexplicables sur sa carte de crédit pour lesquelles Karen ne pouvait poser de questions puisqu'elle n'était pas censée en avoir connaissance – Lee insistait pour s'occuper des factures – avec tout ça donc, comment aurait-elle pu se montrer objective ? Impossible et d'ailleurs, en ce moment même, échaudée par les précédentes infidélités de Lee, elle ne pouvait imaginer que l'enfant de Gretchen soit d'un autre que son mari.

Le téléphone sonna et Jordie se précipita.

— Allô ? dit-il de sa voix grave.

Puis il écouta et soudain fronça les sourcils.

Étonnée par son silence, Karen leva la tête et vit son fils pâlir.

4

Georgia Lange réfléchissait, assise seule dans sa chambre d'hôtel de San Antonio, à peine consciente du décor qui l'entourait. Elle avait passé tant de nuits dans des chambres d'hôtel au cours des dernières années qu'elle avait l'impression qu'elles se ressemblaient toutes. Elle défaisait rarement sa valise, se contentant de suspendre quelques vêtements froissés. Bien sûr, vivre ainsi, ses valises pleines au pied du lit, n'avait rien d'agréable, mais elle préférait agir de cette façon plutôt que de tenter de rendre confortable un endroit où elle ne restait jamais longtemps. Pour tromper sa solitude, elle avait pris l'habitude de prétendre que sa vraie maison – qu'elle adorait – se trouvait juste derrière la porte. Un truc qui faisait son effet... jusqu'à ce qu'elle se retrouve en train d'attendre que cette porte s'ouvre sur Russ et les enfants, en général, à la tombée de la nuit. C'est à ce moment-là qu'elle décrochait le téléphone pour appeler chez elle.

Ce soir-là, la ligne était occupée – sa fille devait encore être en grande conversation avec ses amies. Après plusieurs tentatives, son appel aboutit enfin et, comme par hasard, Allison décrocha.

— Allô ? dit-elle d'une voix pressée.

— Bonsoir, ma chérie.

— Maman ! s'exclama Allison de cette voix stupéfaite qu'elle utilisait quand quelque chose d'incroyable s'était produit. Quinn Davis est renvoyé de l'école.

— Il est quoi ?

— Il s'est présenté à l'entraînement de base-ball complètement bourré. Ses parents sont en ce moment même avec M. Edlin, mais Melissa, la petite amie de Quinn, a dit qu'ils allaient le virer. Melissa a appelé Brooke qui m'a prévenue ainsi que Kristen. Elles veulent que j'appelle Jordie parce qu'il sait peut-être quelque chose, mais Alyssa est sur l'autre ligne. Ne quitte pas, je lui dis au revoir.

Il y eut un déclic, puis le silence.

Ivre ? Un frisson secoua Georgia.

Allie revint en ligne.

— Ils ne peuvent pas le renvoyer, annonça-t-elle. Il est délégué de la classe.

— Était-il vraiment ivre ?

— Il titubait.

— Pourquoi ?

— Pourquoi il avait bu ? Pourquoi les garçons boivent-ils ? Je n'en sais rien. Mais s'ils renvoient Quinn, ils pourraient renvoyer tout le monde.

— Eh bien, ils devraient. Où buvait-il ?

Georgia se figura Quinn seul chez lui pendant que ses parents assistaient à une quelconque réunion pour défendre Dieu sait quelle grande cause. Pire, elle l'imagina dans leur garage où un garçon pouvait tranquillement se soûler à mort, tout comme deux gamins pouvaient détruire tout ce qui leur tombait sous la main, puis se rendre à l'école avec un fusil et ouvrir le feu.

— Que buvait-il d'ailleurs ? De la bière ou quelque chose de plus fort ? Et comment s'était-il procuré cet alcool ?

— Voyons, maman, si tu en veux, tu en trouves. En tout cas, la saison de base-ball est fichue. Dire qu'on était sur le point de gagner la...

— Allison, oublie le base-ball. Qu'est-ce qui a pu le pousser à boire ?

— Les enfants boivent, maman, soupira Allison. Ce n'est pas la première fois pour Quinn. Et ça ne s'arrête pas à l'alcool.

— Quoi d'autre ? demanda Georgia en retenant son souffle.

— Des pilules.

— Quinn ?

— Et alors ? Ce n'est pas un saint. Il n'est pas différent de nous tous.

— Tu ne bois pas, n'est-ce pas ?

— Seigneur, non. Nous en avons déjà parlé. Je ne bois pas, mais les garçons, si. Maman, désolée de t'avoir dit ça. Ce n'est pas si grave.

— Ce n'est pas mon avis, répliqua Georgia.

Allison avait quatorze ans et un an d'avance à l'école, de sorte que la plupart de ses amies étaient plus âgées qu'elle d'un, voire de deux ans. Certaines conduisaient même déjà. Sa fille grandissait trop vite.

— J'aimerais être là, dit Georgia. Où est ton père ?

— En bas. Ne t'inquiète pas, il est au courant. Bon, je dois te quitter pour aller voir si Jordie en sait plus. Tu veux parler à papa ?

— D'abord ton frère.

— OK. Tommy ! cria-t-elle. Au revoir, maman.

— Allie, appelle-moi plus tard. Mon numéro est sur l'agenda.

Mais le silence lui apprit que sa fille était déjà loin. Quelques secondes plus tard, son fils prit le récepteur.

— Bonsoir, maman. Tout va bien, mais je suis en direct avec les copains sur le net alors je ne peux pas te parler longtemps. Tu reviens quand ?

— Demain après-midi.

Soit Tommy n'était pas encore au courant pour Quinn, soit il était trop jeune pour s'y intéresser, ce qui

était tout aussi bien. Elle voulait lui parler de ces choses-
là elle-même.

— Comment ça va à l'école ?

— Bien, mais on pourrait en discuter demain ?

— Pourquoi ? Tu as quelque chose de spécial à me
dire ?

Elle attendit, mais elle reconnut le bruit significatif
des touches du clavier de l'ordinateur de son fils.

— Tommy ?

— L'école est l'école, maman, mais je ne peux pas
taper et parler en même temps et les copains attendent.

— As-tu révisé pour ton interrogation de maths ?

— Oui. Tu seras là quand je rentrerai demain ?

— Oui. Je t'aime, Tommy. Tu me manques.

— Toi aussi, maman. À demain.

Il raccrocha avant que Georgia ait eu le temps de lui
demander de lui passer son père. Retenant un soupir, elle
recomposa le numéro.

Quand son mari décrocha, un profond soulagement
envahit Georgia. Russ était son port d'attache, son havre
de paix. Rien de ce qu'elle avait accompli professionnelle-
ment n'aurait été possible s'il n'était resté à la maison à sa
place.

Qu'arriverait-il si Russ devait reprendre un travail en
ville et que les enfants passent leurs après-midi seuls ?

— Russ, dit-elle. Allison m'a raconté pour Quinn.
Était-il vraiment ivre ? Au milieu de la journée ? Au
milieu de la semaine ?

— Il paraît, répondit calmement son mari.

— Ça ne lui ressemble pas.

— Non.

— Allison était à la même boum que lui il y a deux
semaines. Je ne me sens vraiment pas rassurée.

— Elle va bien, Georgia.

— Est-ce qu'elle comprend qu'il a eu tort ? Que
c'était mauvais pour sa santé ? Dangereux même ?

— Elle finira par le comprendre. Pour l'instant, c'est

l'affaire du jour. Personne n'est sûr de rien et les filles se montent la tête toutes seules.

— Tu crois qu'Allie boit, elle aussi, à ces fêtes ?

— En tout cas, elle est sobre quand elle revient à la maison. Tu le sais bien. Nous sommes là quand elle rentre.

— Pas toujours. Parfois elle dort chez Kristen ou Alyssa. Nous ne savons pas si les autres parents attendent leur retour pour se coucher. Et dire que bientôt, ces enfants vont conduire. Que se passera-t-il s'ils boivent ?

— Je vais écrire un article à ce sujet.

— Je suis sérieuse, Russ.

— Moi aussi. Je ne souhaite pas plus que toi qu'ils prennent l'habitude de boire, mais tant d'entre eux le font à un moment ou à un autre qu'il serait idiot de notre part de l'ignorer. Tu es simplement un peu choquée.

— Je me sens paralysée. Je préférais l'époque où nous les emmenions partout avec nous. Il ne pouvait rien leur arriver alors.

— Tu ne dirais pas ça si tu étais leur chauffeur attitré, fit remarquer Russ. Ma vie sera drôlement plus facile quand Allie aura son permis. J'ai confiance en elle.

— Moi aussi. Ce sont ses amis qui m'inquiètent.

— Je n'ai rien à leur reprocher.

— À Quinn non plus ?

— Tu prends les choses trop à cœur.

Peut-être. Mais comment faire autrement quand on était à des milliers de kilomètres ? Elle se trouvait encore chez elle hier matin, pourtant elle avait l'impression d'être partie depuis une semaine.

— Tommy est prêt pour son interrogation ?

— Autant que possible. J'ai regardé ses devoirs. Rien à dire.

— Il semblait très pressé de couper la communication. Peut-être voulait-il me cacher quelque chose ?

— Non. Il est en ligne avec ses copains. Il se dit probablement qu'il aura tout le temps de te parler à ton retour. À quelle heure arriveras-tu ?

— 15 heures, à quelques minutes près.

— À la maison ? Ou comptes-tu passer au bureau d'abord ?

— À la maison.

L'impatience bouillonnait en elle. Elle voulait rentrer chez elle – une sensation de plus en plus forte et fréquente, ces derniers temps.

— Je n'aime pas cette vie, Russ. J'ai l'impression de passer à côté de trop de choses.

— Ne t'inquiète pas. J'ai la situation bien en main.

— Je sais, mais j'aimerais y participer, moi aussi.

— Tu voulais travailler. Tu ne peux malheureusement pas tout avoir.

De la part d'un autre, cette réflexion aurait pu paraître sarcastique, mais Russ l'avait dit gentiment. D'ailleurs, il était le premier à reconnaître que le fait qu'elle travaille lui facilitait la vie. Pendant longtemps, il avait dû jongler avec plusieurs emplois quand il était seul à rapporter de l'argent à la maison et il ne cachait pas qu'il préférait de loin son existence actuelle.

Et pourquoi pas ? Il restait à la maison et prenait soin des enfants, partageant leurs vies comme elle l'avait fait, un jour. Mais plus maintenant et... ça lui manquait terriblement.

— À part ça, quelles nouvelles ?

— Pas grand-chose.

— Ils sont venus tondre la pelouse ?

— Ce matin.

— Les tulipes ont bien poussé.

— Surtout celles de Gretchen. Elle a la main verte.

Georgia n'en doutait pas. Gretchen avait également une belle poitrine et un mauvais état d'esprit, mais Georgia ne tenait pas à aborder le sujet avec son mari. Le mâle en lui faussait sérieusement son jugement et elle avait assez de soucis en tête comme ça.

— Rien d'autre à signaler ?

— Rien depuis que nous avons parlé hier, sinon qu'Amanda n'est pas enceinte.

— Oh, mon Dieu, la pauvre ! Elle doit être complètement démoralisée.

— En effet.

— Que vont-ils faire maintenant ?

— Je n'en sais rien. Je ne lui ai pas posé la question.

Georgia l'aurait fait, elle. Depuis quatre ans qu'elles étaient voisines, Amanda et elle avaient fini par devenir de véritables amies, partageant de longues discussions à propos de tout et de rien. Un des avantages d'être une femme. Russ s'avérait formidable à tous égards, tant pour élever les enfants que pour prendre soin de la maison, mais il restait un homme.

— Je lui demanderai demain, dit-elle en trouvant là une autre raison de rentrer chez elle.

Ses amies lui manquaient.

— Comment Graham le prend-il ?

— Je l'ignore. Ce serait un bon sujet pour un article – l'opinion masculine sur le sujet. J'arrive ! cria-t-il. Je dois y aller, chérie. J'emmène Allie chez les Brooke. Elles doivent préparer un sujet d'histoire ensemble.

— Un sujet d'histoire ? Vraiment ?

— Bon, je suppose qu'elles parleront surtout de Quinn, mais ce n'est pas grave. Voilà, Allie ! Georgia, je te laisse.

— Rien d'autre, alors ?

— Non. À demain.

— Que vas-tu faire après avoir accompagné Allie ?

— Regarder les informations et chercher une idée pour mon prochain article, dit-il en soupirant. Puis mettre Tommy au lit et retourner chercher Allie. Tu comprends pourquoi j'attends avec impatience le jour où elle aura son permis ? Elle pourra alors se débrouiller toute seule. Au revoir, chérie.

Georgia raccrocha, contrainte et forcée. Elle aurait aimé continuer la conversation, mais les enfants avaient été pressés de raccrocher et Russ également. Comment ne pas se sentir rejetée dans ces conditions ?

Il n'en avait pas toujours été ainsi. Il n'y a pas si longtemps encore, elle représentait le centre de leur univers.

Elle tenta de se remémorer ces jours, surtout les mauvais, afin d'apprécier son actuelle tranquillité. Elle tenta de se rappeler sa fatigue, son ennui et sa frustration à accomplir quotidiennement des tâches sans intérêt – laver le linge, ramasser les jouets, emmener les enfants à leurs cours de musique ou de football. Elle tenta de se souvenir de la rude bataille qu'elle avait dû mener pour finir par admettre qu'elle avait besoin d'autre chose dans sa vie.

En vain...

Seuls les bons moments s'imposaient dans sa mémoire.

Cela étant, elle ne regrettait rien. Sept ans s'étaient écoulés depuis qu'elle avait créé son entreprise et son succès dépassait toutes ses espérances – un succès qui ne manquait pas de l'étonner. Elle aurait d'ailleurs été bien incapable d'expliquer une telle réussite. Un coup de chance probablement.

Les jus de légumes n'avaient rien de nouveau. Ils existaient depuis longtemps, mais jusqu'alors, personne ne les avait jamais dénommés Bière de Betterave, ni présentés dans des emballages attractifs, avec une gamme de cinq légumes, en plus de la betterave, plus délicieux les uns que les autres.

Au début, ce n'était qu'une production artisanale dans la cuisine d'un traiteur local, vendue aux commerçants du coin. Aujourd'hui, plusieurs usines sur les deux côtes produisaient les jus à partir de légumes venant d'une douzaine d'États différents et d'une demi-douzaine de pays étrangers. Ces jus étaient ensuite vendus dans toutes les grandes chaînes de supermarchés du pays.

Les gens disaient qu'elle avait l'esprit d'entreprise, mais c'était faux. L'activité s'était développée toute seule, l'entraînant dans son sillage. D'accord, elle savait comment faire avancer les choses, mais de là à dire qu'elle avait eu une illumination... Non. Elle avait conçu le produit en visant une clientèle de cadres dynamiques et pour dire la vérité, ignorait encore aujourd'hui comment les mères de famille en étaient venues à l'adopter pour elles et leurs enfants.

Mais elle prenait maintenant conscience de ce qu'elle avait accompli. Un gros fabricant de produits alimentaires lui faisait la cour cherchant à lui acheter son produit et sa marque, et les chiffres proposés étaient positivement effarants.

Une somme pareille leur permettrait d'assurer l'éducation des enfants et beaucoup d'autres choses. Elle leur assurerait des vacances agréables pendant des années, sans parler d'une maison au bord de la mer et d'une retraite confortable. Non pas que l'âge de la retraite ait sonné. Georgia avait à peine quarante ans et d'ailleurs l'acheteur souhaitait la conserver à la tête de la société comme directrice – une des clauses du contrat.

Elle ne savait pas encore si cette idée lui plaisait ou non, particulièrement ce soir. Sa vie actuelle la tenait bien trop éloignée de chez elle, trop à l'écart de la vie de sa famille. Elle passait tous les week-ends à la maison et leur parlait au téléphone, mais cela ne suffisait plus.

Elle avait fait du chemin, tout le monde le reconnaissait, et pas seulement dans le travail. Sept ans auparavant, elle n'était qu'une mère de famille mal fagotée, coiffée à la va-vite, dissimulant sa taille épaisse sous de grands pull-overs, s'essoufflant poussivement dans des cours de gym et tentant de garder la forme en buvant du jus de carottes. Aujourd'hui, elle pesait dix kilos de moins, avait les cheveux courts et coupés avec style, se maquillait tous les jours et possédait une garde-robe de tailleurs élégants.

Oui, elle avait fait du chemin. Mais à quel prix...

Il était près de 20 heures quand Amanda regagna enfin son domicile, après deux heures de palabres épuisantes. Elle en venait à se demander si elle désirait vraiment avoir un enfant. En tout cas, pas si être parent signifiait mener des batailles comme celle à laquelle elle venait d'assister.

Évidemment, elle et Graham se montreraient probablement plus raisonnables que les Davis, plus compréhensifs envers leurs enfants et leurs besoins. Et Dieu sait que Quinn avait des besoins. Amanda avait décelé la faille dans son armure, ce soir. Il était resté assis, le visage défait, frottant nerveusement son pouce contre son index, un geste que ses parents avaient choisi d'ignorer pendant qu'ils argumentaient avec véhémence. Quand Amanda avait osé suggérer – gentiment et discrètement, à la fin de la réunion – qu'elle serait ravie de s'entretenir avec Quinn, ils lui avaient sauté à la gorge. Il n'y avait absolument rien d'anormal chez leur fils, avaient-ils clamé. Il n'avait aucun besoin de discuter avec un psy.

Toute cette histoire lui laissait un sentiment de malaise.

Et son mal au ventre ne l'aidait pas. Elle se sentait complètement vidée.

Mais suffit pour ce soir. Poussant un grand soupir, elle entreprit de se détendre.

Le décor autour d'elle s'y prêtait. Avec la nuit, leur petit quartier dégageait une impression de sérénité. Les lampadaires au bout de chaque allée diffusaient une lumière douce et des lampes brillaient au-dessus des portes des maisons. Au premier étage, chez les Lange, des lueurs saccadées révélaient un écran de télévision que Russ regardait probablement. De même, dans la maison voisine, au deuxième étage où des ombres passaient devant les fenêtres, trahissant la présence des jumeaux Cotter. Plus loin encore, la maison de la veuve. Aucune lumière ne filtrait sur le devant et ce n'est qu'en se garant dans sa propre allée qu'Amanda aperçut la fenêtre éclairée, à l'arrière. Ce soir encore, Gretchen se trouvait dans la bibliothèque et Amanda se demanda ce qu'elle pouvait bien y faire.

June avait l'habitude de lire tout ce qui lui tombait sous la main – fiction, essais, n'importe quoi. Membre actif de trois groupes de lecture, elle rapportait souvent à ses amies les discussions qu'ils avaient eues à propos de tel ou tel ouvrage. Les deux fils de June, tous les deux âgés de plus de quarante ans aujourd'hui, n'avaient d'ailleurs pas mis longtemps à comprendre qu'en offrant un livre à leur mère, ils ne pourraient se tromper. Ben également.

Gretchen lisait-elle les ouvrages de June ? Amanda en doutait. Il lui était arrivé à l'occasion de parler d'un livre pour faire la conversation, mais Gretchen n'avait jamais réagi.

Cela étant, vu son état, peut-être lisait-elle des livres sur la grossesse ? Dans ce cas, Amanda aurait de quoi lui fournir sur la question.

À ce sujet... Amanda tourna la tête vers sa propre maison et son cœur se serra. Quinn Davis lui avait procuré une diversion bienvenue, mais elle rentrait maintenant et elle avait besoin de Graham pour la réconforter. Pour la rassurer aussi à propos d'un gamin de seize ans qui perdait les pédales parce qu'il ne pouvait plus se montrer à la hauteur des exigences de ses parents.

La seule lumière venait de la petite pièce au-dessus du garage. Elle pouvait imaginer Graham devant sa table à dessin, penché sur ses plans, un pied sur le barreau de la chaise. Son ordinateur se trouvait contre le mur, à gauche, mais ne servait guère. Il ne l'avait installé que pour faire plaisir à ses trois associés. Un appareil dernier cri et parfaitement équipé en logiciels de dessins. Graham en connaissait très bien le fonctionnement et maniait avec dextérité les programmes intégrés, mais préférait, de loin, travailler à la main.

Ce qu'il faisait certainement par un soir comme celui-là. Se plonger dans le travail restait un moyen comme un autre pour oublier.

Mais elle était mal placée pour le lui reprocher, elle qui avait fui en invoquant son job.

La situation se dégradait entre eux – elle en avait cruellement conscience – et même la douceur de la nuit ne parvenait pas à réchauffer son cœur.

Avec un soupir las, elle contempla le ciel étoilé, y cherchant en vain une réponse. Pourquoi ne réussissaient-ils pas à avoir un enfant ? Qu'est-ce qui ne tournait pas rond ? Rien en apparence ne semblait pourtant s'y opposer.

Dans le mouvement qu'elle fit pour gagner le perron, son regard fut attiré par une petite luminosité sous la véranda des Cotter, le bout incandescent d'une cigarette.

— Pas de commentaire, lança Karen à voix basse. Je promets de n'en fumer qu'une.

Amanda la rejoignit et s'installa une marche en dessous de la sienne.

— Tu avais réussi à arrêter.

— Juste une, c'est tout. Alors, quelles sont les nouvelles pour Quinn ?

Amanda aurait préféré lui demander ce qui avait déclenché ce besoin pressant de nicotine, mais la psychologue en elle avait déclaré forfait pour ce soir.

— Il a dessoûlé.

— Va-t-il être renvoyé ?

— Seigneur, non ! Mais il a été suspendu de l'équipe jusqu'à la fin de l'année scolaire.

Elle ne trahissait là aucune confidentialité, se contentant simplement de rectifier les rumeurs qui circulaient, plus invraisemblables les unes que les autres. L'histoire était après tout de notoriété publique.

— Suspendu de l'équipe de base-ball ? C'est tout ?

— Oui.

— La même punition que pour les deux autres garçons. J'aurais donné plus à Quinn. Sa position de leader lui confère des responsabilités. Dans son cas, les exigences changent. On est en droit d'attendre plus de lui.

— Qu'a dit Jordie ?

Karen porta la cigarette à sa bouche avant de répondre.

— Pas grand-chose. En tout cas, à nous. Il a filé hors de la maison dès qu'il a appris la nouvelle. Bon sang, que je déteste cet âge !

— Le nôtre ou le leur ?

— Pour le moment, le leur. Je déteste cette manie du secret que les adolescents affectionnent et qui m'oblige sans cesse à m'inquiéter de ce qu'ils sont en train de tramer.

— Crois-tu que Jordie boive ?

— Non, mais j'aurais dit la même chose pour Quinn. Alors, qu'est-ce que j'en sais ?

Elle tira de nouveau sur sa cigarette, mais ce geste ne parut pas lui procurer l'apaisement attendu. Sa voix garda une note tendue.

— En tout cas, j'ai au moins une certitude. Gretchen est enceinte. Je lui ai apporté un plat de biscuits. Vu de près, c'est flagrant.

Donc, elle n'avait pas rêvé. Amanda en éprouva une certaine satisfaction.

— Elle est enceinte de sept mois.

— Sept ? Elle ne me paraissait pas aussi grosse.

— Le bébé sera certainement aussi svelte qu'elle, ricana Karen.

— Ce qui signifie que la conception date du mois d'octobre. Le charpentier travaillait chez elle à l'époque. Il remplaçait l'auvent du porche.

— Oui et il a aussi posé des étagères dans une des chambres d'amis. Le plombier et l'électricien sont également venus faire des travaux.

— Un ménage à trois ? plaisanta Amanda. Alors, qui est le père ?

— Je l'ignore.

— Tu ne lui as pas demandé ?

— Je n'ai pas osé. Nous ne sommes pas exactement

des amies, Gretchen et moi. C'est avec mon mari qu'elle copine surtout. C'est lui qui se précipite chez elle pour dégager la neige dans son allée ou couper son bois. Je devrais l'envoyer pour lui poser la question.

— Peut-être qu'il est déjà au courant, suggéra Amanda d'humeur facétieuse comme toujours quand elles parlaient de leurs maris et de Gretchen.

— Pourquoi dis-tu ça ? demanda Karen sur la défensive.

Amanda prit le temps de répondre.

— Je pensais qu'un des artisans aurait peut-être fait une remarque suggestive – tu sais, dans le genre confidence entre hommes – pour se vanter d'avoir réussi à séduire Gretchen. Tu crois qu'elle va déménager ?

— Pas tout de suite, en tout cas. Elle m'a dit qu'elle repeignait la nursery, répondit Karen, momentanément calmée. Elle avait des taches de peinture sur sa chemise.

Amanda n'avait aucun mal à l'imaginer. Elle ferait la même chose à sa place. Elle rêvait de décorer une chambre d'enfant, mais avait préféré attendre par superstition – une attente qui n'avait rien changé. Peut-être devrait-elle le faire après tout ? Qui sait si cet acte ne débloquerait pas la situation finalement ? Elle pourrait peindre la pièce, acheter des meubles, suspendre des mobiles. Elle garnirait les étagères d'animaux en peluche. Ce ne serait certainement pas plus difficile de passer tous les jours devant une chambre joliment décorée que devant une pièce vide, pleine de cartons qui auraient dû être déballés depuis longtemps.

En attendant de transformer cette pièce en nursery, ils y avaient en effet entreposé les cartons qui contenaient les vestiges de leur vie pré-maritale. Sur chacun, le nom de l'un ou de l'autre. Pas de couple ici, pas de fusion. Seulement deux individualités. Amanda se demanda soudain s'il ne fallait pas y voir un signe.

Après une dernière bouffée, Karen écrasa la cigarette sous son pied.

— Georgia revient demain, dit-elle. Je me demande ce qu'elle va en penser.

— Elle s'inquiétera sûrement de savoir si Allie boit à l'occasion.

— Je voulais parler de Gretchen. De tous les candidats possibles, Russ reste quand même le mieux placé. Après tout, les opportunités ne lui ont pas manqué.

Amanda faillit faire remarquer que Russ respectait trop Georgia pour la tromper. Mais cela aurait alors sous-entendu que Lee ne respectait pas Karen. Or, même si c'était le cas, le mentionner ne paraissait pas une bonne idée.

D'ailleurs, elle aurait été mal venue de faire le moindre commentaire. Parce que, s'il était vrai que Lee avait déjà eu des aventures et que Russ passait ses journées pratiquement sur le pas de la porte de Gretchen, pour autant qu'elle s'en souvienne, Graham avait également travaillé chez Gretchen en octobre. Une heure par-ci, une heure par-là. De sorte que, s'il s'agissait de dresser une liste des suspects, elle devait bien reconnaître que son mari y figurait en bonne place.

5

Le silence régnait dans la maison. En général, Graham mettait de la musique – des rythmes lents, apaisants, genre Alison Krauss ou Darrell Scott qu'ils appréciaient tous les deux. Mais pas ce soir... Et rien n'indiquait qu'il eût mangé. La cuisine rutilait, immaculée.

À une époque pas si lointaine, quand Amanda était retenue au travail, elle trouvait en rentrant un bon petit plat qui mijotait dans le four. Graham savait combien elle aimait l'atmosphère familiale qui se dégageait d'une maison emplie de bonnes odeurs de cuisine, une atmosphère chaleureuse, accueillante qu'elle n'avait guère connue avant lui. Une ambiance dont elle aurait eu grand besoin, ce soir.

Mais Graham n'avait pas préparé le dîner.

Aucune importance. Elle n'avait pas faim de toute façon.

Le téléphone sonna. Amanda attendit que Graham décroche dans son bureau. Comme la sonnerie persistait, elle s'empara finalement du récepteur.

— Allô ?

Sa belle-sœur Kathryn ne perdit pas de temps en préliminaires.

— Gray a appelé Joe qui m'a appelée. Je suis désolée au sujet du bébé, Amanda. Comment te sens-tu ?

Particulièrement agacée, pensa-t-elle. Quel besoin avait eu Graham d'appeler son frère si vite ?

— Ça va, merci, répondit-elle d'une voix neutre.

— La prochaine fois, ça marchera. La troisième sera la bonne. Trois est un chiffre porte-bonheur.

En tout cas, pour Kathryn sans aucun doute. Elle avait trois enfants, trois chiens, trois semaines de vacances annuelles et travaillait trois jours par semaine. Amanda l'enviait ainsi que les autres O'Leary. Pour eux, tout semblait fonctionner à merveille.

Ce qui n'était malheureusement pas le cas pour elle et Graham et l'idée même de devoir refaire un essai la rendait malade.

— Ne te décourage pas, continua Kathryn. Tu finiras par avoir un bébé. Tous les O'Leary en ont. Alors, haut les cœurs, ma chérie, d'accord ? Mais je n'appelais pas seulement pour ça. Je voulais aussi vous parler de dimanche. Tout le monde doit se retrouver ici à 15 heures. Ça ira ?

— Bien sûr.

— Pas de cadeau d'anniversaire. Maman n'en veut pas.

— Je sais.

— Tu te charges du diplomate[1] ?

— Oui, que je préparerai avec du whisky Paddy, selon les spécifications de ta grand-mère.

Un diplomate irlandais se prépare avec du whisky irlandais, lui avait-on doctement expliqué lors de sa première rencontre avec le clan O'Leary. Et on ne mangeait pas un diplomate irlandais – du moins chez les O'Leary – sans porter un toast à Paddy.

— Maman sera ravie, affirma Kathryn. Est-ce qu'elle t'a donné la recette ?

— Non. MaryAnne s'en est chargée.

— Ah bon, c'est pareil. Elle a dû te dire de ne pas

---

1. Pudding avec des fruits confits. (N.d.T.)

utiliser de crème surgelée, n'est-ce pas ? Il faut que tu prépares et que tu battes la crème toi-même, sinon ce n'est pas pareil. Et avec des produits frais. Pas de conserve. Un jour, j'ai voulu en utiliser pour aller plus vite et crois-moi, on sent la différence. J'ai déjà fait ce diplomate des centaines de fois, alors si tu as des questions, n'hésite pas à m'appeler. Sinon, à dimanche.

— Nous serons là.

Amanda raccrocha en regrettant que l'anniversaire de sa belle-mère tombe justement ce week-end. Elle aimait bien la famille de Graham, ses sœurs, ses frères, leurs conjoints respectifs et leurs enfants, mais sa belle-mère, Dorothy, posait problème.

Malgré l'enthousiasme de Kathryn, son côté manipulateur – c'est elle qui avait décidé qui apporterait quoi – Amanda ne partageait pas son optimisme quant à la réaction de Dorothy en apprenant qu'Amanda avait été chargée de confectionner le gâteau de famille des O'Leary.

Sa belle-mère ne l'avait jamais acceptée. Elle se comportait comme si Amanda était responsable de l'échec du premier mariage de Graham, alors que leur rencontre n'avait eu lieu que bien longtemps après le divorce de ce dernier.

Dorothy aurait-elle réagi différemment si Amanda avait été catholique ? On ne le saurait jamais. En tout cas, un bébé O'Leary allégerait sans doute les tensions, mais, hélas, plus facile à dire qu'à faire.

Désemparée, Amanda se dirigea vers le salon et s'affala sur le canapé. Un canapé profond, rembourré, très différent des meubles qu'affectionnait sa mère. Quand ils avaient entrepris de choisir leur mobilier, Amanda était immédiatement tombée amoureuse de ce canapé. Graham, lui, avait d'abord fait le tour du magasin, prenant le temps d'en essayer plusieurs, avant de se ranger finalement à son avis.

S'abandonnant contre le confortable dossier, elle poussa un soupir. Elle n'avait pas allumé, préférant le refuge de la pénombre. Une grande lassitude, tant physique que morale, l'avait envahie. Graham lui manquait, mais elle redoutait une nouvelle confrontation.

Quand elle entendit s'ouvrir la porte de la cuisine, elle s'exhorta au calme. Après tout, c'était gentil de la part de son mari de bien vouloir quitter son bureau pour l'accueillir.

— Mandy ? appela-t-il.

— Ici.

Ses pas se rapprochèrent, des pas qui s'arrêtèrent sur le seuil de la porte du salon. Combien de fois ne l'avait-elle attendu ainsi, assise au même endroit, guettant dans ses yeux ce désir qui les jetait aussitôt dans les bras l'un de l'autre, puis sur le tapis oriental à ses pieds, pour faire l'amour ? En fait, ils s'étaient aimés dans toutes les pièces de la maison. Mais pas récemment. Depuis quelque temps, ils faisaient sagement l'amour dans leur lit, toutes les quarante-huit heures et seulement les jours où elle était censée être en période d'ovulation.

Elle ne tourna pas la tête, ne bougea pas d'un centimètre.

— Tout va bien ? demanda-t-il avec une telle douceur dans la voix que les larmes montèrent aussitôt aux yeux d'Amanda.

— Hum...

— Aimerais-tu une tasse de thé ?

— Non, merci.

Finalement, roulant la tête sur le côté, elle tendit la main vers lui. Elle ne voulait pas de dispute, ce soir. Elle aimait Graham.

Il parut apprécier le geste et s'avança vers elle. Là, il s'empara de sa main et la porta à sa bouche avant de s'asseoir près d'elle. Ses lèvres étaient chaudes sur ses doigts.

— Tu travaillais ? demanda-t-elle en se rapprochant de lui.

Sa main sur son cœur, il étendit ses longues jambes.

— J'essayais, mais l'inspiration ne venait pas. Alors je suis allé faire un tour. Je viens juste de rentrer.

— Je ne t'ai pas vu.

Elle aurait dû pourtant quand elle remontait la rue.

— J'étais dans le bois et je suis revenu par la cour, derrière. J'ai bien regardé, mais je n'ai aperçu aucun fantôme.

Une rumeur courait à propos du bois qui s'étendait derrière chez eux, une belle forêt qui, outre une abondante végétation où se mélangeaient fort heureusement sapins, chênes, érables, bouleaux, ainsi que toutes sortes de mousses et de fougères, abritait également de nombreux vestiges du passé à commencer par des tombes si vieilles que les inscriptions sur les pierres tombales étaient à peine lisibles. Ce qui autorisait Amanda et Graham à des divagations peu respectueuses qui les faisaient redouter, un jour prochain, la visite inopportune du fantôme d'un de ces cadavres criant vengeance pour de telles plaisanteries.

Mais subsistaient aussi dans ces bois quelques ruines de vieilles maisons incitant à la prudence. Un promeneur non averti pouvait en effet facilement tomber dans le trou d'une ancienne cave. Pire, un inconscient pouvait décider d'entreprendre l'ascension du seul édifice debout restant, une tour en pierre, émoussée par le temps, de près de douze mètres de haut, plus large à la base qu'au sommet. À l'intérieur, l'escalier avait depuis longtemps disparu, laissant une cavité sombre, au sol jonché de feuilles mortes et humides à différents stades de décomposition, un fait qui ne décourageait pas les alpinistes en herbe qui trouvaient sur les parois inclinées les prises nécessaires à leur escalade.

De nombreuses histoires couraient sur cette tour – on ne comptait plus les cadavres d'animaux, voire même d'êtres humains, qu'elle était censée renfermer dans ses fondations – mais aucune ne se basait sur des faits réels et personne ne connaissait l'origine du bâtiment. Une seule certitude pourtant : l'inconscient qui grimpait en haut de

cette tour ne pouvait plus en redescendre. Certains s'y risquaient encore – et pas seulement des gamins... Les
équipes de secours devaient alors dresser de grandes
échelles pour récupérer l'imprudent et chaque nouvelle
escalade déchaussait un peu plus les pierres déjà très
branlantes. Un léger tremblement de terre en avait récemment délogé quelques-unes affaiblissant encore la
construction. Et il n'y avait malheureusement rien à faire.
À chaque fois que le maire suggérait de raser l'édifice, sa
proposition déclenchait aussitôt un tollé d'indignation et
le projet tombait à l'eau. L'avis général restait que si les
fantômes existaient, l'endroit leur appartenait.

Amanda sourit à cette tentative d'humour de la part
de Graham.

— Tu as pris des risques à te promener ainsi dans les
bois, à cette heure.

— Pas plus que toi sur la route. L'affaire est réglée ?

— En ce qui concerne la punition de Quinn, oui.
Mais il n'en est pas de même pour ses problèmes. Et Dieu
sait qu'il en a, Graham. Ce que j'ai observé, ce soir, ne
ressemblait certainement pas à un gamin épanoui. J'ai dit
à ses parents que j'aimerais discuter avec lui, le rencontrer, même en dehors du lycée. Ainsi personne ne serait
au courant.

— Ils ont refusé ?

— Catégoriquement.

— Et tu te sens frustrée ?

— Oui.

Il l'attira contre lui et Amanda se sentit fondre. Elle
aimait tellement sa force, sa chaleur, son odeur, sa façon
bien à lui d'anticiper ses besoins. À cet instant, plus
aucune tension ne subsistait entre eux et rien au monde
ne pouvait les séparer.

— Tu as l'air fatiguée, dit-il doucement.

— Je le suis.

— Parfois j'ai l'impression que ça vient de moi.

— Que veux-tu dire ?

— Que tu ne veux pas me parler.

— Qu'est-ce qui te fait penser une chose pareille ?

— Tu aurais pu appeler cet après-midi. J'attendais. Tu n'es pas la seule à avoir des intérêts dans cette histoire.

Elle recula légèrement pour le regarder, mais la pénombre dissimulait ses traits.

— Des intérêts ? Quel mot froid et impersonnel !

— C'est malheureusement devenu ainsi. Une chose impersonnelle. Un projet. Je n'aurais jamais cru que ça puisse durer aussi longtemps. Nous devrions avoir un bébé aujourd'hui. Je ne comprends pas pourquoi ce n'est pas le cas.

Voilà. En quelques mots, le charme était rompu et ils se retrouvaient à la case départ. Sinon qu'elle était encore plus fatiguée et sur la défensive.

— Ce n'est pas faute d'essayer, dit-elle en pleurant. Que veux-tu que je fasse ?

— Je veux que tu tombes enceinte. N'ont-ils rien dit lors du dernier essai ?

— Dit quoi ? Je t'en aurais parlé s'ils avaient dit quelque chose. Il ne s'agissait que d'une procédure de routine. Ils ont fait des tests et constaté que les conditions étaient bonnes. C'est ce qu'ils ont dit. Bonnes.

Graham se leva et s'approcha de la fenêtre où il contempla la nuit dehors avant de retourner prendre place dans le fauteuil, séparé d'elle par la table basse.

— Je ne fais que poser une question, Amanda. Je me sens tellement frustré.

— Tu n'as pas demandé. Tu as accusé.

— Non. C'est faux. Si tu veux l'interpréter ainsi, c'est ton problème.

— C'est notre problème.

Détournant la tête, elle ferma les yeux. Elle ne voulait plus penser à rien.

— Que va-t-il se passer maintenant ? s'enquit-il.

Elle ne répondit pas. L'idée même de recommencer la procédure – un autre mois à avaler du Clomid, à passer des tests, à prendre sa température – lui tournait l'estomac.

— Ils ont dit qu'il serait peut-être nécessaire de faire trois tentatives d'insémination artificielle avant que cela marche, fit remarquer Graham. Il nous en reste donc une, sans parler de l'injection de sperme intra-cytoplasmique et de la fertilisation in-vitro.

— Non, murmura-t-elle.

— Non quoi ? Non à un troisième essai ?

Amanda ne pouvait plus bouger. Ses membres semblaient de plomb, son cœur si lourd.

— Non aux trois, articula-t-elle péniblement.

Un long silence accueillit cette déclaration, puis Graham reprit ses esprits.

— Non aux trois, répéta-t-il d'une voix inquiète. Que veux-tu dire, bon sang ?

Elle ouvrit les yeux tentant de trouver une explication rationnelle. En vain.

— Je suis fatiguée, dit-elle.

— De tout ça ? De moi ?

— Non, de moi. De ce qu'est devenue ma vie.

— Tu abandonnes ?

— Non. Je prends un peu de recul. J'ai besoin de repos.

— Maintenant ? Bon sang, Amanda, ce n'est pas le moment.

— Pour un mois, Graham. Un mois ! Ça ne changera pas grand-chose, mais cela pourrait se révéler bénéfique. Comme quand tu fais un régime. Au bout d'un moment, le corps ne réagit plus et le poids se stabilise. Si on arrête le régime pendant un jour ou deux, en mangeant des choses différentes, il arrive que le corps réagisse et que l'on recommence à perdre du poids.

— Depuis quand es-tu devenue une experte en régimes ?

— Depuis que je prends du Clomid et que j'ai grossi de près de quatre kilos.

— À quel endroit ?

— Je les ai reperdus depuis, mais j'ai dû batailler.

— Emily était d'accord ?

— Je ne lui en ai pas parlé. Je me suis contentée de faire attention à ce que je mangeais.

— Amanda, il faudrait savoir. Ou tu es sous contrôle médical ou tu ne l'es pas. Tu aurais dû lui en parler.

— Très bien. Je la mettrai au courant demain, dit-elle en croisant les bras. Mais si tu t'imagines que c'est la raison de l'échec de cet essai, tu te trompes. Au fait, Gretchen est enceinte. Karen est allée lui rendre visite et lui a posé la question. Je ne me trompais pas. Je sais ce que j'ai vu.

Il ne répondit pas.

— Nous tentions de deviner qui était le père.

Graham garda le silence.

— Je ne peux pas voir ton visage, dit Amanda. Es-tu surpris ? Choqué ? Inquiet ?

— Inquiet ? À propos de quoi ?

— Que quelqu'un puisse penser que c'est toi.

— De quoi parles-tu ?

— Elle est enceinte de sept mois, ce qui signifie que l'enfant a été conçu en octobre. Tu travaillais souvent chez elle à cette époque-là.

— Je me suis contenté de dessiner les plans de son jardin.

— Tu entrais chez elle.

Un long silence accueillit cette déclaration.

— Je ne peux pas croire ce que j'entends, grommela Graham d'une voix basse.

Furieuse de ne pas le voir nier avec véhémence, elle renchérit.

— Pourquoi pas après tout ?

Graham se leva d'un bond et se dirigea vers la porte.

— Je vais essayer d'oublier ce que tu viens de dire, déclara-t-il. Je vais même essayer de te pardonner parce que je peux presque comprendre d'où viennent ces propos. Tu as grandi dans une maison où les choses se passaient ainsi. C'était ta mère qui parlait, il y a une minute, pas toi.

— Gretchen est enceinte, répéta Amanda, incapable de s'arrêter maintenant. Et elle n'y est pas parvenue toute seule. Alors, d'où vient ce bébé ?

— Je n'en ai aucune idée. J'ignore qui elle fréquente. Je ne la surveille pas.

— Elle ne sort avec personne.

— Qu'en sais-tu ? Elle rencontre peut-être quelqu'un en ville.

— Elle est chez elle tous les soirs.

— Et alors ? Les bébés peuvent être conçus dans la journée.

— Tu sais ce que je veux dire.

— Oui, mais il n'est pas nécessaire de sortir avec quelqu'un pour tomber enceinte. Il suffit de cinq minutes dans une allée, n'importe où, un accident en quelque sorte, un moment d'égarement.

— Précisément.

Un silence glacial, suivi d'un cri de colère.

— Tu ne sais rien du tout, Amanda. Ni ce que Gretchen veut ni qui elle voit. En fait, ce pourrait être le bébé de Ben. Peut-être avait-il donné son sperme ? Peut-être ne s'agit-il que d'une insémination artificielle qui a réussi.

Tournant les talons, il quitta la pièce.

Amanda ne bougea pas. Dans le silence revenu, elle entendit l'écho de ses propres paroles et sut que Graham avait raison. C'était sa mère qui s'était exprimée à travers elle. Amanda avait grandi au milieu de ce genre d'accusations, la plupart parfaitement justifiées. Chacun de ses parents avait eu de nombreuses aventures – une revanche contre les trahisons de l'autre – et Amanda ignorait toujours lequel avait commencé le premier.

Si elle avait été psychologue à l'époque, elle aurait conseillé le divorce. Quand la confiance n'existait plus, aucun espoir d'amour ne subsistait.

Mais elle n'était alors qu'une enfant qui ressentait chaque nouvelle bataille comme un coup de couteau dans son cœur meurtri.

Et voilà qu'à son tour, elle accusait son mari d'infidélité et, qui plus est, sans raison. Graham était probablement la personne la plus loyale qu'elle connaisse. Un trait de caractère particulièrement important pour elle. Il n'avait connu qu'une seule femme avant elle, une relation longue et totalement monogame. Cette qualité se retrouvait chez tous les O'Leary – dans les gènes en quelque sorte. Ses frères et sœurs se montraient aussi solides que lui quand il s'agissait d'affection, ouverts et généreux, sincères dans leurs attentions. Pas un divorce à déplorer à l'exception de celui de Graham qui d'ailleurs n'avait rien à se reprocher. Amanda connaissait les circonstances qui avaient mis fin à son mariage avec Megan. Cette dernière avait été son amie d'enfance. Ils avaient grandi dans des maisons voisines et Graham n'avait jamais douté qu'un jour Megan deviendrait sa femme. Il serait d'ailleurs probablement toujours marié avec elle si celle-ci n'avait pris l'initiative de le quitter.

Pourtant, Amanda ne doutait en aucune façon de l'amour de Graham à son égard. Il la désirait et elle connaissait ses besoins. Elle en avait été l'objet, à une époque. Mais pas récemment. Récemment, ils n'allaient plus au lit qu'après avoir dûment calculé les potentialités du moment. Toute spontanéité avait disparu en même temps que la passion.

Et de l'autre côté de la rue, vivait Gretchen Tannenwald qui ressemblait tant à Megan... Amanda et Graham avaient souvent plaisanté à ce sujet.

Plaisanté ? La grossesse de Gretchen changeait considérablement les perspectives et Amanda commença à se demander si ce n'était pas elle le sujet de la plaisanterie.

Elle se reprit immédiatement, repoussant les doutes insidieux transmis par sa mère. Pourtant, comment ne pas l'envisager ?

Elle se leva péniblement et partit à la recherche de Graham qu'elle ne trouva ni dans la cuisine ni dans la chambre.

Elle en déduisit qu'il avait dû regagner son bureau. Devait-elle le rejoindre ? Une partie d'elle-même le souhaitait, mais l'autre, redoutant une nouvelle confrontation, s'y refusait cherchant à se protéger de sa froideur.

Amanda finit par entrer dans le petit boudoir attenant à la chambre et s'allongea sur le canapé. Elle avait pris une couverture au passage dont elle se couvrit et tira jusque sous son menton. Puis, fermant ses yeux, elle s'efforça de chasser toutes pensées de son esprit et s'astreignit à une respiration lente et régulière. Finalement, la fatigue eut raison d'elle et elle s'endormit.

Graham ne la réveilla pas. Quand elle descendit, le lendemain matin, il attendait dans la cuisine, le visage fermé, une tasse à la main.

Ses yeux verts, graves pour l'heure, se posèrent sur elle à son entrée.

On était mercredi.

6

Ni l'un ni l'autre n'eut le temps de prononcer une parole. Le téléphone sonna. Bien qu'Amanda fût plus près, Graham réagit le premier et attrapa le récepteur.

— Allô ? dit-il.

Puis son visage s'éclaira.

— Eh ! Comment ça va ?

Amanda enfonça les mains dans ses poches. Elle connaissait ce regard, cette voix, bien qu'elle n'en ait guère été la bénéficiaire ces derniers temps.

Encore une chose qui lui manquait terriblement.

— Quoi de neuf ? demandait Graham. Pas maintenant, dit-il en se détournant. Oui... Pourquoi pas à midi ?

Il écouta, la tête baissée.

— Je ne peux pas, j'ai un rendez-vous. 13 heures ? Parfait.

Il raccrocha et se tourna vers Amanda, une lueur de défi dans le regard.

Amanda mourait d'envie de l'interroger, mais comme Graham ne semblait pas décidé à lui relater sa conversation, elle craignit de paraître soupçonneuse. Ce qu'elle ne voulait surtout pas. Le soupçon avait été l'apanage de sa mère. Pas question de l'imiter.

— Tu aurais dû me réveiller, se contenta-t-elle de dire. Je serais allée me mettre au lit.

— C'est aussi bien ainsi. J'étais en colère. Je le suis toujours d'ailleurs. Tes accusations sont offensantes, Amanda. Je ne te trompe pas.

— Je sais.

— On aurait pu en douter, hier soir.

— Je suis désolée.

— Tu parlais comme ta mère. Je ne t'avais jamais vue ainsi auparavant. Tu m'as fait peur. Si tu envisages de devenir comme elle, nous allons avoir des problèmes.

— Nous avons déjà des problèmes, fit-elle remarquer, l'esprit beaucoup plus clair après une nuit de sommeil.

— Oui, je sais, grommela-t-il. Nous ne parvenons pas à avoir d'enfant.

— Non. Notre réaction face à cette situation. C'est ça le problème. Nous ne réagissons pas très bien.

— Moi si. C'est toi qui veux laisser tomber.

Elle baissa la tête et respira un grand coup.

— Non, je ne veux pas laisser tomber. Je veux juste prendre un peu de recul, cesser de penser exclusivement au bébé. Nous devons penser un peu à nous pendant quelques temps.

Il la fixa avec une drôle d'expression qu'elle ne parvint pas à définir. De la colère ? De la déception ? Du mépris ?

— Je n'abandonne pas l'idée d'avoir un bébé, dit-elle doucement. Tout ce que je veux, c'est que nous nous changions un peu les idées.

Graham posa les mains sur ses hanches.

— Alors qu'est-ce que je raconte à ma famille ? J'espérais avoir une bonne nouvelle à leur annoncer pour l'anniversaire de ma mère.

— Moi aussi. Mais ce n'est pas le cas. Et franchement, je m'inquiète plus pour nous que pour eux. Il s'agit de notre vie, pas de la leur.

— Ils souhaitent ce bébé pour nous.

— Oui, mais ils ne sont pas nous.

— Ils sont moi. Je ne peux pas me dissocier d'eux.

— C'est vrai. Tu ne peux pas.

— Ce qui signifie ?

— Ce qui signifie que ni toi ni moi ne pouvons oublier d'où nous venons. Pas complètement. Si je ressemblais à ma mère hier, ce n'était pas volontaire. Je ne l'ai pas fait exprès, Graham. Tu connais mes sentiments à son égard.

— Oui, mais je croyais aussi connaître tes sentiments à mon égard... Tu me faisais confiance avant.

— Je te fais toujours confiance.

— Tu m'as accusé d'avoir couché avec Gretchen.

— J'en suis désolée. J'étais malheureuse. Mets-toi un peu à ma place. Depuis des mois maintenant, le sexe est devenu pour nous synonyme de calculs, de devoir. Certains hommes dans une telle situation seraient tentés de chercher un peu de détente ailleurs.

— Certains hommes, peut-être. Pas moi. Je suis ton mari et je me sens insulté que tu aies pu, ne serait-ce qu'imaginer, que je te trompais.

— Je me suis excusée.

— As-tu une idée de ce que j'ai pu ressentir ?

— Pouvons-nous oublier tout ça, Graham ? supplia-t-elle. Bon sang, inutile d'en rajouter !

— Que veux-tu dire ? s'exclama-t-il indigné.

— Je veux dire que je me suis excusée, plus d'une fois. J'ai dit que je te faisais confiance et pourtant tu continues à revenir là-dessus. Si tu n'as rien à te reprocher, laisse tomber.

Graham se redressa, le regard glacial.

— Si ? répéta-t-il.

Il leva les deux mains devant lui.

— Je refuse d'en entendre plus.

Tournant les talons, il sortit avant qu'elle ait eu le temps de réagir.

Au même moment, dans sa chambre d'hôtel, une tasse de café à la main, Georgia décrochait le téléphone pour appeler chez elle. Elle pouvait très bien imaginer la scène. Tommy en train de manger ses céréales, Allison manquant de s'étrangler avec son toast dans sa précipitation pour attraper le téléphone et Russ, debout devant la gazinière, une poêle à la main, qui la prenait de vitesse en tendant nonchalamment la main vers le récepteur.

— Allô ? dit-il et elle sourit.

— J'étais sûre que tu décrocherais. C'est pour qui les œufs ?

— Moi. Mais je n'ai pas manqué d'en proposer à notre progéniture. Non, Allie, les œufs ne tuent pas, en tout cas pas si l'on en croit les dernières études.

Il écouta une réponse que Georgia ne parvint pas à saisir et se mit à rire.

— Que dit-elle ?

— Elle me conseille de patienter une semaine. La prochaine étude contredira probablement la première. Quelle enfant intelligente !

— Quelle enfant cynique, oui. Que s'est-il passé hier soir ?

— Pas grand-chose.

— Au sujet de Quinn.

— Beaucoup de discussions.

— Tout va bien ?

— Oui.

— Et toi ? As-tu passé une bonne soirée ?

— Très bonne. Tu ne devais pas avoir un petit déjeuner d'affaires ?

— Ils l'ont reculé, mais je pourrai quand même attraper mon avion. Si j'ai un problème, je t'appelle.

— Je ne serai peut-être pas là. Je dois déjeuner avec Henry.

Henry Silzer était l'éditeur de Russ.

— Oh, je l'ignorais.

— Moi aussi. Il a téléphoné hier soir. Il avait envie

de prendre l'air et de dépenser un peu ses indemnités de restaurant. Il adore déjeuner à l'Auberge.

Georgia aussi.

— Je suis jalouse. Bon, amusez-vous bien. Puis-je parler avec Allie ?

— Elle secoue la tête. Elle est partie. Pourquoi ne veux-tu pas parler à ta mère ? cria-t-il à sa fille. Elle dit qu'elle a des épis partout et qu'elle doit se coiffer.

— Tommy alors ?

— Impossible, il est sorti avant elle. Il avait la main devant la bouche. J'espère que ce n'est pas son appareil dentaire. Je ferais mieux d'aller vérifier. Je suis impatient de te voir, chérie. Bon vol.

En entendant le déclic, Georgia raccrocha.

Karen préparait des crêpes pour le petit déjeuner. Elle ajouta une tasse de myrtilles fraîches à la pâte, un peu parce qu'elles étaient en promotion au marché et que les enfants en raffolaient, mais surtout parce que Lee les détestait.

Lee préférait ses crêpes nature.

Oui et elle, elle préférait les hommes fidèles. On n'avait pas toujours ce qu'on voulait dans la vie.

— Où est la tête ? demanda Julie debout près de son coude.

— Pas de visage aujourd'hui, répondit Karen. Je n'ai pas le temps.

— Tu n'as plus jamais le temps.

En fait, le temps ne lui manquait pas, plutôt la patience. Avant, elle aimait arranger les myrtilles dans la poêle pour dessiner les yeux, le nez et la bouche d'un visage sur la pâte en train de cuire, pour le plus grand plaisir de sa fille.

— Puis-je les faire sauter ? demanda Julie.

— Ce n'est pas si facile, mais viens ici, je vais t'aider.

Elle mit la main de la fillette autour de la queue de la

poêle, posa sa main sur la sienne et l'aida à faire sauter la crêpe.

— Bravo. Maintenant tu vas la manger avant qu'elle refroidisse. Qu'est-ce que vous fabriquez les jumeaux ? demanda-t-elle.

— On échange les myrtilles, répondit Jared. Les siennes sont plus bleues.

— Les siennes sont plus grosses, rétorqua Jon.

— Faites attention, vous en mettez partout.

Un verre de jus d'orange se renversa comme elle finissait sa phrase. D'un coup d'éponge, elle répara les dégâts.

Jordie, au bout de la table, avait la tête plongée dans la page des sports du journal.

— Quelque chose d'intéressant ? demanda-t-elle.

Il marmonna une réponse inintelligible.

Frustrée, elle retourna à sa poêle. Quelques secondes plus tard, Lee faisait son entrée, vêtu pour sa journée de travail, d'une chemise de sport et d'un pantalon kaki – une tenue décontractée qui, sur lui, paraissait pourtant habillée. Il possédait une espèce de distinction naturelle qui lui permettait de garder une certaine allure quelle que soit sa tenue. Comme pour pallier cet inconvénient, il coiffait négligemment ses cheveux qu'il avait récemment éclaircis, ce qui lui donnait un air plus juvénile.

— Bonjour à tous, lança-t-il.

Une fois assis, il arracha la page des sports des mains de son fils qui, attrapant rapidement son assiette, se leva et la déposa dans l'évier avant de sortir.

Karen servit une tasse de café à son mari et sans ménagement, la posa devant lui.

— Qui veut encore des crêpes ? demanda-t-elle à la cantonade.

Comme tout le monde refusait, elle prit les crêpes restantes et les mit dans une assiette qu'elle posa également devant Lee.

— Jon, Jared, lavez vos mains avant de partir. Julie,

il est temps de te coiffer, ajouta-t-elle en indiquant le chemin de la salle de bains.

Elle suivit la fillette et brossa ses cheveux qu'elle attacha ensuite en queue de cheval avec un ruban bleu.

— Bonne journée, dit-elle à Jordie quand il passa devant elle, au pied de l'escalier.

Elle ne récolta qu'un vague signe de tête avant qu'il franchisse la porte.

« Merci, maman, marmonna-t-elle dans sa barbe. Tes crêpes étaient délicieuses. Passe une bonne journée toi aussi. »

Passablement abattue, elle regagna la cuisine. Lee était toujours plongé dans le journal. Elle le fixa un moment. Si quelque chose n'allait pas avec Jordie, la faute en incombait à son mari, vu l'exemple qu'il donnait.

Quand il voulait le journal, il le prenait même si quelqu'un d'autre était en train de le lire. Il pouvait se montrer chaleureux et amusant avec les enfants, mais seulement quand cela le chantait. Quand il souhaitait sortir, il sortait. Jordie se comportait exactement comme lui, aucun doute là-dessus.

Elle s'approcha de l'évier et entreprit de laver la vaisselle en manipulant bruyamment les assiettes.

— Quelque chose ne va pas ? demanda Lee.

— Non.

— Qu'est-ce qui est au programme aujourd'hui ?

Pas question de lui parler de ses activités. Certaines étaient notées sur le calendrier. Quant aux autres, elle se garderait bien de les lui dire, des fois qu'il aurait une idée derrière la tête.

— Karen ?

— Comme d'habitude. Tu seras là pour dîner ?

— Oui.

Elle avait déjà entendu ça, affirmé avec la même conviction, mais les scrupules ne l'étouffaient pas quand il s'agissait de changer ses plans. Un vrai dîner de famille ne faisait pas partie des priorités de Lee malgré les efforts de Karen.

Elle jeta un coup d'œil par-dessus son épaule. L'assiette de Lee était encore à moitié pleine.

— As-tu fini ?

— J'apprécierais que tu ne mettes pas de myrtilles dans mes crêpes, marmonna-t-il en repoussant les petites boules. Tu sais que je n'aime pas ça.

Avant qu'il ait eu le temps d'en dire plus, elle avait attrapé l'assiette qui disparut dans l'évier.

— Qu'est-ce qui te prend ?

L'espace d'un instant, elle fut tentée de nier son énervement. Elle était pacifique de nature et chercher la bagarre ne lui ressemblait pas.

Mais, depuis quelques temps, certaines habitudes bien trop familières avaient refait surface dans le comportement de Lee, comme porter une nouvelle eau de toilette pour cacher l'odeur d'une femme ou aller faire du sport, ce qui lui donnait une bonne excuse pour rentrer à la maison, douché de frais. Au moins une fois par semaine, il dînait à l'extérieur et, récemment, il était arrivé en retard au match de foot des jumeaux sans la moindre excuse. Pire, il semblait particulièrement de bonne humeur ces derniers temps et bien moins exigeant au lit, deux faits totalement incompatibles... sauf s'il avait une aventure.

Cette idée seule la rendait malade. Mais s'il la trompait avec Gretchen – sa propre voisine – elle ne pourrait pas le supporter.

Elle se tourna pour lui faire face.

— Gretchen est enceinte, annonça-t-elle. Tu le savais ?

— Gretchen ? Gretchen, la voisine ?

Karen fit un gros effort pour garder son calme. Gretchen était un prénom plutôt rare et ils n'en connaissaient pas d'autres. En tout cas, Karen n'en connaissait pas d'autres.

— Gretchen est enceinte ! s'exclama Lee.

Il paraissait sincèrement étonné, mais cette constatation n'apporta aucun réconfort à Karen. Gretchen avait dit que le père n'était pas au courant et elle avait ajouté qu'il avait d'autres obligations. Tout comme Lee.

— Depuis quand ? demanda-t-il en fronçant les sourcils.

— Octobre.

— Sans blagues ? Pourquoi es-tu en colère ? ajouta-t-il en examinant le visage de sa femme.

— Je ne suis pas en colère, je suis inquiète. Dis-moi la vérité. As-tu couché avec cette femme ?

— Moi ? La femme de Ben ?

— Susan était la femme d'Arthur. Annette, celle de Don. De plus, Ben est mort, ce qui simplifie les choses.

— Es-tu en train de m'accuser, Karen ?

— Non. Je suis en train de te poser une question.

— Eh bien, la réponse est non. Je n'ai pas couché avec Gretchen. Où as-tu été pêcher une idée pareille ?

Elle aurait pu oublier ses soupçons et s'excuser si un effluve de sa nouvelle eau de toilette n'était venu lui chatouiller les narines, juste à cet instant. Sans parler des autres signes.

— Tu n'arrêtes pas de parler d'elle. Tu passes ton temps à te précipiter chez elle pour voir si elle n'a besoin de rien.

— Elle est seule. Nous sommes ses voisins. Vous, les femmes, l'avez traitée en paria alors que son seul crime avait été d'épouser un veuf. Elle me fait de la peine et j'essaye de l'aider un peu. Il y a des choses qu'une femme ne peut assumer seule.

— Comme de faire un bébé ?

— Comme de réparer une fuite sous l'évier ou dans les toilettes, dit-il en élevant la voix. Voyons, Karen, j'en fais autant pour toi. Crois-tu vraiment qu'elle devrait se débrouiller toute seule ?

— Elle n'a qu'à appeler un plombier.

— Pourquoi, alors qu'elle a des voisins qui peuvent

l'aider ? Russ et Graham lui rendent également service à l'occasion. Leur as-tu posé la question ?

— Non. C'est avec toi que je suis mariée. C'est pour tes enfants que je m'inquiète.

— Les enfants n'ont rien à voir là-dedans.

— Ils sont là à écouter quand tu délires au sujet de cette peinture sur son mur.

— Je la trouve très belle.

— À t'entendre, on imagine quelque chose d'érotique, de sensuel.

— Comme la moitié des choses que l'on voit à la télé, répliqua-t-il. Ne crois-tu pas que c'est mieux d'en parler ? Que les enfants puissent comprendre qu'ils peuvent tout nous dire ? N'est-ce pas le rôle des parents de les informer ?

Il avait raison, mais la frontière était ténue entre le tableau et Gretchen elle-même. Dans l'esprit de Karen, du moins.

— Bon sang ! s'exclama Lee qui ressemblait à un gamin en colère avec ses cheveux ébouriffés. L'un de nous se doit d'apprendre à nos enfants que la passion existe dans la vie.

— Je suis passionnée ! s'indigna Karen.

— Peut-être pour différentes causes. En tout cas, pas par les hommes. Tu ne prends jamais d'initiatives.

C'était vrai et, parfois, une petite pincée de culpabilité la tourmentait à cet égard. Mais il ne réussirait pas à la déconcentrer. Lee s'arrangeait toujours pour la rendre responsable de tout. Pas question de le laisser faire cette fois.

— Non, en effet, je ne prends pas d'initiatives. Mais c'est inutile parce qu'en général, tu n'as pas besoin d'encouragements. Pas dernièrement, toutefois, ce qui me rend songeuse.

— J'attends un signe de ta part.

— C'est nouveau ça. Avant, quand tu revenais du travail, tu n'avais que deux choses en tête : le sexe et l'équipe de foot. J'aimerais bien être aussi libre que toi à la fin de la journée, mais malheureusement, j'ai toujours un million de choses à faire, le soir.

— Alors, estime-toi heureuse de ne pas travailler.

— Je travaille, fit-elle remarquer.

— Tu sais ce que je veux dire.

— Non, je l'ignore. J'aimerais bien qu'une fois au moins tu reconnaisses mes mérites. Ta vie est plutôt confortable ici, Lee. Grâce à moi. Peu de femmes en feraient autant. Si je travaillais, comme tu dis, la situation serait beaucoup moins agréable. Et pourtant, tu n'hésites pas à risquer de tout perdre en me trompant.

— C'est terminé, dit-il en se redressant. Je t'ai fait une promesse et je la tiendrai. T'ai-je donné la moindre raison d'en douter ?

— Pas récemment, mentit-elle pour ne pas perdre le fil de ses pensées. Pas depuis Gretchen.

— Je n'ai rien à voir avec Gretchen.

Elle le fixa, souhaitant désespérément le croire sans y parvenir.

— Tu es incroyable ! s'exclama-t-il, frustré. Quoi que je dise, quoi que je fasse, ça n'est jamais assez. J'ai fait vœu de chasteté, mais ça ne te suffit pas.

— Chut, dit-elle en indiquant la porte.

— Je crierai si j'en ai envie. Les enfants ont le droit de savoir que leurs parents se disputent, que leur mère lance des accusations à tort et à travers sans prendre la peine de s'excuser. Mais tu t'excuseras, Karen. Crois-moi, tu t'excuseras.

Sur ce, il quitta la cuisine et Julie, l'air affolé, rejoignit sa mère.

— Où va papa ?

— Au travail.

— Il ne m'a pas embrassée, fit remarquer la fillette d'une voix peinée.

Ni moi, pensa Karen sans pourtant ressentir la moindre émotion. Tant de déceptions l'avaient rendue insensible. Une bien triste constatation.

À peine franchies les grilles du lycée, Amanda comprit que les rumeurs allaient bon train. Rassemblés en petits groupes, les élèves discutaient avec animation et se retournaient sur son passage. L'espace d'un instant, incapable d'oublier ses propres préoccupations, elle se crut le sujet des conversations.

« Elle ne peut pas avoir un enfant. »

« Elle travaille avec des enfants parce qu'elle ne peut pas en avoir à elle. »

Mais elle reprit bien vite ses esprits et s'approcha d'un des groupes.

— Bon, qu'est-ce qu'on vous a raconté ? demanda-t-elle.

Le groupe se composait de cinq garçons de première année.

— Est-ce que M. Edlin a vraiment appelé la police ? s'enquit l'un d'entre eux.

— Non. La police ignore tout de cette histoire.

— Ça ne change rien s'il est renvoyé de l'école. Cela restera dans son dossier toute sa vie.

— Il n'est pas renvoyé de l'école, corrigea Amanda. Il est seulement exclu de l'équipe. Et s'il se tient tranquille l'année prochaine, rien ne sera mentionné dans son dossier.

— Ses parents portent plainte contre l'école, affirma un troisième.

— Je n'ai rien entendu à ce sujet. Mais M. Edlin vous parlera de tout ça au cours de la récréation. Vous saurez ainsi exactement ce qu'il en est.

— Très bien.

D'un pas rapide, elle gagna son bureau où elle déposa ses affaires. Elle devait prévenir la clinique de la mauvaise nouvelle et elle devait également appeler Graham, mais la seule idée de ces deux conversations lui nouait l'estomac.

Cela pouvait attendre. Elle devait d'abord téléphoner à Maggie Dodd pour être certaine que rien n'avait changé dans la situation de Quinn depuis la veille et également aux conseillers des deux autres lycées de la ville pour qu'ils informent leurs élèves. Elle voulait aussi être présente quand M. Edlin prendrait la parole et devait ensuite recevoir un étudiant dans son bureau. Le reste de la journée serait certainement tout aussi chargé, ce qui n'était pas pour lui déplaire.

Pendant qu'Amanda vérifiait sur son ordinateur qu'elle n'avait pas reçu de nouveau message de Quinn, Georgia expédiait son petit déjeuner d'affaires, récupérait ses bagages et sautait dans un taxi en direction de l'aéroport. Le véhicule avait à peine fait quelques centaines de mètres qu'il dut s'arrêter derrière une longue file de voitures. En quelques minutes, le trafic fut complètement bouché. On parlait d'un accident, de travaux, mais Georgia se moquait de connaître la cause de cet engorgement. Tout ce qui lui importait, c'était de ne pas rater son avion.

Karen, pendant ce temps, s'activait. Elle commençait à bien maîtriser la procédure et entreprit de fouiller dans les poches des pantalons de son mari, sous ses chaussettes, entre ses chemises. Puis elle vérifia les factures de téléphone, les relevés de carte de crédit, à la recherche de dépenses suspectes et d'appels répétitifs et injustifiés. Et de fait, elle trouva beaucoup des deux. Par où attaquer ?

Il paya en liquide et se rendit à la chambre. Il était en avance, mais s'en moquait. L'attente faisait partie du jeu et il se sentait de plus en plus excité à mesure que les minutes passaient.

La chambre se trouvait en retrait, dans une aile du motel, cachée au bout d'une allée, mais elle possédait le même cachet un peu vieillot que celles sur le devant de l'établissement, construit près d'un siècle auparavant.

Dans les tons rose et bleu, elle comprenait deux larges fauteuils et un immense lit, tous recouverts d'un tissu assorti aux rideaux, et un énorme jacuzzi dans un coin.

L'endroit s'avérait parfait pour un rendez-vous d'amour, avec sa réception indépendante. Ainsi, quiconque remarquerait sa voiture devant l'hôtel s'imaginerait qu'il déjeunait avec un client dans l'un des nombreux petits salons prévus à cet effet. Un parfait alibi.

Un nid parfait pour un rendez d'amour, peut-être, mais ce n'était pas ainsi qu'il considérait leurs rencontres. Cela durait depuis trop longtemps – plusieurs mois en fait. Alors quoi ? Une aventure ? Plus encore. Une relation. Elle comptait pour lui. Beaucoup même. Elle lui était devenue indispensable.

Un petit coup à la porte le tira de ses pensées. Il se précipita pour ouvrir et s'empara de ses lèvres avant même que la porte soit complètement refermée. Puis il la poussa contre le mur. Sa bouche avait le goût de la menthe. Il fouilla plus profond, mais sans parvenir à s'en satisfaire. Il voulait plus. Gonflé d'un désir brûlant, il baissa la fermeture Éclair de son pantalon qu'il fit glisser sur ses genoux avant de remonter la jupe de la jeune femme sur ses hanches. Elle était nue en dessous.

— C'est comme ça que je t'aime, murmura-t-il sa bouche contre la sienne.

Il la pénétra d'un seul coup et rejeta la tête en arrière en fermant les yeux, savourant son plaisir. Elle était si étroite – une qualité qu'il appréciait particulièrement chez elle – et n'avait pas connu beaucoup d'hommes avant lui – une autre de ses qualités. De petits cris lui échappèrent qui trahissaient son excitation. Pour intensifier encore son plaisir, il glissa une main entre eux et la caressa jusqu'à ce qu'il ne puisse plus y tenir. Il suffit alors d'un simple coup de rein, lent et profond, pour qu'elle pousse un grand cri, précédant le sien de quelques secondes.

Un peu plus tard, il la déshabilla, puis, sans la quitter du regard, se débarrassa à son tour de ses vêtements. Il la poussa alors doucement sur le lit et entreprit de la caresser. Ses seins étaient pleins, gonflés de désir, son ventre légèrement bombé. Il aimait son corps voluptueux, témoignage d'une féminité intemporelle.

— Tu es si belle, murmura-t-il.

Il s'imprégna de son odeur, jouant avec le bout de ses seins jusqu'à ce que ses hanches se soulèvent à sa rencontre. Se redressant, il s'introduisit en elle sans la perdre de vue. Elle jouit avec un autre cri et il admira sa façon de s'abandonner, la sensualité avec laquelle elle se cambrait sous le plaisir, tournant la tête sur les draps.

Son orgasme fut encore plus fort que le précédent et le cœur battant, il lui sourit.

Puis il s'allongea à côté d'elle et s'étira avant de la regarder.

— Comment te sens-tu ? demanda-t-il.

— Mieux.

— Que dit le médecin ?

— Tout va bien.

— Ce n'est pas celui d'ici ?

— Mais non, voyons. Je ne suis pas stupide.

— Non, je sais.

D'un doigt, il suivit la ligne droite de son nez, la courbe de son front. Elle était blonde comme il aimait.

— Combien de temps avons-nous ?

— Pas longtemps. Si je ne rentre pas bientôt, quelqu'un finira par remarquer mon absence. Ils me croient au marché.

— Tu y es. Je te nourris.

Elle sourit, mais il sentit venir la question dans ses yeux.

— Lui as-tu parlé ?

— Qu'est-ce que j'ai répondu la dernière fois que tu me l'as demandé ?

— Que la situation était délicate. Mais la nôtre aussi.

— Il s'agit de ma femme. À ce titre, elle passe d'abord. Et puis, il n'y a pas qu'elle. Je dois aussi penser à ma famille. Je parlerai quand le moment sera bien choisi.

— Ça risque de prendre du temps.

— Non. La situation se dégrade. Je t'en prie, ne me mets pas la pression. J'en ai suffisamment à la maison. Je veux que tu restes ma bouffée d'oxygène.

— Tu m'aimes ? demanda-t-elle d'une voix anxieuse.

— Tu le sais bien.

Elle étudia son visage un moment, puis sourit.

7

Amanda tourna dans sa rue, précédant de quelques minutes le bus de ramassage scolaire. Sa journée n'était pas terminée et elle devait retourner à l'école plus tard dans l'après-midi pour rencontrer des parents d'élèves. Mais elle se sentait lasse et comptait sur cette petite pause pour recouvrer un peu d'énergie.

En fait, elle espérait trouver Graham chez eux. Ils ne s'étaient pas reparlé depuis qu'ils avaient quitté la maison, ce matin, et chaque fois qu'elle pensait à lui, elle éprouvait comme un vide au creux de l'estomac.

Malheureusement, le pick-up ne stationnait pas dans l'allée.

Malgré les nuages dans le ciel, le printemps s'installait. Le feuillage des arbres semblait déjà plus fourni, l'herbe plus verte et les tulipes plus hautes que la veille. La nature s'épanouissait, contrairement à elle qui avait l'impression de stagner.

La matinée avait été chargée. Elle avait vérifié ses courriers électroniques, mais aucune nouvelle de Quinn. Elle avait néanmoins réussi à discuter avec sa mère – en fait, elle l'avait appelée. Malheureusement, Marjorie Davis ne s'était pas montrée plus réceptive que la veille. « Tous les adolescents boivent un peu, avait-elle déclaré. Une

expérience parmi tant d'autres. L'école a pris ça trop au
sérieux. Je tiens à ce que vous restiez en dehors de cette
histoire. »

Mais le geste nerveux des mains de Quinn obsédait
Amanda. Pourtant, si le garçon ne venait pas lui-même
demander son aide, elle ne pourrait rien faire. Son impuissance ajoutée au fait qu'elle n'était pas enceinte renforçait
encore son sentiment d'être totalement improductive.

Apparemment, elle ne semblait pas la seule à broyer
du noir. Au détour du virage, elle aperçut en effet Karen
assise à l'arrêt du bus, l'air abattu. Amanda s'apprêtait à
lui faire signe quand la voiture de Georgia se matérialisa
dans son rétroviseur, arrivant de toute évidence tout droit
de l'aéroport.

Amanda se gara devant chez elle, puis traversa la rue
pour attendre devant la maison des Lange. Non sans une
petite pointe de jalousie, elle regarda son amie descendre
de voiture, très femme d'affaires dans son tailleur-panta-
lon blanc et noir, ses courts cheveux sombres sagement
ramenés derrière les oreilles, quelques bijoux discrets et la
démarche assurée.

De toute façon, le noir et le blanc n'étaient pas ses
couleurs. Amanda avait besoin de tons plus chauds,
comme du jaune ou du rouge, sa couleur préférée. Ce
jour-là, elle portait un chemisier pêche et un pantalon
assorti, une tenue confortable qu'elle adorait normale-
ment, mais qui lui parut soudain terriblement provinciale
auprès de Georgia.

Elle n'en accueillit pas moins chaleureusement cette
dernière.

— Je suis si contente de te voir, dit-elle. Une demi-
journée d'avion et toujours fraîche comme une rose.
Comment ça s'est passé ?

— Bien, je crois.

Georgia la serra contre elle pendant une minute.

— Russ m'a dit pour le bébé. Je suis vraiment
désolée.

— Moi aussi, répondit Amanda, réconfortée par son support.

Les amies avaient toujours énormément compté pour Amanda qui avait grandi seule, sans frère ni sœur, avec des parents en guerre permanente.

— Que va-t-il se passer maintenant ?

— Je ne sais pas. Nous devons parler, Gray et moi, mais, pour l'instant, nous sommes trop déçus.

Indiquant Karen d'un signe de tête, elle commença à descendre l'allée.

— Es-tu au courant pour Quinn ?

— Oh, oui, répondit Georgia en lui emboîtant le pas. Allie n'a pas dit grand-chose, ni Russ. Jordie joue au base-ball avec Quinn. Est-il impliqué ?

— Pas à ma connaissance.

— Karen a une mine épouvantable, chuchota Georgia.

Effectivement, Karen ne respirait pas la joie de vivre et son T-shirt gris taupe ne risquait pas de rehausser son teint.

— Elle se sent un peu frustrée, expliqua Amanda à mi-voix.

— Nous devrions nous offrir une nouvelle soirée entre femmes. Je n'arrête pas de le lui proposer, mais elle affirme être trop occupée. Je suis sûre que cela lui remonterait le moral.

— Je ne crois pas.

— Oh ! Lee encore ?

— Lee, Jordie, Quinn, Gretchen. Les dernières vingt-quatre heures ont été difficiles.

— Gretchen ? Qu'est-ce qui ne va pas avec Gretchen ?

— Rien que deux mois et dix-huit autres années ne pourront résoudre.

— Je ne comprends pas.

— Russ ne t'a pas mise au courant ?

— Au courant de quoi ?

— Gretchen est enceinte, annonça Karen qui avait

entendu leurs derniers échanges. Ah, bizarre ! Pourquoi ton mari ne t'en a-t-il pas parlé ?

— Quoi ? s'exclama Georgia en écarquillant les yeux.

— Nous avons découvert hier que Gretchen attendait un enfant.

— Un enfant ? Je croyais qu'elle ne sortait pas beaucoup ?

— Elle ne sort pas beaucoup.

— Alors, quelqu'un vient la voir ?

— Personne n'a rien remarqué.

— Dans ce cas, qui est le père ?

— C'est la question que tout le monde se pose.

— Personne ne lui a demandé ?

— J'ai failli, répondit Karen. Mais elle a ignoré mes allusions. Cela étant, elle a lâché quelques indices. Le père n'est pas au courant et il a d'autres responsabilités. Deux faits qui correspondent à la situation de nos maris.

— Nos maris, répéta Georgia en riant. Je ne crois pas que nos maris seraient assez stupides pour avoir une aventure avec Gretchen.

— Ils ne se gênent pas pour parler d'elle en tout cas.

— Tous les hommes sont comme ça. Ils parlent des femmes, regardent les plus jolies. C'est la nature qui veut ça. Mais de là à passer à l'acte, il y a une différence. Comment a réagi Lee quand tu lui as posé la question ?

— Il a paru surpris. Mais il l'a aidée il y a un mois avec sa chaudière et, à l'époque, elle était déjà enceinte de six mois. Il n'a pas pu ne pas le remarquer.

— Nous ne l'avons pas remarqué non plus, dit Amanda. Il suffit d'un pull ou d'une chemise ample et le tour est joué. D'autant qu'elle n'est pas très grosse pour sept mois.

— Sept mois, répéta Georgia. Cela nous ramène donc en octobre. Qui voyait-elle à l'époque ?

— Le menuisier, le plombier, l'électricien, énonça Amanda.

— Et Russ, ajouta Karen.

La première réaction de Georgia fut la colère, mais consciente de la pression que subissait Karen, elle décida de ne pas relever.

— Ça, je reconnais qu'il est aux premières loges, admit-elle en riant. Ou du moins, il devrait. Il déjeunait avec son éditeur aujourd'hui et ils prennent leur temps, on dirait.

— Je lui ai posé deux fois la question au sujet de Gretchen, dit Karen. Une fois, avant de parler avec elle et une fois, après. Il m'a juré qu'il ignorait tout de ce bébé.

— Alors, tu peux le croire.

Si Russ avait choisi de ne pas révéler que Gretchen attendait un enfant, c'était probablement parce qu'il estimait que cela ne le regardait pas ou parce qu'il ignorait qui était le père ou bien encore parce qu'il avait juré le secret à un des deux autres hommes. Après tout, Graham pouvait également avoir eu une aventure avec Gretchen. Il avait travaillé dans son jardin à l'automne et lui et Amanda traversaient une période difficile.

Quant à Lee, son passé de coureur de jupons le plaçait en tête de ses pronostics, même si Georgia n'était pas assez méchante pour en faire la remarque à Karen.

— Russ pense que le commérage est une habitude purement féminine, reprit-elle. Et il met un point d'honneur à ne pas se mêler des affaires des autres. En quoi, il a tout à fait raison. D'ailleurs, pour être honnête, de quel droit irions-nous demander qui est le père de cet enfant ? Cela ne nous regarde pas.

— Espérons-le, murmura Karen comme le bus de l'école faisait son apparition.

Le véhicule de ramassage scolaire qui ressemblait à une grosse boîte jaune sur roues transportait les deux créatures qui comptaient le plus au cœur de Georgia. Elle se souvenait encore du temps où elle attendait, elle aussi, qu'Allison d'abord, puis Tommy reviennent de l'école primaire. Ils étaient grands maintenant, mais l'excitation de les apercevoir restait la même.

Elle passa en revue les fenêtres du véhicule jusqu'à ce qu'elle reconnaisse ses enfants qui remontaient l'allée centrale en direction de la porte de sortie. Les portes s'ouvrirent avec un grincement et Julie, la fille de Karen, suivie des jumeaux furent les premiers à descendre les marches, suivis de près par Allison et Tommy qui sautèrent au cou de leur mère, lui disant combien ils étaient heureux qu'elle soit rentrée et réclamant son attention chacun leur tour. Puis apparut la voiture de Russ.

Entourée de sa progéniture, Georgia n'accorda pas une pensée de plus à la grossesse de Gretchen.

Gretchen, derrière la fenêtre de la salle à manger, observait les trois femmes. Elle savait toujours quand elles étaient là, dehors, comme si une force mystérieuse l'informait de leur présence, l'obligeant à voir ce qu'elle manquait. Elle avait toujours rêvé avoir des amies femmes et quand elle avait épousé Ben, elle avait cru pouvoir en trouver ici. Elle se trompait.

« Sois patiente, disait Ben. Elles ne te connaissent pas encore. »

Mais elles n'avaient jamais cherché à la connaître, ni du vivant de Ben, ni après sa mort quand elle s'était retrouvée seule. Oh, elles s'arrêtaient de temps en temps comme Karen l'autre soir, mais ce n'était qu'une piètre consolation. Les choses auraient certainement été plus simples si elle avait eu le contact facile. Malheureusement, ce trait de caractère ne figurait pas dans ses gènes. D'autant qu'elle se sentait intimidée en leur présence. Toutes trois paraissaient tellement accomplies, chacune à sa manière, que Gretchen se faisait l'effet d'un outsider, une étrangère naïve, sans éducation et mal dégrossie.

« Tu es ma beauté », avait l'habitude de répéter Ben. Elle le croyait. Pour lui, la beauté n'était pas seulement physique et, à son contact, elle s'épanouissait.

Mais Ben était mort et elle se retrouvait derrière les

rideaux de son salon, à épier et à envier l'amitié que partageaient ses voisines.

Que n'aurait-elle donné pour se joindre à elles ?
Amanda était la plus proche en âge et semblait la plus
gentille, mais Gretchen n'avait rien en commun avec elle.
Amanda possédait un doctorat de psychologie. Georgia et
Karen avaient connu la maternité et auraient pu la rassurer sur la douleur qui traversait ses hanches à chaque fois
qu'elle se levait. Mais elles lui avaient fait sentir que sa
présence n'était pas la bienvenue.

Elles préféraient June, une femme plus âgée, une
mère. Et pour la remplacer, elles auraient sans doute
choisi une femme aimable, détendue et sage, une femme
moche que les hommes ne regarderaient pas. Mais là
encore, Gretchen ne pouvait les satisfaire. Sa beauté lui
avait permis de quitter une vie misérable dans le Maine.
Elle constituait sa seule richesse.

Plus tout à fait, pour être honnête. D'abord, il y avait
eu Ben. Et aujourd'hui, elle possédait sa maison et tout
ce qu'elle contenait. Elle pouvait également s'enorgueillir
d'un compte-titres à la banque et d'un bébé qui se développait en elle.

Souriant à cette pensée, elle posa la main sur son
ventre gonflé. Son bébé. À elle. Un jour, elle aussi atten-
drait le bus scolaire. Les autres femmes l'accepteraient-
elles alors parmi elles ?

Mais à ce moment-là, tout cela n'aurait peut-être plus
d'importance. Elle emmènerait son bébé ailleurs, rencon-
trerait d'autres mères qui deviendraient peut-être ses
amies. Des femmes plus tolérantes certainement, qui ne
viendraient pas ainsi se mettre pratiquement sous ses
fenêtres pour discuter de l'identité du père de son enfant.
Parce que c'était exactement ce qu'elles étaient en train de
faire, elle en aurait donné sa main à couper. La visite surprise de Karen, l'autre soir, n'avait eu d'autre but que
d'apprendre le nom de celui qui avait couché avec elle.

Eh bien, qu'elles continuent à s'interroger ! décida

Gretchen. Vu le peu de compassion qu'elles lui avaient témoignée, elles méritaient certainement de continuer à se torturer pour deviner lequel de leurs précieux maris avait fauté. Tournant les talons, elle s'éloigna de la fenêtre pour rejoindre le salon où elle s'installa sur le canapé, ôta ses chaussures et ramena les jambes sous elle. Le tableau se trouvait sur le mur en face d'elle et en le contemplant, elle se détendit.

La Voisine. Un titre de circonstance. Ben le lui avait offert en cadeau de mariage. Il l'avait acheté dans une galerie à Paris lors de leur voyage de noces et cela seul aurait suffi à lui donner une place spéciale dans son cœur. Mais elle aimait également la peinture en elle-même. Elle l'avait aimée dès qu'elle avait posé les yeux dessus. L'artiste, un inconnu, toujours vivant, avait capturé une scène de la vie contemporaine, mais avait utilisé pour la dépeindre les couleurs pastel et les coups de pinceau de l'école impressionniste, obtenant pour résultat le plus romantique, le plus sensuel, le plus idyllique tableau que Gretchen ait jamais admiré.

Il décrivait une femme occupée à couper des roses. Elle portait une robe jaune festonnée à l'encolure et autour des poignets, et un chapeau de paille qui pendait dans son dos, maintenu autour du cou par un ruban. Elle se tenait près d'un piquet blanc de la palissade qui séparait son jardin de celui du voisin. Sa maison, ainsi que les maisons voisines, était construite en stuc et de la vigne vierge courait sur la façade. Au bout de la rue étroite, on apercevait l'océan.

Gretchen se demandait souvent pourquoi ce paysage si simple dégageait une telle sensualité et, malgré de longues heures passées à le contempler, elle n'était pas encore parvenue à trouver une réponse. Rien de suggestif dans cette scène, pas de nudité. La robe de la femme était fermée jusqu'au col et seul le renflement de sa poitrine dégagée par le bras levé pouvait à la rigueur causer un certain émoi. À moins que ce ne soit le rose sur ses joues ou son léger sourire, les petites mèches de cheveux blonds échappées de son chignon et qui bouclaient autour de son visage ou encore le subtil soupçon de sueur sur son cou et sa gorge que l'artiste avait su rendre avec un réalisme impressionnant. Plus d'une fois, Gretchen s'était approchée du tableau pour toucher ces quelques gouttes brillantes, s'attendant presque à sentir l'humidité sous ses doigts.

La sueur pouvait être sensuelle, mais également le regard de la femme, perdu dans le lointain, un regard rêveur.

Gretchen comprenait ce regard, le regard d'une femme qui rêvait à l'amour, un amour comme celui qu'elle avait connu – trop brièvement – avec Ben. Un regard qui illuminait son visage d'un éclat particulier.

Un court moment, Gretchen avait cru retrouver cet amour perdu avec un autre homme, mais elle s'était trompée. Ce n'était pas grave. Son bébé n'avait pas besoin d'un père. Il aurait une mère aimante, une mère qui le soutiendrait et lui offrirait une vie stable.

Les fils de Ben seraient furieux lorsqu'ils apprendraient la nouvelle. Tous les deux étaient mariés et pères de famille et ne digéraient toujours pas que leur père lui ait légué l'essentiel de sa fortune. Nul doute que cette grossesse inattendue allait apporter de l'eau à leur moulin. Ils se moqueraient de savoir qui était le père de l'enfant, mais ne manqueraient pas de suggérer que sa liaison avait débuté bien avant la mort de Ben. Ils parleraient de moralité et la traiteraient certainement de salope.

C'était déjà arrivé. Se raidissant à cette pensée, elle respira un grand coup avant de se perdre à nouveau dans la contemplation du tableau.

Indépendante. Voilà le trait de caractère qui décrivait le mieux la femme de la peinture. Une qualité que possédait également Gretchen. Ben avait coutume de dire qu'elle était réservée. D'autres aussi, avant lui. Les gens la voyaient ainsi – indépendante, réservée, distante.

Indépendante ? Un bel euphémisme pour « seule ». Et seule, elle l'était depuis l'âge de huit ans quand son père était venu la rejoindre dans son lit, une nuit, et que sa mère l'avait accusée, elle, de l'avoir séduit. Son indépendance dissimulait en réalité sa peur, une peur dans laquelle elle vivait constamment depuis lors.

Mais plus maintenant. Ben lui avait donné son nom et lui avait fait connaître l'amour. Il lui avait offert la sécurité financière et, elle aimait à le croire, son bébé, ce qui était indirectement vrai.

La réunion d'Amanda avec les parents d'élèves se révéla très productive. Un couple accepta qu'elle rencontre leur fille qui montrait des signes de stress à l'idée de venir au lycée et un autre, récemment divorcé, se laissa convaincre d'emmener leur fils, dont les résultats avaient dramatiquement chuté depuis leur séparation, chez un psychologue. Dans les deux cas, observer l'attitude des parents lui en avait appris beaucoup sur leur situation familiale et lui avait ainsi permis de comprendre les réactions des élèves eux-mêmes.

Elle quitta le lycée un peu rassérénée, mais son assurance s'évanouit quand elle arriva chez elle et constata que Graham n'était pas encore rentré. Il avait néanmoins laissé un message sur le répondeur qui ne trahissait en rien son état d'esprit. « Je suis en route pour Providence, disait-il. Ce matin, j'ai reçu un appel d'un client potentiel qui construit actuellement un centre commercial. Il envisage de mettre un atrium plein de fleurs et de plantes en son milieu et cherche quelqu'un pour s'en charger. Ça pourrait être intéressant. J'en ai sûrement pour une ou deux heures, plus le trajet du retour. Alors, ne m'attends pas pour dîner. Je risque de rentrer tard. À tout à l'heure. »

Le message datait d'à peine une demi-heure. Il y en avait également un d'Emily en réponse à celui, très bref, laissé par Amanda un peu plus tôt. « Bonjour Amanda.

J'ai bien reçu votre message. Je sais que vous êtes déçue, mais nous n'en sommes qu'au début. Appelez-moi demain et nous parlerons de la prochaine étape. »

Amanda effaça le message. Elle ne voulait pas penser à Emily ou à la clinique et encore moins, à recommencer tout le processus. Peut-être devraient-ils envisager d'adopter ?

Épuisée, elle avala un bol de céréales avant de se rendre dans le salon et de s'étendre sur le canapé, une couverture sur elle. Elle alluma la télévision et passa les deux heures suivantes à zapper d'une chaîne à l'autre. Quand elle éteignit le poste, il faisait nuit et elle resta allongée en attendant le retour de Graham.

Son pick-up se gara dans l'allée vers 22 heures. Les yeux grands ouverts, Amanda ne bougea pas et l'écouta, suivant ses mouvements dans la cuisine. Il s'arrêta devant le comptoir pour jeter un coup d'œil sur le courrier du jour, mais n'appela pas pour signaler sa présence.

Finalement, il grimpa à l'étage. Elle retint son souffle quand il redescendit et que sa silhouette se découpa sur le seuil de la porte. Elle le voyait, mais la pièce était dans l'obscurité et il avait la lumière dans le dos, de sorte qu'elle ne pouvait lire son visage.

En tout cas, soit il la crut endormie, soit il ne souhaitait pas lui parler car dix secondes plus tard, il tournait les talons et regagnait leur chambre. Elle entendit le bruit de ses pas dans la salle de bains, puis de nouveau dans la chambre, reconnut le léger grincement de la porte de la penderie.

Elle l'écouta ensuite se mettre au lit et éteindre la lumière.

Elle n'avait toujours pas bougé.

— Allie ! protesta Georgia sur le pas de la porte. Tu es restée pendue au téléphone toute la soirée.

La jeune fille leva la main avant de murmurer

quelque chose dans le récepteur que Georgia ne put saisir, puis elle raccrocha.

— C'était Alyssa.

— Vous parliez de Quinn ?

— Non. Du bal de fin d'année. Il va y avoir une fête qui durera toute la nuit. Je peux y aller ?

— Toute la nuit ? Ça n'est jamais arrivé pour un bal de fin d'année. De quelles classes s'agit-il ?

— Première et deuxième années. Tu étais au courant.

— Oui, mais la dernière fois que tu m'en as parlé, tu ne voulais pas y aller.

— J'ai changé d'avis. Toutes mes amies y vont.

— Avec qui ? Je veux dire, accompagnées ?

— Pas vraiment, si tu vois ce que je veux dire.

— Si je traduis bien, vous y allez ensemble, filles et garçons, mais pas en couples. C'est ça ?

— Exactement. Mais nous dormirons chez Melissa.

— Juste les filles ?

— Non, tout le monde.

— Je croyais que Melissa était la petite amie de Quinn.

— C'est vrai, mais pas les autres.

— Et les parents de Quinn acceptent qu'il sorte ainsi toute la nuit après ce qui vient de se passer ?

— Ça n'a rien à voir. Rien ne serait arrivé si l'entraîneur n'avait pas fait toute une histoire.

— Je te rappelle que Quinn s'est présenté à l'entraînement complètement ivre.

— Il n'était pas ivre. Il n'avait bu qu'un seul verre.

— Tu m'as dit qu'il était saoul.

— Je me suis trompée. Je peux aller au bal, maman ?

— Non.

Le visage d'Allison se décomposa.

— Pourquoi ? Tout le monde y va. Ils vont tous se moquer de moi si je n'y vais pas.

— Tu veux dire que la mère d'Alyssa a donné sa permission ?

— Pas encore, mais elle va le faire.

— Elle le fera si tu lui dis que je suis d'accord. Mais il n'en est pas question, Allie. Tu n'as que quatorze ans. C'est un peu jeune pour passer la nuit dehors, surtout après ce qui s'est passé hier.

— Il n'y aura pas d'alcool.

— Pourquoi désires-tu y rester toute la nuit ? Pourquoi ne pas rentrer à minuit ? Papa pourrait aller te chercher.

Allison prit un air horrifié.

— Nous avons décidé de louer une limousine. Il n'est pas question que les parents viennent nous chercher.

— Qui va payer pour cette location de voiture ?

— Nous partagerons entre nous. Nous sommes dix, alors ça ne devrait pas revenir trop cher.

Le téléphone sonna et elle sauta dessus.

— Allô ? dit-elle.

Elle écouta quelques secondes, puis posa la main sur le récepteur.

— C'est pour moi.

— Tes devoirs sont terminés ? demanda Georgia.

— Presque. Je les finirai dès que j'aurai raccroché. Maman, s'il te plaît, ajouta-t-elle d'une voix pressée.

Ainsi congédiée, Georgia capitula néanmoins pour respecter la vie privée de son enfant.

— D'accord. Mais pas question que tu passes la nuit dehors.

Elle quitta la chambre et jeta un coup d'œil dans celle de Tommy. Son fil, affalé sur son lit, dormait à poings fermés. Elle ne tenta même pas de le soulever pour le glisser sous les couvertures. Il était bien trop grand maintenant pour ça. Elle se contenta donc d'éteindre la lumière avant de rejoindre son mari.

Elle le trouva dans son bureau, occupé à taper la fin de son article. Posant son menton sur son épaule, elle lut l'écran :

« Le truc, c'est d'affronter la situation et de reconnaître que c'est fichu. Quand il n'y a plus rien à faire, inutile d'insister. Mieux vaut tout recommencer, même s'il vous en coûte, si le temps vous manque, si vous n'avez plus d'eau chaude ou même de lessive. »

Elle écarquilla les yeux.

— De quoi s'agit-il exactement ? demanda-t-elle.

— Un mouchoir en papier oublié dans une poche et qui s'émiette pendant la lessive, murmura-t-il en continuant d'écrire.

— Aucun problème, dit-elle. Il suffit de rincer le linge à l'eau claire.

— « ...rincer le linge à l'eau claire », conclut-il en tapant le point final et en lui adressant un grand sourire. J'ai appris ça, cette semaine. Tu vas te coucher ?

— Oui, je crois.

— Je relis mon article, je le faxe et je te rejoins. Je n'en ai pas pour longtemps.

Georgia prit un bain, brossa ses dents et ses cheveux, puis enduisit sa peau d'une crème légère. Elle éteignit ensuite le plafonnier de la chambre, ne gardant que les lampes de chevet et s'approcha de la fenêtre au moment où Graham se garait devant chez lui.

— Ah, te voilà ! lança Russ en pénétrant dans la chambre.

Il se glissa derrière elle et passa les bras autour de sa taille avant de l'embrasser dans le cou.

— Allie t'a parlé d'un bal de fin d'année ? demanda Georgia.

— Non. Mmm, si, peut-être.

— Elle veut y rester toute la nuit.

Russ la fit pivoter et murmura, sa bouche contre la sienne :

— Chut, pas maintenant. J'ai envie de toi.

Elle pouvait s'en rendre compte et son propre corps ne tarda pas à réagir. Ils se déshabillèrent l'un l'autre tout en s'embrassant et se retrouvèrent très vite enlacés sur le lit. Russ avait toujours été un amant passionné et seize ans de vie commune n'avaient en rien diminué sa fougue ou ses besoins. Ceux de Georgia s'étaient un peu transformés et elle appréciait maintenant autant les émotions suscitées par l'amour avec Russ que l'acte sexuel en lui-même. Le fait de se savoir dans sa maison, dans les bras de son mari, son port d'attache, la comblait et elle savourait chaque minute de ce bonheur.

Son absence et l'abstinence qui l'accompagnait avaient décuplé le désir de Russ qui prit facilement son plaisir. Georgia ne jouit pas, mais ça n'avait pas d'importance. Elle se sentait bien. Russ s'endormit en quelques minutes et elle le regarda dormir, observant avec amour le petit sourire de satisfaction sur ses lèvres, l'abandon de ses traits – une contemplation qui la combla autant qu'un orgasme.

Le visage de Russ trahissait son caractère calme et serein. Il était heureux de sa vie à tel point que parfois elle se demandait si elle lui manquait vraiment pendant ses absences. Il affirmait que oui, mais seulement quand elle lui posait expressément la question.

— Je t'ai manqué ? demandait-elle.

— Tu parles.

— Je dois repartir lundi, précisait-elle ensuite, souhaitant presque qu'il lui reproche ses départs incessants.

Mais elle en était pour ses frais.

— Je garderai la maison, se contentait-il de dire avec un sourire.

— Je n'aime pas m'éloigner ainsi de toi.

— Mais tu adores ton travail.

C'était vrai, mais l'idée la frappa soudain que Russ semblait y trouver son compte lui aussi. Il se débrouillait parfaitement bien en son absence et n'avait eu aucun mal à s'adapter à la situation et à prendre les choses en main, tant sur le plan du ménage que des enfants. Il avait ainsi tout loisir de lire le journal, assis à la table de la cuisine au milieu de la matinée ou de s'installer sur une chaise longue dans le jardin, un bloc et un stylo à la main, pour rédiger ses articles. Les enfants partis pour l'école, il se retrouvait tout à fait libre et tranquille. Comme aujourd'hui, par exemple, où il avait déjeuné avec son éditeur et n'était rentré que pour le retour des enfants.

Combien d'autres activités avait-il qu'elle ignorait ? Combien de temps passait-il à l'extérieur sans en rendre compte à quiconque ? La trompait-il avec Gretchen ? Passait-il ses après-midi chez elle ? Ou pire, venait-elle le rejoindre dans leur propre maison ?

Georgia n'y croyait pas. Il y aurait eu des signes. D'ailleurs, Russ avait bien trop envie d'elle quand elle revenait pour qu'elle pût croire qu'il trouvait satisfaction ailleurs.

C'était son mari et il ne la trompait pas.

Pas encore du moins. Mais si elle continuait à s'absenter pour sillonner les routes, qu'en serait-il dans cinq ans ? Allison serait partie à l'université. Tommy aurait sa voiture. Et Russ ? Sans les enfants, ne commencerait-il pas à s'ennuyer ?

Qui pouvait savoir ?

Karen poussait toujours un soupir de soulagement quand le calme retombait sur la maison pour la nuit. Julie dormait depuis longtemps et les jumeaux venaient juste de capituler. Jordie veillait toujours, mais il n'était que 22 heures.

Elle frappa doucement à sa porte et ouvrit. Son fils était assis par terre, le dos contre le mur, les genoux pliés et les écouteurs sur les oreilles. Il ne releva pas la tête, ne l'ayant de toute évidence pas entendue.

Elle profita de ce répit pour l'observer. Il ressemblait beaucoup à Lee. Le passage de l'adolescence le faisait grandir plus vite qu'il ne s'étoffait, ce qui lui donnait l'allure d'un grand échalas, mais il avait les mêmes traits que son père – la mâchoire carrée, le nez droit, les yeux bleus et les cheveux épais, bien que les siens soient plus longs et châtain clair. Une différence pourtant. Le visage sombre de son fils qui ne manquait pas de l'inquiéter. Il fronçait trop les sourcils comme s'il nourrissait un perpétuel ressentiment. En ce moment encore.

Soudain, il leva les yeux et l'aperçut. Il ôta l'écouteur de l'une de ses oreilles.

— Quoi ? demanda-t-il.

— Je jetais juste un œil, dit-elle en souriant. Il commence à être tard.

— Papa est rentré ?

— Pas encore.

— Où est-il ?

— Au bureau. Il s'installe dans les nouveaux locaux qu'il vient de louer et il doit surveiller le déménagement. Je te l'ai déjà expliqué au dîner.

— Pourquoi ça prend autant de temps ?

— Je ne sais pas. Mais je suppose qu'il y a beaucoup de choses à faire.

Le visage de Jordie exprimait ses doutes. Elle ne pouvait malheureusement rien ajouter pour le rassurer. L'alibi semblait solide.

— As-tu essayé de l'appeler ? demanda Jordie.

— Non. Je pense que moins on le dérange, plus vite il sera rentré. Tu voulais le voir pour quelque chose de spécial ?

— Moi ? Non.

Il rajusta ses écouteurs.

— Jordie ?

En râlant, il retira de nouveau l'appareil.

— Les choses s'arrangent pour Quinn ?

— S'arrangent ? Il est renvoyé de l'équipe jusqu'à la fin de l'année.

— Comment réagit-il ?

— Bien. Il réagit toujours bien.

— Tu es en colère contre moi ?

— Non.

Elle attendit qu'il en dise plus. Quelque chose le rongeait, elle le sentait, mais comment le forcer à parler ?

— Bon, je te laisse tranquille. Tes devoirs sont terminés ?

— Oui.

— Bonne nuit.

Il ne répondit pas.

Accablée, elle referma la porte. C'était à Lee de lui parler. Les garçons de l'âge de Jordie avaient besoin de leur père. Mais, comme toujours, Lee brillait par son absence. D'ailleurs, les conversations n'étaient pas son fort.

Elle regagna sa chambre et se prépara à se coucher. Après avoir ouvert la fenêtre, elle grimpa dans le lit et resta étendue, les yeux fixés au plafond, en se demandant où était son mari. Elle reconnut le pick-up de Graham au ronronnement de son moteur. Les criquets s'en donnaient à cœur joie dans la campagne avoisinante.

Enfin, la voiture de Lee descendit la rue. Aussitôt, elle l'imagina se glissant furtivement chez Gretchen après s'être garé à l'écart derrière le bois. Puis regagnant sa voiture et rentrant chez lui comme si de rien n'était.

Évidemment, cela semblait un peu gros, mais vu le nombre de questions sans réponse et les différents appels suspects qu'il recevait, cette hypothèse n'était pas si ridicule.

Elle se tourna sur le côté et remonta les draps sous son menton.

Lee s'attarda un moment en bas. Puis il monta et se déshabilla.

— Karen ? appela-t-il en se glissant dans le lit.

Comme toujours depuis quelques temps, elle garda le silence.

8

Graham avait déjà utilisé la salle de bains quand Amanda y pénétra le lendemain matin. La porte de la douche était mouillée et sa serviette humide. Le cœur battant, elle retourna dans la chambre et s'approcha de son armoire qu'elle ouvrit, effrayée à l'idée qu'il ait pu faire ses valises, et terriblement soulagée en constatant qu'il n'en était rien.

Elle se doucha, s'habilla et se maquilla, persuadée que Graham aurait quitté la maison quand elle descendrait et tentant d'analyser ses sentiments devant cette éventualité. Mais quand elle pénétra dans la cuisine, il attendait, appuyé contre le comptoir, les chevilles croisées, une tasse de café à la main. Pourtant, malgré la pose, son attitude n'avait rien de détendu et il la contempla d'un air sombre.

— Bonjour, dit-elle avec un sourire timide.

— Tu n'as pas dormi dans notre lit, attaqua-t-il sans préambule. Cela fait deux nuits de suite.

Le gant était jeté.

— Je me suis endormie et tu ne m'as pas réveillée, répondit-elle.

Elle s'était réveillée seule plusieurs fois, l'esprit torturé par de nombreuses questions, soupesant, redoutant.

Elle espérait un signe de sa part, un geste prouvant qu'il ne lui en voulait pas de son incapacité à lui donner un enfant. Une preuve indéniable de son amour et de sa fidélité.

À cet instant néanmoins, son seul désir était qu'ils fassent la paix. Cette tension sous-jacente lui rappelait trop l'atmosphère de son enfance et contrastait terriblement avec leur complicité d'antan. Elle ne pouvait plus le supporter.

— Comment s'est passé ton rendez-vous hier soir ? demanda-t-elle.

— Bien. As-tu appelé Emily ? s'enquit-il d'une voix tendue.

Apparemment, il ne cherchait pas la conciliation.

— Oui. Je lui ai dit que je reprendrais contact avec elle dans un mois.

— Quelle a été sa réaction ?

— Elle a dit que c'était parfait.

— Est-elle d'accord pour que tu arrêtes pendant un mois ?

— Elle a compris ce que je ressentais.

— Alors, elle est d'accord ?

Amanda était incapable de mentir.

— Non. Elle serait tout à fait prête à tenter tout de suite le troisième essai, mais elle a dit qu'un mois d'arrêt ne changerait rien.

— Je serais également d'avis de tenter tout de suite le troisième essai.

Cette seule idée soulevait le cœur d'Amanda.

— Je ne peux pas, Graham. Pas maintenant.

— À cause de moi ou de nous ?

— Moi.

Graham secoua la tête et détourna les yeux. Il termina son café et déposa la tasse dans l'évier.

— Je retourne à Providence cet après-midi. Je rentrerai sûrement tard.

Il fut un temps où ils ne s'autorisaient pas à travailler

tard deux soirs d'affilée. Une convention entre eux... qu'ils avaient tendance à oublier, ces derniers temps. Ce qui tombait vraiment mal. Amanda aurait souhaité s'asseoir à table avec Graham et parler.

Mais ce dernier n'ajouta rien et quitta la cuisine, laissant la porte-moustiquaire claquer derrière lui. Pétrifiée, Amanda ne réagit pas tout de suite, puis se précipita à la porte pour le regarder s'éloigner.

Incapable de bouger, elle resta plantée là jusqu'à l'arrivée du bus de ramassage scolaire. Dès qu'il eut disparu avec les enfants des voisins, elle sortit et intercepta Georgia.

D'un seul regard, cette dernière comprit et glissa un bras autour de sa taille.

— Une tasse de café ? proposa-t-elle.

Amanda secoua la tête.

— Je dois partir pour l'école. J'avais juste besoin d'une épaule compatissante pendant une minute.

Et celle de Georgia convenait parfaitement. Après tout, son mariage durait depuis quinze ans – trois fois plus longtemps que le sien –, une longévité qu'Amanda espérait bien connaître avec Graham.

— C'est cette histoire de bébé qui te démoralise ?

— Lequel ? Le mien ou celui de Gretchen ?

— Le tien pour commencer, répondit Georgia en souriant.

— Oui. En fait, Graham et moi nous trouvons devant un mur.

— Que veux-tu dire ?

— Nous ne sommes pas d'accord. Cela ne nous était jamais arrivé.

— Pas d'accord pour avoir un bébé ?

— Non, sur la suite des événements. Quant à Gretchen, j'ai fait quelque chose de terrible, Georgia. J'ai suggéré qu'il était peut-être le père de son enfant.

— Tu n'as pas fait ça !

— Si. Quand je pense que je donne pour conseil à

mes élèves de ne jamais lancer d'accusations qu'ils pourraient regretter... Je sais qu'il n'est pas le père, mais
comment ne pas se poser de questions quand on voit ce
que le sexe est devenu entre nous ? C'était tellement formidable auparavant. Aujourd'hui, tout est programmé,
avec des règles bien précises, des procédures à respecter :
comment, quand et combien de fois le faire. Or Graham
aime la spontanéité. Alors, non, il n'est pas le genre à batifoler à droite et à gauche, mais qui sait ce qui peut se
passer dans la tête des hommes ? Le sexe est tellement
important pour eux. Un besoin physique, une attraction
passagère. Peut-être Graham s'est-il laissé emporter par
un moment de passion quand il travaillait chez Gretchen,
à l'automne dernier ? Est-ce que je t'ai déjà dit que Gretchen était pratiquement le sosie de sa première femme ?

— Non.

— Les cheveux de Megan sont un peu plus foncés,
mais c'est le même visage en forme de cœur, la même
peau de porcelaine, les mêmes grands yeux. Et même si
sa mère est devenue une véritable irlandaise en épousant
son père, elle reste d'origine scandinave.

— Gretchen aussi ?

— En tout cas, on le dirait. Mais Graham n'est pas
le genre à courir les femmes. C'est un monogame dans
l'âme.

— Russ également. Pourtant, je dois avouer que je
me suis quand même posé la question. Karen n'a pas tort.
Il passe ses journées ici. Alors, qui sait si ce n'est pas un
galopin ? Après tout, s'il a pu me séduire, il peut tout
aussi facilement séduire Gretchen.

— Russ n'est pas un galopin.

— Il n'est pas non plus George Clooney.

— Exact. Russ est d'un genre classique. J'aime son
allure. Il a du charme.

— Un charme qui surpasse sans aucun doute celui
de l'électricien, fit remarquer Georgia. Nathan a soixante-

treize ans et de l'emphysème. J'ai du mal à imaginer Gretchen dans ses bras. Qui d'autre alors ?

— Pas le plombier en tout cas, marié depuis un an et toujours aussi amoureux de sa femme. Ni le menuisier, catholique pratiquant.

— Ne reste donc que Lee.

— Une possibilité indéniable.

— Il est supposé avoir tourné la page, fit remarquer Georgia.

Amanda lui lança un regard dubitatif, mais ne fit aucun commentaire.

— Quelle attitude adopter avec Graham ? demanda-t-elle. Je ne peux pas envisager une nouvelle insémination dans l'immédiat. J'en suis incapable. Comment le lui faire comprendre ?

— Que conseillerais-tu à tes clients ?

— Je leur dirais d'en parler. Mais la simple idée d'aborder le sujet avec Graham me paralyse.

Un sentiment sûrement inconnu pour Georgia. Amanda l'enviait et aurait aimé posséder son équilibre, son assurance tranquille.

— C'est tellement déprimant. J'aime Graham. Nous avons connu jusque-là une entente parfaite, sans le moindre problème de communication, mais aujourd'hui, la situation est tellement compliquée. T'arrive-t-il de ne pas pouvoir parler avec Russ ?

— Oui, quand il est en retard pour un de ses articles ou que nous sommes tous les deux pris par nos activités. Comme cette semaine. Je n'étais pas là pendant cette histoire avec Quinn et maintenant, plus personne ne veut aborder ce sujet. Est-ce que c'est terminé ?

— Pour l'instant, oui.

— Ça m'inquiète.

— Allie est solide.

— Quinn aussi.

— Peut-être pas autant que tu le penses.

— Tu sais quelque chose ?

— Seulement qu'il a des problèmes.

Elle ne pouvait en révéler plus.

— Vous aviez bien dû discuter avec Russ du risque que vos enfants se laissent entraîner à boire ?

— Oui et nous sommes du même avis.

— Y a-t-il des sujets que vous avez du mal à aborder ?

— Son frère. Ce type n'est pas clair. Il possède un magasin de voitures dans le Michigan et vit très largement au-dessus des moyens qu'on pourrait attendre d'un simple concessionnaire automobile, mais à chaque fois que j'évoque le sujet, Russ s'énerve. Il dit qu'il s'agit de son frère et qu'il l'aime et que ça ne nous regarde pas de savoir avec quel argent il paye tout ce qu'il achète. Il n'a peut-être pas tort, mais réjouis-toi que les frères de Graham soient honnêtes.

— Oh, aucun doute là-dessus ! J'aime bien ses frères. Le problème, c'est sa mère.

— Quand a lieu sa fête d'anniversaire ?

— Dimanche et je me réjouirais d'y assister s'il n'y avait ce nouvel échec. Georgia, que se passera-t-il si nous ne parvenons pas à avoir un enfant ?

— Ne t'inquiète pas pour ça. Il y a d'autres moyens de devenir parents.

— Comme l'adoption ? Je crois que nous devrions sérieusement y penser.

— Et Graham ?

— Il dit que c'est prématuré. Il estime que nous devons d'abord essayer toutes les autres méthodes pour avoir notre propre enfant. Ce qui m'inquiète, c'est que d'ici là, ce sera certainement trop tard...

Georgia essayait dans la mesure du possible d'éviter les déplacements pendant le week-end. Mais là, rien à faire. Les dirigeants de la société intéressée par son entreprise désiraient visiter l'usine de Floride et le seul jour possible pour les uns comme pour les autres était samedi.

Elle décida donc de faire d'une pierre deux coups et organisa une journée de travail avec son équipe de Tampa pour le vendredi.

Il ne s'agissait que de réunions de routine. Si Georgia restait l'âme de la société et, perfectionniste, exigeait une parfaite exécution à tous les niveaux, elle ne se mêlait pas de gérer, laissant ce soin aux professionnels qu'elle avait embauchés. Par contre, sa présence physique faisait toujours la différence et elle s'efforçait de visiter chaque succursale et usine, au moins une fois par mois.

Sa place était retenue sur un vol en fin d'après-midi pour lui permettre de s'arrêter un moment à son propre bureau de Danbury. Elle s'attarda pourtant avec les enfants avant de les mettre dans le bus, puis avec Amanda avant qu'elle ne parte à son tour, l'abandonnant à ses craintes – les mêmes terribles appréhensions qu'elle avait à chaque nouveau départ : des images de terroristes ouvrant le feu ou d'avion s'écrasant en flammes. Elle s'apprêtait à rejoindre Russ pour chercher un peu de réconfort quand le laitier fit son apparition, précédé par les grincements de son vieux camion. Elle n'avait pas entendu ce bruit depuis des semaines, un bruit qui réveilla en elle la nostalgie d'une époque révolue, plus sereine et plus sûre.

Le laitier approvisionnait les Lange et les Cotter depuis des années et sa présence n'avait donc rien de surprenant, mais Pete ne passait généralement pas si tôt dans la matinée et Georgia s'étonna donc à juste titre. Un étonnement d'autant plus grand qu'elle le vit s'arrêter devant chez Gretchen où, après être descendu de son camion et avoir récupéré son porte-bouteilles métallique à l'arrière, il remonta l'allée en direction de la porte.

Le laitier... Un candidat intéressant somme toute. Âgé d'une quarantaine d'années et marié, mais qui semblait soudain bien guilleret. Chez les Lange ou les Cotter, il se contentait habituellement de déposer les bouteilles devant la porte et de récupérer les vides. Mais il entra chez Gretchen et y resta plusieurs minutes. Georgia attendit qu'il ressorte avant de regagner sa propre cuisine. Russ lisait le journal, assis à la table.

— J'ignorais que Gretchen prenait du lait, dit-elle.

— Quoi ? marmonna-t-il en baissant légèrement le quotidien.

— Depuis quand Gretchen utilise-t-elle les services du laitier ?

— Un moment. Elle est venue un jour me demander son numéro de téléphone. Pourquoi ?

— Il est resté longtemps chez elle. Qui sait ? C'est peut-être lui le père.

Russ leva les yeux au plafond.

— Pourquoi pas ?

— Il a suffisamment à faire avec toutes ses livraisons pour trouver le temps de batifoler avec les clientes. D'ailleurs, elle m'a demandé son numéro en janvier. Elle ne le voyait donc pas en octobre.

— Tu te souviens de ça ? s'étonna Georgia.

— En effet. Un jour, je lui parlais de toutes les bonnes choses que Pete nous apportait. Pour qu'elle juge par elle-même, j'ai sorti du congélateur la dernière glace qui restait de Noël et je lui en ai offert.

— Elle a mangé de la glace dans notre cuisine ?

— Oui, pendant deux minutes. Il neigeait dehors et elle n'est pas restée longtemps. En fait, elle a seulement déboutonné le haut de son manteau. Je crois d'ailleurs que c'était celui de Ben parce qu'il était très grand.

Il la regarda par-dessus ses lunettes, la défiant de voir dans cette visite autre chose qu'une relation de bon voisinage.

Georgia fut soudain frappée par sa beauté. Il était si mignon avec ses cheveux ébouriffés, ses grands yeux pétillants et ses longs doigts fins qui tenaient le journal. Elle décida de lui conserver sa confiance et, s'approchant de lui, déposa un baiser sur son crâne en pressant affectueusement son épaule de la main.

Karen passa la matinée du jeudi à remettre en état les livres de la bibliothèque de l'école primaire – une de ses nombreuses activités bénévoles. La présence d'autres mères de famille lui procura un divertissement bienvenu. Tout en s'activant, elles discutaient en effet à bâtons rompus, ce qui lui permettait d'oublier un peu ses propres préoccupations.

Lee ne lui parlait pratiquement plus. Indigné, il se déclarait profondément offensé par ses insinuations au sujet de Gretchen. Il avait d'ailleurs rendu visite à cette dernière, la veille au soir, traversant d'un pas décidé les deux jardins, pour lui demander qui était le géniteur. Gretchen avait refusé de lui répondre, à l'en croire.

Étant donné que Karen ne l'avait pas accompagné, il pouvait raconter ce qu'il voulait et elle ignorait donc toujours ce qu'ils s'étaient réellement dit. De toute façon, même s'il ne couchait pas avec Gretchen, il voyait une autre femme. Karen en aurait donné sa main à couper.

Vers midi, elle regagna sa maison et s'assit un moment sur les marches du perron, se laissant caresser par les chauds rayons du soleil – un bon antidote contre le froid émotionnel qui l'habitait. À cet instant, le facteur gara sa fourgonnette au bout de la rue, puis, les bras chargés de courrier, commença sa distribution. D'abord les O'Leary, puis les Lange. Quand le tour des Cotter arriva, il s'approcha de Karen pour la saluer et lui tendre sa correspondance, faisant remarquer au passage que les lilas seraient bientôt en fleurs. Il continua ensuite son chemin vers la maison des Tannenwald.

Karen feuilletait le courrier qu'il venait de lui remettre quand elle l'entendit parler avec Gretchen. Levant les yeux, elle vit cette dernière s'avancer à la rencontre du facteur. Elle portait une ravissante tunique et un pantalon, ainsi qu'une paire de sandales que Karen estima sans hésitation d'origine italienne. Ses vêtements semblaient suffisamment élégants pour venir de chez Saks ou Neiman Marcus, deux magasins de luxe que Karen n'avait pas les moyens de fréquenter. Lee, par contre, y avait fait des achats tout récemment et pas pour lui-même. Après avoir découvert les tickets de sa carte bleue, Karen avait foncé dans son armoire pour vérifier les marques de ses vêtements, mais n'avait rien trouvé de nouveau qui puisse justifier de telles factures. Ni boutons de manchette, ni portefeuille en cuir.

Quelqu'un profitait donc de la générosité de son mari et elle se demanda si Gretchen portait un collier dissimulé sous sa tunique ou des boucles d'oreille sous ses beaux cheveux blonds ou encore un bracelet.

Plus petit que Gretchen, le facteur dissimulait sous son uniforme un physique grassouillet malgré son travail qui l'obligeait à de nombreux déplacements. Il était vrai qu'il ne marchait pas toujours, se contentant la plupart du temps d'avancer sa fourgonnette d'une boîte à l'autre. Karen se demanda ce qui avait bien pu le motiver à délaisser son véhicule, aujourd'hui. Une journée peu chargée ? Le besoin de faire de l'exercice ? Ou... le désir de parler à Gretchen ?

Elle les vit échanger quelques propos et sourires, puis Gretchen lui remit une grande enveloppe kraft et prit celle qu'il lui tendait, accompagnée d'un paquet de lettres plus petites. Une des lettres glissa à terre et Gretchen s'apprêtait à se baisser pour la ramasser, mais le postier la devança et la lui tendit avec un sourire avant de repartir en direction de sa fourgonnette.

Karen assista à cet échange, pensive. Le facteur... Une perspective à étudier. La différence physique ne signifiait rien. Après tout, chacun ses goûts et elle avait déjà vu des femmes grandes et minces avec des hommes petits et gros.

Lee, en revanche, était terriblement séduisant. N'importe quelle femme pouvait s'en rendre compte. Ils formaient un si beau couple lors de leur mariage. Puis l'arrivée des enfants et le travail de Lee, de plus en plus prenant, les avaient éloignés et, progressivement, Karen avait développé des complexes, se sentant de plus en plus moche et inutile.

Elle rentra chez elle et se prépara un sandwich au beurre de cacahouètes, le tout accompagné de chips. Elle se moquait bien du nombre de calories, ne recherchant pour l'instant dans la nourriture qu'un peu de réconfort.

Le sandwich ne l'aida que modérément. Sa collation avalée, elle sortit et prit sa voiture pour se rendre chez l'organisatrice du bal de promotion donné chaque année par la ville en l'honneur des bacheliers. Karen devait répertorier avec elle les magasins locaux susceptibles de sponsoriser l'événement. Ensuite, elle rentrerait pour accueillir ses enfants au retour de l'école.

Elle décida de guetter également Amanda. Cette dernière savait remonter le moral des troupes. Et puis Karen voulait lui parler du facteur ainsi que des enveloppes kraft qui s'échangeaient dans la maison voisine. Après tout, Amanda était aussi concernée qu'elle, car si Lee n'avait pas engendré cet enfant, Graham représentait le candidat idéal.

Amanda secoua la tête quand Karen l'intercepta ce soir-là et lui fit part de ses soupçons concernant le facteur.

— Dominique ? J'ai du mal à l'imaginer en train de féconder Gretchen.

— À cause de son physique ?

— Non. À cause de sa mère.

— Comment le sais-tu ?

— Je lui ai parlé. J'étais dehors un matin quand il distribuait le courrier. Il avait l'air si abattu que je lui ai demandé ce qui n'allait pas. Il habite avec sa mère, une femme à moitié invalide, et prend soin d'elle. Ce jour-là, il s'inquiétait parce qu'elle avait besoin de soins dentaires et qu'il n'avait pas l'argent nécessaire. La seule alternative était de lui arracher les dents, mais cette perspective le démoralisait.

— Un bon garçon, murmura Karen.

Elle posa les mains sur ses hanches et survola du regard leur quartier.

— Est-ce que Graham sait quelque chose ? demanda-t-elle.

— Je ne crois pas.

— A-t-il posé la question à Gretchen ?

— Pas à ma connaissance.

— Russ et Lee l'ont fait. N'est-il pas curieux ?

Amanda choisit ses mots avant de répondre.

— Karen, dit-elle doucement, je ne pense pas que Graham soit le père. Il ne lui a pas posé la question parce qu'il estime que ce n'est pas important.

— Je trouve que c'est important.

— Bon. Et qu'ont appris Russ et Lee ?

— Rien. Elle a refusé de lâcher le morceau. Oh, regarde ! La voilà, ajouta-t-elle soudain à mi-voix.

Gretchen venait d'apparaître au coin de son jardin, un tuyau d'arrosage à la main. Quand elle regarda dans leur direction, Amanda lui fit un signe de la main auquel elle répondit d'un petit hochement de tête. Puis elle se détourna et entreprit d'arroser ses fleurs.

— Pas très amicale comme attitude, fit remarquer Karen.

— Elle se sent peut-être seulement mal à l'aise.

— Parce que le père de son bébé est un de nos maris ?

— Non. Parce que nous sommes ensemble et qu'elle n'est pas notre amie.

— À qui la faute ? Bonjour, Davey ! lança Karen au gamin qui distribuait les journaux et qui passait à ce moment-là sur son vélo. J'ai travaillé avec ses parents pour la kermesse de Noël, l'année dernière, expliqua-t-elle à l'attention d'Amanda.

— Bonjour, madame Cotter, répondit Davey qui s'arrêta quelques minutes plus tard devant le jardin de la veuve pour lui donner son journal.

— Ça m'étonnerait que ce soit lui, murmura Amanda tout en observant Gretchen.

Quand elle souriait, il se dégageait d'elle beaucoup de chaleur et une certaine timidité qu'Amanda n'avait encore jamais remarquée.

Le garçon revint vers elles et mit pied à terre. Il leur tendit leur quotidien respectif.

— Je n'ai pas vu tes parents récemment, dit Karen. Comment vont-ils ?

— Bien, merci.

— Salue-les de ma part.

— Je n'y manquerai pas.

Puis il s'éloigna et, après avoir lancé d'une main adroite un journal qui atterrit devant la porte des Lange, continua sa route.

Dans un réflexe, Amanda déplia son journal et retint son souffle en découvrant les gros titres.

9

« Un champion de base-ball suspendu pour un pro-
blème d'alcoolisme. »
L'article en première page reprenait en détail les évé-
nements du mardi précédent.
— Oh, non ! gémit Amanda.
Karen qui avait déplié son journal lisait à son tour.
— On ne peut pas le leur reprocher, commenta-t-elle.
Cela fait effectivement partie des nouvelles locales.
— Pas comme ça. Pas à la une d'un journal.
Amanda ne pouvait chasser de son esprit les gestes
nerveux de Quinn Davis pendant la réunion, l'autre
soir. Difficile d'y voir une attitude calme et confiante.
D'ailleurs, un gamin équilibré ne se présentait pas ivre
à son entraînement. À en juger par la véhémence avec
laquelle ses parents avaient cherché à noyer le poisson,
ils n'allaient sûrement pas apprécier que leur fils fasse
les gros titres. Mais Amanda s'inquiétait surtout pour
Quinn.
À peine avait-elle franchi le seuil de sa cuisine que
le téléphone sonna. C'était Maggie Dodd, aussi soucieuse
qu'elle. Elle admit que les responsables de l'école avaient
effectivement été interrogés au sujet de l'incident, mais
affirmait qu'aucun détail n'avait été divulgué. Les révéla-

tions venaient apparemment de l'entraîneur, des autres membres de l'équipe et des amis de Quinn.

Elles discutaient des possibles conséquences quand Maggie mit Amanda en attente pour prendre un autre appel.

— C'était les parents de Quinn, annonça-t-elle en reprenant la communication. Ils sont furieux et veulent savoir pourquoi leur fils se retrouve ainsi humilié.

Amanda repensa au commentaire de Karen, un peu plus tôt. Depuis quatre ans qu'elle lisait le quotidien de Woodley, elle avait eu l'occasion de lire nombre d'articles élogieux vantant les mérites de tel ou tel Davis. Ceci n'était que le revers de la médaille, inévitable en un sens, et, comme Karen l'avait justement fait remarquer, un simple fait divers. Restait à savoir comment Quinn allait réagir ?

— Je vais les appeler, dit-elle à Maggie. S'ils acceptent, je me rendrai chez eux pour en discuter.

Ils refusèrent.

— Ce serait une perte de temps, madame Carr, affirma le père de Quinn. Vous auriez pu nous aider l'autre soir, mais de toute évidence, vous n'étiez pas de notre côté.

— Il ne s'agit pas de prendre parti, monsieur Davis. Il s'agit de l'intérêt de Quinn. C'est mon unique souci. A-t-il lu l'article ?

— Évidemment. Comment le rater ? Ses amis ne cessent de téléphoner. Nos amis également.

— Comment va-t-il ?

— Mal, mais cela ne vous regarde pas.

— Si. C'est mon travail et mon intérêt est sincère. J'aimerais vraiment lui parler.

— Je vous remercie, mais nous avons la situation bien en main, dit-il avant de raccrocher.

Impuissante, Amanda regrettait l'absence de Graham. Lui aurait su trouver les mots pour la rassurer et faire des suggestions pertinentes. Pendant une minute, elle crut que son vœu se réalisait. Graham téléphona.

— Bonjour, dit-il d'une voix prudente.

Au son dans le récepteur, elle devina qu'il se trouvait au volant de son pick-up.

— Bonjour, répondit-elle. Où es-tu ?

Une question banale qu'elle posait souvent quand il appelait, pour savoir dans quel délai il arriverait à la maison. Aujourd'hui pourtant, sa voix hésitante donna un ton soupçonneux à cette simple requête et le ton de Graham se fit aussitôt défensif.

— Sur la route de Providence. Je rentrerai tard.

— Cela va-t-il devenir une habitude ?

— Je ne sais pas. C'est un bon travail qui me permet de m'occuper pendant que tu es retenue au lycée.

— Je ne passe pas toutes mes soirées au lycée.

— En tout cas, mardi, tu y es retournée.

— C'était important.

— Mon travail également.

Il jura et Amanda entendit le son brusque d'un Klaxon.

— Ce con vient de me couper la route à près de cent vingt kilomètres à l'heure ! s'exclama Graham en colère.

— Tu ne conduis pas si vite d'habitude.

— Je suis en retard.

— Mauvaise journée ?

— Non, juste débordé.

— À quelle heure seras-tu à la maison ?

— 22 ou 23 heures.

— Bon. À ce soir.

— Oui.

Amanda raccrocha en pensant à tout ce qu'elle aurait pu dire – ce qu'elle aurait dû dire – pour engager le dialogue. Mais elle ne reconnaissait plus son mari et ne parvenait plus à deviner comment il réagirait à ses propos, comment il les interpréterait. Ne valait-il pas mieux se taire après tout ?

Puisqu'ils ne parvenaient plus à communiquer, la solution se trouvait peut-être dans le sexe. Ils s'étaient toujours bien entendus sur le plan physique. Enfin, sauf depuis quelques mois. Mais puisqu'elle refusait pour le moment de penser aux aspects techniques de la conception d'un bébé, un espoir subsistait de voir renaître un peu de cette passion qu'ils partageaient au début de leur relation.

En tout cas, elle y pensait très sérieusement quand, un peu plus tard, elle prit un bain avant de s'enduire le corps d'une crème parfumée. Elle enfila ensuite une des nuisettes absolument indécentes que Graham lui avait offertes au début de leurs amours et se glissa dans le lit. Comme proposition de paix, on pouvait difficilement faire mieux.

Il était plus de 23 heures quand son mari rentra. Elle l'entendit grimper les escaliers, mais au lieu de pénétrer dans la chambre, il bifurqua en direction de son bureau et alluma la télévision. Vers minuit, Amanda se leva et traversa le couloir à pas de loup. Graham dormait dans un fauteuil.

Réveille-le, souffla une petite voix, mais elle n'osa pas. S'il se trouvait dans le même état d'esprit qu'au téléphone, il ne serait certainement pas sensible à sa tentative de séduction et son rejet ne ferait qu'accentuer encore le fossé qui se creusait entre eux.

Elle regagna donc la chambre et resta étendue dans le noir, les yeux grands ouverts, tentant vainement de chasser ses idées sombres jusqu'à ce que, finalement, la fatigue ait raison d'elle et qu'elle s'endorme, épuisée.

Le lendemain matin, vers 6 h 30, Graham pénétra dans la chambre. Amanda, réveillée depuis longtemps, le vit attraper des vêtements propres, ôter ceux qu'il portait encore, les jeter dans le panier à linge et se diriger vers la salle de bains.

Elle écouta l'eau couler et envisagea un instant de le

rejoindre sous la douche. Mais, là encore, le courage lui manqua.

— Bonjour, ma belle, lança Maddie, le perroquet, quand Amanda ouvrit la porte de son bureau.

Après l'avoir salué en retour, Amanda se dirigea droit sur son ordinateur pour envoyer un e-mail à son mari.

— Es-tu là ? écrivit-elle.

Elle reconnaissait sa lâcheté, mais si la méthode marchait pour ses étudiants, pourquoi pas pour elle ?

Après avoir reçu un élève et parcouru les couloirs pendant une dizaine de minutes dans l'espoir d'apercevoir Quinn, elle obtint sa réponse.

— Je suis là. Que se passe-t-il ?

— Nous devons parler, répondit-elle.

Elle se rendit ensuite dans la salle des professeurs où elle discuta avec le professeur d'anglais de Quinn. Ce dernier avait assisté au cours, l'air plus détendu que jamais.

Quand Amanda regagna son bureau, la réponse était arrivée.

— Très bien. Parlons.

— Es-tu en colère ?

— Oui, je suis en colère, répondit-il très rapidement. Ce n'est pas ainsi que j'envisageais notre mariage.

— Notre mariage a été formidable jusque-là. C'est notre premier problème.

— Fais-tu allusion à la question du bébé ou de la confiance ?

— Les deux.

— La confiance n'a rien à voir avec le bébé.

— Si.

— Comment ça ?

Elle prit le temps de réfléchir à sa réponse pendant la récréation de 10 heures tandis qu'elle déambulait dans les couloirs. Ses meilleurs contacts avec les élèves avaient eu lieu ainsi. Elle devait être visible, accessible, pour que les adolescents qui rencontraient des difficultés osent l'aborder. Cette fois, elle aperçut Quinn. Il riait avec des amis et semblait très à l'aise. Il ne la regarda pas, mais elle s'y attendait. Il avait tendance à éviter ce qu'il ne pouvait affronter.

Comme elle ? Généralement, elle se félicitait d'être plus âgée et plus sage que ses élèves, mais se montrer évasive avec Graham ne reflétait pas une attitude terriblement mature.

Elle retourna donc dans son bureau d'un pas décidé et exprima enfin sa plus grande peur.

— Que se passera-t-il si nous ne pouvons pas avoir d'enfant ? demanda-t-elle. Puis-je croire que tu voudras rester marié avec moi ?

— Je t'aime, glapit Maddie.

Amanda lui décocha un sourire triste et lui offrit un biscuit pour la peine.

— Tu es gentille, dit-elle.

— Biscuiiiit, glapit l'oiseau.

— Biscuit, confirma Amanda qui lui en tendit un second pour faire bonne mesure.

La réponse de Graham s'inscrivit devant ses yeux quand elle reprit sa place devant l'écran.

— Ta question est particulièrement insultante, écrivait-il en gras et souligné.

Amanda se remit à pianoter.

— Je sais combien tu souhaites avoir des enfants, combien c'est important pour toi et pour ta famille. Et ta famille compte énormément pour toi. Je ne suis pas sûre d'avoir autant d'importance à tes yeux.

— Es-tu en train de me demander de choisir ?

— Non, mais j'ai besoin d'être rassurée. Je ne me sens pas très féminine depuis quelques temps.

— Eh bien, confidence pour confidence, ma virilité en prend un coup, elle aussi. Et dormir dans le bureau n'arrange pas les choses. Cela ne fait que renforcer mon sentiment d'être indésirable.

— Qui a dormi dans le bureau la nuit dernière ?

À peine avait-elle envoyé ce courrier, qu'elle en rédigea un autre.

— Cet échange n'apporte rien. Je ne voudrais pas que tu interprètes mal mes propos. Je ne cherche pas à t'accuser. C'est juste que je ne sais plus à quoi m'en tenir avec toi, ce que tu ressens.

— Je me sens rejeté.

— Pouvons-nous dîner ensemble ce soir ? J'achèterai des steaks et de la salade et nous parlerons.

En attendant la réponse, elle reçut un autre élève, puis elle se rendit à la cafétéria pour déjeuner avec un groupe d'adolescents qu'elle conseillait sur le projet d'aide à la communauté.

À son retour, le mail de Graham était arrivé.

— Tu ne parles pas. Tu accuses et tu t'esquives.

— C'est ce qu'on m'a appris, écrivit-elle avant d'hésiter.

Blâmer ses parents n'allait pas résoudre les problèmes de son couple. Il lui fallait assumer ses propres actes. Cela étant, sa réponse expliquait un peu sa réaction. Elle décida donc de la conserver et se contenta d'ajouter quelques mots.

— Aide-moi à changer, Graham.

— Je serai à la maison pour dîner, fut son seul commentaire.

Le mot divorce revenait sans cesse à l'esprit de Graham, malgré tous ses efforts pour l'ignorer. Il avait déjà vécu cette expérience une fois et en reconnaissait les prémices. Si son mariage avec Amanda ne résistait pas à cette épreuve, il connaîtrait l'échec pour la seconde fois. Avec une famille comme la sienne et ses convictions religieuses, ce serait un coup terrible dont il ne se relèverait peut-être pas.

D'ailleurs, il n'était pas question de divorce. Il aimait Amanda. Ils traversaient une crise, voilà tout.

Si seulement, il savait quoi faire. Tout dans l'attitude de sa femme trahissait son désir qu'il la laisse tranquille. Il s'inclinait donc. Si elle préférait dormir seule, très bien. Il se retirait. Il n'aimait pas ça, mais elle ne lui laissait guère le choix. Il n'allait quand même pas s'abaisser à ramper devant elle, surtout si elle commençait à se poser des questions sur leur union. Peut-être envisageait-elle de le quitter comme Megan ? Peut-être que quelque chose n'allait pas chez lui dans son rôle de mari ? Peut-être que quelque chose n'allait pas chez lui en tant qu'homme ?

Qu'avait-elle dit dans son courrier électronique ? Que ses propos pouvaient être mal interprétés ? Eh bien, depuis quelques temps, c'était effectivement le cas en ce qui concernait sa femme. Avec ses frères, il pouvait parler de tout et de rien sans s'inquiéter de savoir comment ils réagiraient, mais avec Amanda, chaque mot comptait. Et l'avenir de leur couple était en jeu.

Voilà maintenant qu'elle lui fixait rendez-vous pour dîner. Dommage qu'il n'ait pas le temps de suivre un cours accéléré de communication avant la rencontre...

Les affaires marchaient bien et il était débordé. Si Amanda avait été enceinte, il aurait refusé ce nouveau contrat à Providence, aussi intéressant soit-il – un vrai défi professionnel en fait – mais qui allait lui prendre beaucoup de son temps.

Seulement Amanda n'était pas enceinte et cette surcharge tombait à pic. Il travailla tard le vendredi après-midi, puis il rentra chez lui parce que, quoi qu'il en dise, il n'avait qu'une envie : serrer sa femme dans ses bras. Une envie qu'il allait devoir réfréner pourtant car Amanda n'était pas encore arrivée.

Il faillit repartir pour son bureau de peur de paraître trop enthousiaste et d'en être pour ses frais si l'humeur d'Amanda s'avérait moins optimiste que la sienne. Mais il adorait sa maison et les tâches ne manquaient pas pour tromper son attente.

Il lavait son pick-up quand Jordie Cotter le rejoignit.

— Un coup de main ? offrit ce dernier.

— Volontiers, répondit Graham en lui lançant un chiffon. Frotte autour des phares. Il y a plein de moucherons collés. J'en ai ôté pas mal avec le jet d'eau, mais il en reste. Au fait, pas de match aujourd'hui ?

Les parents des élèves se déplaçaient en masse le vendredi après-midi pour assister aux matchs de base-ball de leurs progénitures et Graham s'arrêtait souvent au bord du terrain, surtout depuis qu'il connaissait les joueurs grâce à Jordie.

— Non. Seulement un entraînement. Le match a eu lieu hier et nous avons perdu.

— Quel score ?

— Douze à trois.

— Aïe, fit Graham avec une grimace.

— C'est parce que Quinn n'était pas là. Edlin aurait dû réfléchir avant de le renvoyer. Amanda était d'accord pour le suspendre ?

— Je l'ignore, répondit Graham prudemment, peu désireux de mouiller sa femme dans un sens ou dans l'autre. Mais il fallait bien sévir. Un gamin ne peut pas impunément se présenter ivre devant son professeur. L'équipe doit être drôlement secouée ?

— Ouais, grommela Jordie en frottant avec énergie.

Puis il changea de conversation.

— La tour a encore perdu quelques pierres.

— Je sais. J'y suis passé l'autre soir.

Graham et Jordie partageaient la même passion pour les bois alentour, une passion qui datait de l'époque où Amanda et Graham avaient emménagé. Jordie avait alors dix ans et avait entraîné Graham jusqu'à la tour. Là, ils s'étaient assis au pied de la construction et avaient spéculé sur ses origines, imaginant au passage quelques histoires plus effrayantes les unes que les autres.

Cela faisait quelques temps qu'ils ne s'étaient plus promenés ensemble, mais Graham avait souvent aperçu Jordie qui partait à l'aventure.

— Vous croyez qu'elle va tomber ? demanda ce dernier.

— En tout cas, elle est toujours debout.

— Vous êtes au courant pour le bébé de Gretchen ?

— Oui. J'ai appris ça l'autre jour.

— Qu'en pensez-vous ?

— Je trouve que c'est très bien.

— Je veux dire, à votre avis, qui est le père ?

— Ça pourrait être n'importe qui. Après tout, nous ne savons pas qui elle fréquente.

— Elle ne voit personne. J'ai entendu ma mère en parler. Elle pense que c'est mon père.

— À qui a-t-elle dit ça ? demanda Graham en arrêtant de lustrer la carrosserie.

— À elle-même. Elle parle toute seule quand elle est en colère. Vous savez, elle s'énerve et tape sur tout ce qui lui tombe sous la main en marmonnant. Je l'ai entendue ce matin quand elle faisait les lits. Et l'autre soir, elle s'est disputée avec mon père. Elle ne le lui a pas dit en face, mais ce n'était pas loin. Vous croyez que c'est mon père ?

— Non, répondit Graham sans hésiter. Il aime ta mère.

Si Jordie discutait aussi librement avec lui, c'était peut-être parce qu'il s'était toujours montré honnête. Mais ils abordaient là un sujet délicat et surtout il n'y avait aucune preuve.

— Et alors ? Ça ne l'a pas arrêté les autres fois, fit remarquer Jordie.

Graham réalisa soudain combien Jordie avait changé depuis l'époque de leurs escapades dans les bois.

— Elle nous regarde, reprit Jordie les yeux tournés vers la maison de la veuve. Derrière les rideaux de la salle à manger.

— Peut-être qu'elle pense que c'est toi qui la regardes.

— Qu'est-ce qu'elle attend de nous ?

— Pas plus que ce qu'on attend en général de ses voisins.

Une BMW rouge apparut soudain au carrefour et le visage de Jordie s'éclaira.

— Ouah ! s'exclama-t-il. Vous avez vu cette bagnole ?

Graham tourna la tête et aperçut un gamin qui paraissait bien trop jeune pour conduire une telle voiture, voiture qu'il n'avait sûrement pas pu s'offrir.

— Qui est-ce ? demanda-t-il.

— Alex Stauer. Je dois partir, ajouta-t-il en rendant le chiffon à Graham et en se précipitant vers le véhicule qui venait de s'arrêter près d'eux.

Quand il eut prit place, Alex Stauer fit demi-tour et rebroussa chemin. En quelques secondes, ils avaient disparu.

À cet instant, Lee Cotter arriva à son tour.

— C'était pas mon fils dans cette voiture ? demanda-t-il en passant la tête à la fenêtre de la portière.

— Si, répondit Graham en reprenant son travail.

Lee se gara devant son garage et revint sur ses pas.

— Belle mécanique, commenta-t-il.

— Conduite par Alex Stauer. C'est pas le gamin qui a été suspendu en même temps que Quinn ?

— Je crois bien que si.

— Tu penses qu'il s'agit d'un cadeau de consolation de la part de ses parents ?

— Non. C'est la voiture de sa mère. Une femme un peu spéciale, ajouta-t-il avec une mimique entendue.

— Comment le sais-tu ? demanda Graham avant de lever la main. Non, ne réponds pas. Je ne veux rien savoir. Ainsi, même sous la torture, je ne pourrais rien avouer.

— Au fait, à ce propos, j'apprécierais si tu voulais bien me soutenir au cas où tu entendrais des histoires au sujet de moi et de Gretchen. Karen est persuadée que je suis le père du bébé.

— Elle se trompe ?

— Comment te répondre sans donner une arme à ton bourreau ? Soutiens-moi, c'est tout. À une époque, je pouvais prouver mon amour à Karen en lui faisant un bébé. Mais la dernière fois que j'ai essayé, nous nous sommes retrouvés avec trois.

— Tu aurais pu t'arrêter aux jumeaux.

Lee fit une grimace.

— J'ai eu une petite chose à me faire pardonner après les jumeaux et j'ai dû me montrer particulièrement convaincant.

— Karen mérite mieux que ça, dit Graham, un peu écœuré.

— Comme toutes les femmes, ricana Lee. Mais c'est la vie. Elle a la maison, les enfants, nous partons en vacances deux fois par an. Finalement, elle ne s'en tire pas trop mal. Alors aide-moi dans cette histoire avec Gretchen. Demande à ta femme de raisonner Karen.

Graham n'avait pas l'intention de faire quoi que ce soit. Même s'il avait approuvé l'attitude de Lee – ce qui était loin d'être le cas – il avait des choses plus importantes à discuter avec sa femme.

Amanda s'arrêta en ville pour faire quelques courses. Elle acheta deux belles entrecôtes et une scarole, trois poivrons – un rouge, un orange et un vert – et tout ce qu'il fallait pour préparer une bonne vinaigrette.

En approchant de la maison, elle jeta à peine un coup d'œil à Gretchen qui arrosait son jardin et se contenta d'un signe de tête en direction de Karen à sa fenêtre. Son attention restait focalisée sur Graham qui nettoyait sa voiture, si beau qu'une certaine timidité s'empara d'elle.

— Besoin d'aide pour transporter les sacs ? demanda son mari quand elle descendit.

Elle secoua la tête, la gorge serrée et lui adressa un petit sourire avant de contourner la maison pour gagner la cuisine à l'arrière.

Là, elle s'activa et dressa la table avec l'argenterie et

les verres en cristal, cadeaux de mariage. Elle prépara ensuite le repas et s'apprêtait à monter pour se rafraîchir et changer de vêtements quand le téléphone sonna.

Craignant un appel pour Graham, elle décrocha.

— Allô ?

— Amanda ? C'est Maggie. Nous avons un suicide sur les bras, annonça-t-elle sans préambule.

10

Suicide ! Amanda en eut le souffle coupé.

— Qui ? demanda-t-elle tout en connaissant déjà la réponse.

L'image de Quinn s'était aussitôt formée dans sa tête et quand Maggie lui confirma ses pires craintes, elle ferma les yeux et pressa le poing sur son front comme pour effacer ce visage et conjurer le sort.

— Il s'est pendu dans les vestiaires, reprit Maggie. Le gardien l'avait croisé un peu plus tôt et Quinn lui avait demandé la permission de rester un peu pour faire ses devoirs en expliquant qu'il se concentrait mieux là que chez lui. M. Dubcek, qui le plaignait un peu pour sa suspension et la pagaille qui s'était ensuivie, a fini par donner son accord. Puis il est parti vaquer à ses occupations. Quand il est repassé, une heure plus tard, il a trouvé le gamin. Il a bien tenté de le ranimer, mais il n'y avait plus rien à faire.

Plus rien à faire... Le caractère irrévocable de ces mots glaça Amanda jusqu'aux os. Quinn Davis était un adolescent en pleine forme. Il vivait, respirait, avait sa place dans le monde et, compte tenu de ses prouesses sportives et de ses talents de leader, un rôle productif dans la communauté. Comment accepter sa disparition ?

— Mort, répéta Amanda, impuissante. Je devinais

que quelque chose ne tournait pas rond, mais je n'aurais jamais rien imaginé de tel. Est-on sûr que c'est volontaire ?

— Oui. Il a laissé un mot pour ses parents et un autre pour sa petite amie.

Amanda poussa un profond soupir.

— Mon Dieu ! Comme il devait souffrir...

— Nous n'en savions rien, Amanda. Nul ne pouvait savoir. Mais pour l'instant, nous devons parer au plus pressé. Quinn était connu et aimé. Tous les jeunes vont accuser le coup, même ceux qui n'étaient pas ses amis. De plus, pour la plupart d'entre eux, ce sera le premier contact avec la mort.

Amanda en sa qualité de psychologue comprenait ce que Maggie disait et aurait dû être celle qui prononçait ces paroles, mais elle se trouvait en état de choc.

— Les retombées, parvint-elle quand même à murmurer.

De quoi s'inquiéter sérieusement. Peur extrême, profonde dépression, tentatives de suicide, le cauchemar de tout psychologue scolaire. Cette pensée lui permit de reprendre ses esprits.

— Qui est au courant ? demanda-t-elle.

— Sa famille, ses amis. Deux d'entre eux attendaient chez lui quand nous avons téléphoné. Ils ont déjà dû le raconter à d'autres et la nouvelle va se répandre comme une traînée de poudre. Que devons-nous faire ?

Amanda s'autorisa un dernier soupir avant de repousser Quinn dans un coin de son esprit pour se concentrer sur ceux qu'il laissait derrière lui.

— Nous devons convoquer la cellule de crise, dit-elle tout en récupérant son agenda dans son sac.

Elle y trouva la liste de noms et téléphones qu'elle cherchait.

— Il est important de nous rencontrer et de décider d'un plan de manœuvre. Ceux qui ne l'apprendront pas ce soir le sauront à la première heure demain matin. Fred peut rester ?

— Oui. Convoque tout le monde dans son bureau. L'esprit d'Amanda fonctionnait maintenant à plein régime.

— Il y a également une psychologue que je souhaiterais contacter. Elle animait un séminaire auquel j'ai assisté sur le suicide à l'école et n'habite pas très loin d'ici. En général, dans de telles circonstances, il est préférable pour les enfants d'être entourés de personnes qu'ils connaissent, mais c'est une femme merveilleusement chaleureuse et d'un abord très facile. J'aimerais l'avoir à nos côtés. Je l'appellerai aussitôt que j'aurai convoqué tous les autres.

— Que puis-je faire en attendant ?

— Préviens les professeurs. Si c'est possible, réunion générale demain matin à 9 heures. Nous pourrons ainsi les mettre au courant des décisions prises cette nuit.

— À quelle heure seras-tu là ?

Amanda jeta un œil en direction de l'horloge sur le mur. Son regard balaya les préparatifs du dîner – son repas de réconciliation avec son mari... Mais un adolescent venait de mourir. Graham comprendrait. Il était presque 18 heures.

— Donne-moi le temps de téléphoner. Je vous rejoindrai vers 19 heures.

Elle raccrochait quand Graham apparut. Amanda s'avança à sa rencontre, refusant de voir le bouquet de fleurs qu'il avait cueillies dans le jardin.

— On vient de m'appeler, dit-elle. Quinn Davis s'est suicidé.

Les bras de Graham lui en tombèrent, les fleurs oubliées, et il pâlit.

— Il s'est suicidé ! répéta-t-il, incrédule.

Amanda hocha la tête tandis que la réalité de l'acte la frappait soudain de plein fouet.

— Il s'est pendu dans les vestiaires du lycée.

— Quinn Davis ?

Graham ne parvenait pas à y croire.

— C'était un garçon intelligent, dit-elle en énumérant toutes les bonnes raisons qu'il aurait eues pour ne jamais commettre un tel acte. Un beau garçon, sportif, bâti en athlète, avec un bel avenir devant lui. Son seul tort a été de boire un verre de trop, une seule fois. La police n'avait même pas été informée.

Graham passa la main dans ses cheveux et soupira comme Amanda un peu plus tôt.

— Oui, mais cette expulsion de l'équipe était devenue un fait divers, dit-il en essayant de trouver une justification à ce geste. Et le journal en avait fait ses gros titres. C'est quand même étonnant. Ils avaient écrit qu'il ne vivait que pour le base-ball. Et il se serait suicidé pour une suspension de six matchs ? Que représentent six matchs dans une vie ? Il ne s'en serait même pas souvenu, une fois à l'université, ni plus tard quand il serait devenu professionnel.

— Il y avait autre chose, un malaise plus profond. Si j'avais pu entrer en contact avec lui, peut-être aurais-je pu l'aider. Mais c'est trop tard maintenant. Il est parti.

— Oh, Mandy ! dit Graham en l'attirant dans ses bras. Tu ne dois surtout pas te sentir responsable.

Elle ne répondit pas tout de suite, savourant cet instant merveilleux de se retrouver dans les bras de son mari, serrée contre lui, réconfortée par sa chaleur. Mais la culpabilité qu'elle ressentait reprit vite le dessus et la fit réagir. Elle se dégagea et recula.

— Quinn est... était un leader. Le plus difficile maintenant va être de s'assurer qu'aucun des élèves ne se mette à le considérer comme un héros et tente de l'imiter.

— Il n'y a aucune raison pour ça.

— Il n'y a aucune raison pour se suicider, point final. Mon Dieu, c'est si frustrant ! s'exclama-t-elle en croisant les bras sur son ventre. Quand je pense que nous nous donnons tant de mal pour tenter de mettre un enfant au monde et que pendant ce temps-là, un autre gamin décide, lui, qu'il ne veut plus vivre. Ce n'est pas juste, Gray.

— Non, mais beaucoup de choses ne le sont pas, marmonna-t-il entre ses dents.

S'avançant vers l'évier, il posa les fleurs, puis appuya les deux mains sur le comptoir, lui tournant le dos. Amanda éprouva soudain le besoin de parler. Parler de qui méritait quoi, des qualités requises pour être de bons parents et du fait qu'elle et Graham seraient les meilleurs de tous. Parler encore de tout ce qui pouvait anéantir une vie de couple et des moyens de lutter, des rêves qui semblaient s'évanouir en fumée.

Mais le temps lui manquait. Elle devait convoquer et animer une cellule de crise, s'assurer que le collège de Woodley survivrait à ce drame – une responsabilité énorme dont le poids pesa brusquement sur ses épaules.

— Je suis désolée pour le dîner, dit-elle doucement.

Graham fit un geste de la main comme pour dire que ce n'était pas important, mais ne se retourna pas.

— J'ai du travail moi aussi.

— Je ne sais pas à quelle heure je vais rentrer.

— Moi non plus.

— Tu ne comptes pas travailler ici ?

— Non. Je vais au bureau. Je me concentre mieux là-bas.

— Les fleurs sont magnifiques.

— Une petite attention. Nous avons failli réussir.

Ces derniers mots lui coupèrent le souffle. Ils pouvaient signifier tant de choses que si elle se mettait à en rechercher le sens, elle en ressortirait probablement complètement déprimée. Elle décida donc de parer au plus pressé.

— À plus tard, peut-être, dit-elle en s'emparant du téléphone.

— Oui, répondit Graham.

Mais sa voix manquait de conviction.

Même s'il comprenait la situation, Graham en voulait à Amanda de partir. Elle l'abandonnait une nouvelle fois alors qu'il avait tant besoin d'elle. D'accord, la mort représentait une tragédie et une priorité, d'accord ils pourraient toujours discuter plus tard et d'accord, il se montrait injuste.

Mais en avoir conscience ne suffisait malheureusement pas car le cœur ignorait la raison et le sentiment de rejet qu'il éprouvait étouffait toute autre considération.

En colère, il attendit que la voiture de sa femme ait disparu au coin de la rue pour sortir de la maison et traverser le jardin d'un pas décidé en direction de chez Gretchen. Il n'accorda pas un regard aux oliviers russes qu'il avait plantés ni aux genévriers ou aux cornouillers, pas plus qu'à l'allée dallée qu'il avait lui-même posée. Résolu, il frappa à la porte, puis sonna, ne se calmant qu'en voyant apparaître la jeune femme. Elle ne sourit pas en le reconnaissant.

— Je me demandais quand vous finiriez par venir, dit-elle en ouvrant la porte.

— Que voulez-vous dire ?

Graham pénétra dans la cuisine.

— Russ et Lee sont déjà passés. Ne manquait plus que vous.

— Ah ! Eh bien, je suppose que la question est toujours d'actualité dans le quartier, mais, pour être franc, je me moque de savoir qui est le père de votre enfant. Comment vous sentez-vous ?

— Bien, merci.

— Besoin d'un coup de main ?

Gretchen réfléchit un instant, puis haussa les épaules.

— Non, rien d'urgent. Puis-je vous offrir un café ou un coca ?

— Non, merci, je ne peux pas rester. J'ai pris des risques en venant ici. Quelqu'un pourrait m'apercevoir et se faire des idées. D'ailleurs, Lee serait le premier à sauter sur l'occasion.

— Je ne demande rien à personne. Pourquoi est-ce si important ?

— Parce que la confiance est une chose fragile, répondit-il en passant une main dans ses cheveux.

Puis il soupira.

— Écoutez, ce que les autres racontent ne m'intéresse pas. Si vous avez besoin de moi, n'hésitez pas à m'appeler.

Gretchen hocha la tête. Graham soutint son regard un instant comme pour sceller sa promesse, puis pêchant les clés dans sa poche, fit demi-tour, descendit les marches, traversa le jardin en sens inverse et sauta dans son pick-up. Une minute plus tard, il roulait en direction du centre-ville.

Karen observa Graham quitter la maison de Gretchen. Elle ne croyait pas qu'il eût une liaison avec cette dernière. Pour elle, il ne faisait aucun doute que Lee était le coupable. Mais pourquoi Graham se précipitait-il ainsi chez cette femme à peine Amanda partie ?

Elle ruminait là-dessus en se demandant si Graham était parvenu à obtenir des révélations de la veuve quand le téléphone sonna.

Elle se leva pour aller décrocher. Son fils, Jordie, l'avait devancée sur un autre poste. Quelqu'un lui parlait – pas vraiment en criant, ni tout à fait en pleurant, mais de toute évidence, une personne bouleversée à tel point qu'elle ne reconnut pas la voix. Un mot pourtant retint son attention.

— Quinn a fait quoi ? s'exclama-t-elle en s'immisçant dans la conversation.

— Il s'est suicidé, madame Cotter. On vient de le découvrir à l'école.

— Quoi ? hurla-t-elle.

— Il était inconscient, expliqua Rob Sprague qui semblait avoir retrouvé un peu de sang-froid.

Il faisait lui aussi partie de l'équipe de base-ball.

— Il a avalé des cachets ?

— Des calmants. Son père en prend toujours. Des copains l'attendaient chez lui quand la police est arrivée. Tout le monde se retrouve là-bas, Jordie. Tu veux que je passe te prendre ?

Karen n'arrivait pas à y croire. En dépit de cette histoire et de l'article dans le journal, elle n'aurait jamais cru que Quinn Davis soit fragile au point de mettre fin à ses jours.

— Jordie ? insista Rob.

Si un garçon comme Quinn pouvait commettre un tel acte, son propre fils, beaucoup plus vulnérable, pourrait...

Un petit bruit derrière elle la tira de ses pensées. Jordie se tenait sur le pas de la porte, l'air égaré, le visage livide, les yeux écarquillés. Karen raccrocha.

— Nous devons d'abord vérifier si tout ceci est vrai, bredouilla-t-elle. Il ne s'agit peut-être que d'une rumeur.

Mais Jordie secoua la tête avant même qu'elle ait fini. Il déglutit péniblement et sa pomme d'Adam monta et descendit nerveusement.

— Pourquoi Quinn voulait-il mourir ? demanda-t-elle. Il était heureux, plein d'avenir.

Jordie secoua à nouveau la tête, mais son regard se perdit dans le lointain.

Karen s'avança, ne sachant trop quoi faire. S'il avait été plus jeune, elle l'aurait serré dans ses bras. Mais il y avait longtemps qu'il ne la laissait plus faire. Elle se contenta donc de tendre la main et de caresser sa joue.

Il recula d'un pas, fronçant les sourcils comme s'il tentait de trouver un sens à tout ça, puis il se dirigea vers la porte.

— Où vas-tu ? cria-t-elle.

Il ne répondit pas et elle le suivit jusqu'au garage.

— Jordie, laisse-moi passer quelques coups de téléphone pour vérifier cette histoire.

Sans un mot, il enjamba sa bicyclette et s'élança.

— Que dois-je dire à Rob s'il rappelle ? Où vas-tu ?

Sa réponse lui parvint, portée par la brise.
— Chez Quinn.

Au volant de sa voiture de location, Georgia revenait de l'aéroport de Tampa où elle venait d'accueillir deux hommes – le vice-président et le directeur général du groupe qui envisageait d'acheter son entreprise. Elle les conduisait à leur hôtel, puis elle dînerait avec eux. La journée du lendemain se passerait en réunions et visites des locaux.

Son portable sonna.
— Allô ?
— Maman ?

C'était Allison, l'air paniqué.
— Quinn s'est tué, annonça sa fille d'une traite.
— Il a fait quoi ? demanda-t-elle, plus affolée par la voix de sa fille que par ses paroles.

Les adolescents utilisaient le mot « tuer » à tort et à travers sans que cela prête à conséquence.
— Il s'est tailladé les veines. C'est M. Dubcek qui l'a trouvé, mais trop tard pour le sauver.

Georgia se mit à trembler.
— Tu parles sérieusement ?
— Oui. Brooke vient juste d'appeler. Elle a dit que cela faisait une sacrée histoire. Mais il est mort, maman. Quinn est mort.
— Mon Dieu ! murmura Georgia.

Incapable de se concentrer sur sa conduite, elle se gara sur le bas-côté sans se soucier des deux hommes qu'elle cherchait à impressionner.
— Oh, Allie, je suis désolée. Mais pourquoi aurait-il fait une chose pareille ?
— Brooke dit que c'est à cause de l'article dans le journal.
— Quel article ? demanda Georgia en se sentant une nouvelle fois hors du coup.
— Sa suspension a fait la une du journal, hier. Brooke

dit qu'il s'est senti si humilié qu'il n'a pas pu le supporter, mais Melissa pense que ce sont ses parents qui n'ont pas pu le supporter. Elle était au téléphone avec lui hier soir et ils n'arrêtaient pas d'entrer et sortir de sa chambre en parlant de pension et de poursuites judiciaires. Et maintenant, il est parti. Pour toujours.

Elle éclata en sanglots.

— Calme-toi, dit Georgia. Tout va bien, ma chérie.

— Non, c'est faux. Je l'ai vu cet après-midi. Je discutais avec Kristen et Melissa dans le couloir quand il est arrivé. Il voulait savoir à quelle heure Melissa avait rendez-vous chez le coiffeur. Tu parles ! En fait, il voulait seulement vérifier qu'elle ne risquait pas d'être dans les parages. Il lui a laissé un mot en disant que ce n'était pas sa faute. Mais s'il l'avait vraiment aimée, il n'aurait pas pu faire une chose pareille. Comment quelqu'un peut-il... en arriver là, maman ?

Que répondre à ça ? s'interrogea Georgia.

— Nous ne savons pas ce qui a poussé Quinn à agir ainsi. Tout ce que nous pouvons en déduire, c'est qu'il n'était pas aussi fort que nous le croyions. Est-ce que ton père est là ?

— Il est allé chez les Cotter, dit Allison en reniflant. Pour voir s'il pouvait en apprendre plus.

— As-tu parlé avec Jordie ?

— Non. C'est tellement terrible.

— La mort est une chose terrible.

— Non. Pour Jordie. Maman, quand Quinn a bu, c'est Jordie qui lui avait donné la bouteille de vodka.

— Oh, Seigneur !

— Mais il ne faut pas le répéter. À personne. Jure-le ! Jordie ne voudrait plus jamais rien me dire s'il savait que j'en ai parlé. Mais tu comprends pourquoi c'est terrible ?

Georgia pouvait à peine imaginer la culpabilité qui devait ronger Jordie.

— Je comprends. Où est-il maintenant ?

— Chez Quinn. Toute l'équipe est là-bas. Maman, que dois-je faire ?

Pour commencer, va chercher ton père et ramène-le à la maison, voulut-elle crier. Elle ne pouvait croire que Russ ait laissé cette enfant seule, même pour un moment. Elle avait besoin de réconfort. Elle avait besoin de sa mère, voilà de quoi elle avait besoin. L'horreur de la situation dépassait le cadre du suicide de Quinn pour toucher à la question de la mort. Allie avait déjà été confrontée avec le décès de ses grands-parents au cours des dernières années. Des personnes qu'elle connaissait et aimait. Mais Quinn avait son âge, faisait partie de sa vie de tous les jours. Sa disparition lui ferait prendre conscience de sa propre mortalité. Une pensée terrifiante pour une gamine de quatorze ans en pleine crise de l'adolescence. Pour elle, la vie ne faisait que commencer, pleine de rêves et de désirs.

— La première chose à faire est d'aller chercher ton père et de le serrer dans tes bras. Dis-lui que tu as besoin de lui.

— Je dois aller chez les Davis ?

— Pas ce soir, sauf si toutes tes amies y vont. Les parents de Quinn doivent être en état de choc. Inutile de les envahir.

— Et ensuite ?

— Ses parents vont prendre les dispositions pour l'enterrement.

En entendant ces mots, Allison poussa un petit cri. Georgia n'avait aucun moyen de protéger sa fille de la terrible réalité de cet événement. Ce serait pour elle une expérience difficile.

— Une veillée mortuaire sera prévue pendant laquelle tu pourras présenter tes condoléances à la famille. Écoute, chérie, ajouta-t-elle en jetant un coup d'œil à sa montre. Je peux encore attraper un avion, ce soir. Va chercher ton père pendant que je prends mes dispositions. Je vous rappellerai dès que j'en saurai plus, d'accord ?

— D'accord.

— Et assure-toi que ton frère va bien. Je t'aime, ma chérie. Je serai bientôt à la maison.

— Je t'aime aussi, maman.

Georgia coupa la communication, les larmes aux yeux et, pour la première fois depuis quelques minutes, se souvint de ses passagers. Elle se tourna vers son voisin, puis vers l'autre sur le siège arrière et se remémora tout ce que leur visite impliquait. Il fallait leur montrer la bonne organisation du bureau régional pour le Sud-Est, bien sûr, mais aussi les convaincre de sa compétence à elle. Ils devaient garder d'elle l'image d'une professionnelle. Qu'elle soit également une maman ternissait quelque peu le tableau. Mais des choses plus importantes étaient en jeu.

— Je dois rentrer, annonça-t-elle. Un cas de force majeure. C'est assez exceptionnel, mais impératif.

— Un de vos enfants a perdu un ami ? interrogea le vice-président.

— Il s'est suicidé, expliqua Georgia qui tressaillit en prononçant le mot. Et ma fille est terriblement choquée.

— Votre mari est avec elle.

— Oui, mais elle a également besoin de moi.

Elle mit le contact et reprit sa place dans le trafic.

— Je vais vous déposer à l'hôtel et donner quelques coups de téléphone. Mon directeur régional me remplacera demain et vous montrera toutes nos installations.

— Mais c'est vous que nous sommes venus voir, pas votre directeur régional. Vous êtes l'élément clé du contrat.

Le contrat ! Quel mot impersonnel. Georgia ne se considérait pas comme un contrat, mais, avant tout, comme une maman. Une maman, directrice de société, un aspect qui représentait pour l'instant le cadet de ses soucis.

Évidemment, pas question d'expliquer cela aussi

directement à ces deux hommes. Elle réfléchit un moment en roulant avant de trouver un biais satisfaisant.

— Ceci n'est pas notre première rencontre. Vous avez déjà eu l'occasion de faire ma connaissance, de me voir à l'œuvre, de m'entendre parler. Vous avez pu lire tout ce qu'il y avait à lire à mon sujet. Vous avez vérifié ma crédibilité financière. La famille, c'est autre chose. Une question de priorité. Oui, mon mari se trouve avec mes enfants, mais la mort n'est pas une expérience anodine et si je ne peux pas être présente auprès de mes enfants dans de telles circonstances, alors je passe à côté de l'essentiel. Je suis sincèrement désolée de vous abandonner ainsi, mais je dois partir.

Minuit sonnait quand Amanda rentra, moralement épuisée. Elle se glissa dans le lit auprès de Graham et se blottit contre son large dos. Elle sentit qu'il ne dormait pas, mais il ne dit rien et elle non plus. Elle venait de parler pendant des heures et la journée du lendemain promettait d'être pire encore. Elle refusa de s'apesantir sur leurs problèmes ou de penser au fait qu'un mois auparavant, elle commençait le traitement pour avoir un enfant. Son esprit se ferma à toute autre chose que la chaleur qui émanait de son mari.

Pourtant, elle ne dormit pas bien. Les prochaines vingt-quatre heures allaient représenter un test de ses qualités professionnelles et son estomac noué ne l'ignorait pas.

À 5 h 30, le samedi matin, elle se leva. Quand elle sortit de la douche, Graham l'attendait et sa vue émut Amanda – grand, les épaules larges, les cheveux ébouriffés, uniquement vêtu de son caleçon, ses yeux fatigués posés sur elle, pleins de compassion.

— Comment te sens-tu ? demanda-t-il.

Elle attrapa une serviette et entreprit de s'essuyer.

— Fatiguée, répondit-elle.

— Quel est ton programme aujourd'hui ?

— Une réunion est prévue à 9 heures avec tous les professeurs. Je veux leur expliquer ce qui s'est passé cette nuit et leur donner des directives sur ce qu'ils peuvent ou non dire aux élèves. Ann Kurliss, la psychologue que j'ai contactée, spécialiste des suicides scolaires, leur parlera des réactions possibles des jeunes face à une telle tragédie et du comportement qu'ils devront adopter. Les portes de l'école resteront ouvertes toute la journée et les profs se relaieront pour assurer une permanence. Nous allons leur décrire les attitudes qui doivent retenir leur attention, les signes révélateurs, et la cellule de crise sera là pour prendre en charge les adolescents particulièrement déprimés.

— Que peut-on dire à des gamins dans une telle situation ?

— Pas grand-chose. Il faut surtout les écouter. Ils doivent pouvoir exprimer leurs peurs et leur peine. Ils nous diront ainsi de quoi ils ont besoin et nous essaierons de les aider du mieux possible.

— Quand aura lieu l'enterrement ?

— Lundi matin. L'école sera facultative toute la journée.

Elle attrapa ses sous-vêtements et commença à s'habiller.

— J'aurais cru que l'école fermerait, un jour pareil, s'étonna Graham, pensif.

— Certains le voulaient.

La tête baissée, Amanda sécha ses cheveux avec une serviette, puis se redressa. Elle se sentait mieux, plus forte, réconfortée par la présence de son mari.

— Nous en avons débattu longtemps, reprit-elle. Chaque élève du lycée connaissait Quinn au moins de nom, mais tous n'étaient pas ses amis et certains ne tiendront peut-être pas à assister à son enterrement. De plus, si nous fermons l'école, nous risquons d'élever Quinn au rang de héros, ce qui n'est pas possible compte tenu des circonstances de sa mort.

Elle se rapprocha de la glace pour se maquiller.

— Des nouvelles quant aux raisons de son acte ?

— Non.

— Qu'ont dit les parents ?

— Rien.

Graham eut un petit sourire triste.

— Difficile de les blâmer. Ils sont comme ils sont. Certains gamins ont eu des parents bien pires et ne se sont pas suicidés pour autant. Qui peut dire qu'il aurait fait mieux à leur place ?

— Moi, affirma Amanda en le fixant dans le miroir. Nous aurions fait mieux.

— Tu le crois vraiment ?

— Pas toi ?

— Il m'est arrivé de le penser. Mais nous n'avons pas réussi grand-chose dernièrement.

— Si. Nous nous accrochons, répondit Amanda, effrayée par la tournure que prenait soudain la conversation.

— Ne devrions-nous pas faire plus que ça ?

— Parfois, dans les situations de crise, il n'y a pas d'autres alternatives.

— Sommes-nous en crise ?

— Oui. Nous devons en parler, mais je ne peux pas maintenant et, si la journée s'avère aussi difficile que je le crains, je n'en serai certainement pas capable ce soir non plus.

— Et demain ?

— J'irai probablement à l'école pendant la matinée. Et l'après-midi, il y a la fête d'anniversaire de ta mère.

— Tu souhaites toujours y aller ?

— Bien sûr.

— Tu seras sans doute fatiguée.

— Ça ira.

— Tu parles toujours de prendre du recul par rapport à ton travail. Mais ça n'a pas l'air de marcher, on dirait.

— Non, se contenta-t-elle de répondre parce qu'elle ne désirait pas se disputer.

— C'est une bonne chose que nous ayons abandonné l'idée d'avoir un enfant, dit-il en retournant dans la chambre. Cela n'aurait fait que compliquer encore la situation.

Elle le suivit.

— Nous n'avons rien abandonné. Nous soufflons un peu, c'est tout.

Graham la considéra un instant, les mains sur les hanches, secoua la tête, puis, après une minute de silence, poussa un grand soupir.

— Veux-tu une tasse de café avant de partir ?

— Volontiers, merci.

Graham décida de passer la journée de samedi au bureau. Il y serait seul et pourrait donc travailler sans être dérangé. Il devait commencer à dessiner les plans pour le projet de Providence et brûlait d'impatience. Cette première phase de son travail, la phase créatrice, restait de loin sa préférée.

Ce jour-là pourtant, son esprit refusait de fonctionner efficacement, s'évadant sans cesse, et Graham, insatisfait, impatient, rendit les armes vers midi. Rien de nouveau ou d'excitant n'avait pris forme sur son écran et son ego professionnel en prit un coup. Résigné, il finit par éteindre l'ordinateur et, le temps de jeter un œil sur les projets de ses associés, reprit le chemin de la maison. En route, il s'arrêta pour acheter une douzaine de plants d'impatiens.

Un peu plus tard, vêtu d'un vieux T-shirt, d'un short et de chaussures de sports, il emporta ses impatiens dans le jardin pour les planter.

Il travaillait depuis une heure, transpirant sous le soleil, quand Russ vint le rejoindre, deux bières à la main, et s'assit près de lui sur la pelouse.

— Où sont les enfants ? demanda Graham après avoir bu une longue gorgée fraîche.

— Tommy chez un copain et Allie à l'école.

Russ indiqua de la main les plants d'impatiens.

— Tu devrais laisser ça aux gars de Will, dit-il. Planter, c'est leur truc.

— Il ne s'agit pas de planter, mais de jardiner et jardiner, c'est thérapeutique. De toute façon, je ne suis bon à rien aujourd'hui au bureau.

— Ouais. Sale histoire pour Quinn. Amanda tient le coup ?

— Elle est fatiguée, mais c'est son travail. Ces derniers temps, elle se sentait un peu à plat. Malgré l'horreur de la situation, ce drame lui permet en quelque sorte de se ressaisir.

— À plat ? Tu veux dire à cause du bébé ?

Graham hocha la tête.

— Oui. Et de ma famille aussi. Et de moi.

Il soupira.

— Excuse-moi de me lamenter ainsi sur mon sort, mais j'ai parfois le sentiment d'être englué dans une situation inextricable, comme si...

Il s'arrêta un instant, cherchant ses mots.

— Comme si, quoi que je fasse, le même scénario se reproduisait inévitablement, réduisant mes efforts à néant.

— Quel scénario ?

Graham haussa les épaules. Il ne tenait pas à se mettre à nu devant Russ. Bien qu'ils soient amis, ils touchaient là un point très personnel. Pourtant, quelques secondes plus tard, les mots lui échappèrent, bien malgré lui.

— Mon premier mariage. Tu es au courant ?

— Je sais seulement qu'il s'est terminé à l'amiable.

— Amanda ne t'a rien dit de plus ?

— Elle m'a dit que ta femme était une bonne amie de la famille, mais elle ne me l'a précisé que pour m'expliquer pourquoi, un jour, ton ex s'était déplacée en personne jusqu'ici pour t'apporter un cadeau de la part de ta mère. Évidemment, j'ai voulu en savoir plus, ajouta Russ avec un sourire malicieux. Mais Amanda n'a rien lâché. D'ailleurs, tu en connais beaucoup des femmes qui ont envie de parler des ex de leur mari ?

— Megan est plus qu'une bonne amie, dit Graham. Elle habite la maison voisine de ma mère.

— Bizarre de la part d'une ex-épouse, commenta Russ en fronçant les sourcils. Comment est-ce arrivé ? demanda-t-il d'un air innocent.

Devant son ignorance, Graham se sentit plus libre de s'exprimer.

— C'est ainsi depuis toujours, commença-t-il. Megan et sa famille ont toujours habité là. Nous avons grandi ensemble. À l'exception de mes frères et sœurs, elle est ma plus vieille amie. Nous avons joué ensemble, étudié ensemble et elle est devenue ma petite amie aussitôt que nous avons compris le sens de ce mot. À partir de ce moment-là, il était évident pour tout le monde que nous nous marierions un jour. Alors nous l'avons fait. Le week-end suivant la remise des diplômes.

Russ émit un petit sifflement étonné.

— Alors, qu'est-ce qui n'a pas marché ?

— Ça a duré six ans. Puis elle m'a avoué qu'elle était homosexuelle.

Cette fois, Russ ne put retenir un petit cri de surprise.

— Seigneur ! Un coup à vous faire perdre votre virilité !

Graham ne put s'empêcher de rire devant ce cri du cœur.

— Oh oui ! reconnut-il.

— Et tu ne t'étais jamais douté de rien ?

— Pas au moment du mariage. Nous avions fréquenté des universités différentes. Les deux dernières années, elle avait partagé sa chambre avec une autre fille – son amante en fait. Je croyais qu'elles étaient juste amies.

— Tout en restant également ta maîtresse ?

— Oui.

— Comment c'était ? s'enquit Russ à voix basse, manifestant une curiosité toute masculine.

— Tu n'es pas en train de prendre des notes au moins ? demanda Graham, ne plaisantant qu'à moitié.

— Non, simple curiosité de la part d'un fouineur impénitent.

— Megan pouvait être très bonne quand elle le voulait, répondit-il. Mais par moments, elle n'était pas décidée. Je croyais que toutes les femmes étaient ainsi jusqu'à Amanda. Avec elle, l'entente a été instantanée et constante jusqu'à ce que... les difficultés que nous rencontrons pour concevoir un bébé ne viennent tout gâcher.

Russ ramena la conversation sur Megan.

— Comment se fait-il qu'elle ait accepté de se marier dans ces conditions ?

— Oh, je crois que c'est assez simple à comprendre et je ne peux pas lui en vouloir. Une partie d'elle-même voulait devenir ma femme parce que cela simplifiait grandement sa vie vis-à-vis de sa famille qui n'aurait jamais supporté la vérité. Et puis, ce mariage satisfaisait tout le monde.

— Tout le monde, sauf elle. Avais-tu des soupçons avant qu'elle ne demande le divorce ?

— Je sentais qu'elle s'éloignait. Elle avait cessé de partager avec moi. Elle dirigeait une petite librairie en ville et y passait de plus en plus de temps. Les choses auraient pu durer ainsi si je n'avais soulevé le problème.

— Le problème de l'homosexualité ?

— Le problème des enfants, dit Graham avec un petit rire. Ironique, n'est-ce pas ?

— Quoi ?

— Le même sujet nous sépare Amanda et moi. Je ne comprends pas ce qui se passe entre moi et les femmes quand on en vient à parler enfant. Cela agit comme un maléfice.

— Non, pas avec Amanda. Elle veut des enfants, elle aussi.

— Elle veut surtout suspendre nos essais. Voilà ce qu'elle veut. As-tu une idée de ce que je peux ressentir ?

Russ arbora une expression horrifiée.

— Elle veut arrêter le sexe ?

— Non, répondit Graham avant de rectifier aussitôt. En fait, cela revient au même. Crois-moi, rien de tel qu'un traitement contre l'infertilité pour tuer toute spontanéité.

— Je peux l'imaginer.

— Eh bien, quelle que soit l'idée que tu t'en fais, tu es encore loin de la vérité, je t'assure. Mais n'oublie pas, Russ. Pas question d'en faire le sujet d'un de tes articles.

— D'accord.

— Tout rapport est calculé, mesuré, rythmé par les courbes de température ou le jour du mois. Et je ne te parle pas de donner du sperme pour l'insémination artificielle. Pas une partie de plaisir, quoi qu'on en pense. Et tout ça pour quoi ? Rien. Nada. Résultat zéro...

Il ricana.

— En fait, je me sens aussi viril que le jour où Megan m'a annoncé qu'elle préférait les femmes.

— Dans ce cas, Amanda n'a peut-être pas tort de vouloir suspendre momentanément toute cette procédure. Cela vous permettra peut-être de retrouver des relations sexuelles plus détendues.

— On pourrait le croire. Mais en fait, nous n'avons pas cessé de nous disputer depuis. Je ne devrais pas te raconter ça, ajouta-t-il soudain, embarrassé.

— Que ton mariage n'est pas parfait ? Aucun mariage ne l'est.

— Si. Le tien.

— Tu plaisantes ? Est-ce que je t'ai raconté que Georgia avait envisagé de me quitter, un jour ?

— Je ne te crois pas.

— C'est pourtant la vérité. C'était avant que nous nous installions ici. J'essayais péniblement de me faire une place dans le monde professionnel et je n'étais pas très content de moi. Alors, j'ai reporté toute ma frustration sur elle.

— Comment ?

— Je me montrais impatient, irritable, critique à propos de tout et de rien.

— Comment a-t-elle réagi ?

— Elle m'a reproché d'être injuste et de tout gâcher. Elle venait juste de rencontrer son ancien petit ami du lycée et elle m'a expliqué qu'il était exactement le contraire de moi.

Graham se redressa.

— Elle a dit ça ?

— Oui et elle a également ajouté qu'elle m'aimait et qu'elle souhaitait la réussite de notre mariage.

— Bon sang ! Tu ne t'es pas inquiété au sujet du petit ami ?

Graham devait admettre que si Amanda lui avait dit une chose pareille, il aurait complètement perdu les pédales.

— Ce n'était qu'un avertissement. Mais ça a marché. Je me suis repris.

— Penses-tu parfois à ce qu'elle pourrait faire pendant ses déplacements ?

— Voir d'autres hommes, tu veux dire ? J'ai confiance en elle.

Graham faillit demander si la confiance était réciproque, si Georgia s'inquiétait de ce qu'il faisait en son absence. Il pensait évidemment à Gretchen, mais préféra s'abstenir de s'engager dans cette voie.

— Chaque mariage traverse des épreuves, reprit Russ.

— Des épreuves, c'est le mot.

Graham but une gorgée de bière, pensif.

— Pour l'instant, Amanda est bouleversée par le suicide de Quinn. On peut dire qu'il a mal choisi son moment, celui-là.

— Le timing n'est jamais bon pour ce genre de choses.

Graham passa la main dans ses cheveux.

— Un autre sujet mérite réflexion, dit-il. Notre vie sexuelle. Quand je pense à ce qu'elle est devenue... Depuis un an, nos rapports n'ont eu qu'un seul but : avoir un enfant. Je veux dire, c'est bien, d'accord, mais tellement mécanique. Nous devons absolument dépasser ce stade.

— Tout reprendre à zéro.

— Retrouver des sensations.

— Fixer des priorités. Le leitmotiv de Georgia : les priorités.

Graham tenta mentalement de définir ses priorités. Le sexe ? Amanda ? Des enfants ? Le travail ? Tout ça, mais pas nécessairement dans cet ordre.

Dans quel ordre alors ?

Amanda venait en premier. Sans elle, aucun des trois autres ne pouvait marcher. Il voulait faire l'amour à sa femme, avoir des enfants avec elle. Bien sûr, sans elle, il pouvait toujours dessiner des jardins, des espaces verts, des parcs et même des aires de repos sur les autoroutes, mais quel intérêt ? Que ferait-il de son argent s'il ne pouvait le dépenser pour Amanda et leurs enfants ? Amanda restait le pivot central de toutes ses priorités, la clé dont toutes les autres dépendaient.

Et il détestait quand elle s'éloignait de lui, quand elle se refermait sur elle et le rejetait. Tout ce qu'il avait ressenti quand Megan lui avait avoué son homosexualité lui revenait en mémoire – l'humiliation, l'impuissance, le sentiment de ne pas être à la hauteur. Si Amanda ne pouvait comprendre ça, si elle ne pouvait utiliser ses compétences professionnelles pour analyser les sentiments de son mari, si elle ne parvenait pas, elle aussi, à fixer des priorités dans lesquelles il viendrait en tête, si elle ne pouvait lui accorder le bénéfice du doute en ce qui concernait Gretchen, alors leur mariage n'avait aucune chance.

Cela étant, on ne pourrait pas lui reprocher de ne pas avoir essayé.

Quand Amanda rentra enfin après une longue journée à l'école et une éprouvante soirée de veille dans la chapelle du funérarium, Graham l'accueillit avec une tasse de thé et lui fit couler un bain.

Elle dormait avant même que sa tête ne touche l'oreiller, mais il la garda serrée contre lui et en éprouva une certaine satisfaction. Pour la première fois depuis des semaines, la colère l'avait quitté, ainsi que son inquiétude devant le refroidissement de leurs rapports. Pour la première fois, il se contentait d'être là pour elle, qu'elle en ait conscience ou non.

11

Après une semaine de déchirement, Amanda dormit donc de nouveau dans les bras de son mari, mais, malheureusement, sans même s'en rendre compte, sinon peut-être au fin fond de son subconscient. Épuisée par tous les événements des derniers jours, elle s'était écroulée, victime d'une grande lassitude physique et morale après avoir écouté pendant des heures des histoires tristes de la part d'élèves bien trop jeunes pour connaître un tel chagrin.

Le suicide de leur ami semblait avoir ouvert une véritable boîte de Pandore de la culpabilité. Un des adolescents confessa avoir triché à un examen et un autre, espionné sa mère et son amant, tandis qu'un autre encore avouait avoir snifé de la coke – tous ces petits crimes paraissant aux yeux de leurs auteurs bien pires que de se présenter ivre sur le terrain de base-ball, délit qui avait pourtant entraîné la punition et finalement la mort de Quinn Davis.

Amanda avait fait de son mieux pour séparer les deux choses, insistant sur le fait que la sanction retenue contre Quinn n'avait aucune relation de cause à effet avec sa mort. Elle avait adressé un certain nombre d'élèves à des conseillers religieux, membres de la cellule de crise, mais le poids de leurs aveux continuait à peser sur ses épaules.

Elle dormit donc mal et en découvrant Graham près d'elle à son réveil, se méprit sur le sens de sa présence, l'interprétant comme un moyen de soulager sa conscience. Puis elle se reprit et se morigéna de cette tendance qu'elle avait soudain à réagir comme sa mère. Repoussant ces pensées négatives, elle se leva sans bruit pour ne pas réveiller son mari et décida de préparer le gâteau d'anniversaire de sa belle-mère. Elle mit ensuite le café à chauffer et récupéra le journal du dimanche devant la porte. Quand Graham se leva enfin, elle se dirigeait vers la douche avant de retourner à l'école.

Graham la regarda partir, pensif. Son inconscient l'avait-il volontairement poussé à dormir si tard ? Après tout, le sommeil restait un moyen d'évasion bien commode, une façon comme une autre d'éviter l'affrontement, le malaise qui les séparait. Mais cette attitude n'avait rien de bien glorieux et contrastait avec la résolution qu'il avait prise après sa conversation avec Russ. Honteux, il se promit de se montrer plus entreprenant. Il lui fallut attendre l'après-midi pour se retrouver seul avec sa femme et envisager une discussion sérieuse. Mais, cette fois, ce fut au tour d'Amanda de se défiler.

— Le gâteau a l'air formidable, commença-t-il. Merci d'avoir pris la peine de le faire.

— De rien, répondit-elle avec un sourire.

— J'ai failli appeler ma mère, ce matin, puis j'ai renoncé. Je me suis dit que je pouvais tout aussi bien lui souhaiter un bon anniversaire de vive voix.

— Moi, j'ai appelé, mais elle était dans son bain. Je me suis donc contentée de laisser un message.

— Tu te conduis mieux que moi, son propre fils.

— Non. Je suis seulement désespérée.

— Désespérée ?

— Je voudrais tellement qu'elle m'aime, un jour, reconnut Amanda avec un petit sourire triste.

— Mais elle t'aime.

Amanda le regarda d'un air entendu et Graham préféra garder le silence.

Débarquer chez les O'Leary demandait une bonne condition physique. Les arrivants étaient invariablement accueillis par de grands cris et moult effusions, accompagnés d'enthousiastes claques dans le dos et de bruyants saluts. Amanda avait, dès le premier jour, bénéficié de ce rituel et bien que Graham ait alors pris le soin de la prévenir, n'en avait pas moins été submergée par une telle exubérance. Mais elle avait adoré ça — ces démonstrations spontanées d'affection, cet étalage naturel de tendresse.

Et l'accueil du jour ne dérogea pas à la tradition, bien qu'elle le perçût différemment — la différence venant d'elle, elle en avait conscience. En plus de la mort de Quinn, si présente dans son esprit, se retrouver au milieu de la famille de Graham — une famille si « prolifique » — lui rappelait cruellement sa propre incapacité à procréer et, malgré les sourires et les embrassades, elle devinait les non-dits, imaginait les propos sous-jacents. Il lui semblait que tout le monde la rendait responsable puisque les problèmes qu'ils rencontraient à concevoir ne pouvaient de toute évidence pas venir de son mari.

Elle s'immergea donc totalement dans les festivités, cherchant un oubli bienvenu, et se laissa volontiers entraîner vers une chambre par une de ses nièces. La bande des enfants l'adorait, à juste titre. Dès son entrée dans la famille, Amanda était devenue la préférée des bambins — qui avaient bien grandi depuis — et s'était toujours pliée de bonne grâce à leurs demandes, que ce soit pour lire une histoire ou jouer avec eux.

— Tu es notre plus belle tante, affirma une des fillettes en s'accrochant à elle. Je ne veux pas que tu aies des enfants. Je veux que tu t'occupes toujours de moi.

Que répondre à ça ? Le gâteau qu'on apporta à cet instant la tira d'embarras, même si tous les « miams » d'appréciation étaient inévitablement dirigés vers MaryAnne qui, il fallait le reconnaître, avait tout organisé avec brio. Si Dorothy savait qu'Amanda avait préparé le gâteau, elle n'en laissa rien paraître et n'y fit aucune allusion au cours des quelques tentatives d'approche d'Amanda pour discuter avec elle. Au contraire, elle parla de tout et de rien – son club de jardinage, la société historique dont elle était membre et même Megan –, des sujets qui, elle le savait, ne pouvaient guère intéresser Amanda.

Mais cette dernière n'en resta pas moins irréprochablement polie, souriant, hochant la tête et posant autant de questions qu'elle le pouvait. Dorothy ne lui en posa aucune en retour et finalement la conversation se tarit.

Malcolm O'Leary vint une fois de plus au secours de sa belle-sœur.

— Désolé, maman, mais je t'enlève Amanda. Joseph ! appela-t-il. Viens tenir compagnie à ta grand-mère.

Puis il glissa un bras autour des épaules d'Amanda et l'entraîna.

— Où est Graham ? demanda-t-elle.

Elle l'avait à peine vu de l'après-midi.

— Il joue au volley dehors. Une bonne chose que ma mère ait un grand jardin. On l'appréciait enfant et encore aujourd'hui. Comment vas-tu ?

— Bien, merci, répondit Amanda en se fendant d'un grand sourire.

— Ce n'est pas ce que pense Graham. Il dit que le dernier échec t'a vraiment démoralisée. Nous sommes tous désolés, Amanda. Je sais combien tu voudrais un enfant et je peux imaginer ce que tu ressens.

Amanda en doutait fort.

— Ça finira bien par arriver, se contenta-t-elle de répondre.

— J'ai entendu parler d'un médecin formidable à Washington, spécialisé dans les grossesses difficiles. Son agenda est plein, mais nous avons effectué des travaux au domicile de sa sœur à Hartford et un coup de téléphone de sa part te mettrait en bonne place sur la liste d'attente. Qu'est-ce que tu en dis ?

Amanda fit un effort pour conserver son calme.

— En as-tu parlé à Graham ? demanda-t-elle.

— Oui. Il m'a conseillé de ne rien te dire, mais bon sang, Amanda, si ton médecin actuel n'est pas capable de déterminer d'où vient le problème, tu devrais en voir un autre. Je serais heureux de passer ce coup de fil.

— Merci, Malcolm, mais notre médecin traitant est très compétent.

— Bon, je n'insiste pas. Mais n'hésite pas à m'appeler si tu changes d'avis. Graham voudrait tellement être papa.

Un peu plus tard, les mêmes paroles furent prononcées à nouveau, par Megan, cette fois, la première femme de Graham – une des rares personnes étrangères à être invitées à la fête et traitée par les O'Leary comme un membre à part entière de la famille.

Amanda devait reconnaître sa délicatesse. Elle arrivait toujours tard et partait tôt et conservait une attitude réservée par pur égard pour elle.

Ce soir, elle serra affectueusement Amanda dans ses bras, lui dit qu'elle était superbe et prit des nouvelles de son travail, ce que Dorothy n'avait pas fait. En retour, Amanda lui posa des questions sur ses affaires et sa petite librairie qui tentait tant bien que mal de survivre malgré la concurrence des grandes surfaces et des achats en ligne sur le net.

Megan répondit avec beaucoup de décontraction, de façon intéressante et intelligente et une nouvelle fois, Amanda dut admettre qu'elle l'appréciait beaucoup... du moins jusqu'à ce qu'elle baisse la voix et aborde le sujet des enfants.

— Gray dit qu'il n'y a toujours rien.

— Pas encore, mais ça viendra, répondit Amanda d'un ton qu'elle voulait sans réplique.

Malheureusement, Megan ne parut pas comprendre le message.

— Ce doit être difficile pour vous. Je sais combien Graham souhaite devenir père. C'est d'ailleurs une des causes de notre séparation. Je repoussais sans cesse l'échéance, prétextant une bonne raison après l'autre pour retarder cette issue. Jusqu'à ce que je ne trouve plus d'excuses.

— La situation est différente dans notre cas.

— Puis-je vous être utile ?

— Je ne crois pas, répondit Amanda en fronçant les sourcils.

— Je veux dire s'il s'agit de donner des ovules ou de prêter mon utérus pour neuf mois...

Amanda garda le silence tandis qu'ils regagnaient leur voiture. Elle avait la migraine, l'estomac noué, les mâchoires douloureuses de trop de sourires forcés et un mauvais goût dans la bouche.

Graham ne parla pas non plus, mais il ruminait. Elle s'en rendit compte dès qu'il tourna au carrefour, laissant derrière eux la maison familiale. Ils n'avaient pas fait cent mètres qu'il attaqua.

— Tu détestes ma famille ? demanda-t-il.

— Bien sûr que non. Pourquoi dis-tu ça ? interrogea-t-elle en se tournant vers lui.

— Tu faisais des efforts pour te montrer aimable, tout le monde s'en est aperçu.

Amanda fixa la route devant eux. Il y avait tant de choses qu'elle voulait dire, tant de choses qu'elle avait envie de hurler qu'elle ne savait par où commencer.

— Qu'est-ce qui ne te plaît pas dans ma famille, Amanda ?

— Rien.

— Alors pourquoi as-tu autant de mal à passer un moment en sa compagnie ? Tu as la migraine, je peux le voir dans tes yeux. Pourquoi ma famille te donne-t-elle la migraine ? Est-ce le bruit ? Les rires ? L'agitation ? Je croyais que tu aimais ça.

— Je l'adore. Je me sens seulement différente d'eux.

— Je sais que ma mère n'est pas particulièrement affectueuse...

— Elle l'est... envers tout le monde sauf moi.

— Tu es peinée parce qu'elle ne t'a pas remerciée pour le gâteau.

— Je suis peinée par beaucoup de choses et, même si le gâteau est probablement la moins importante d'entre elles, il n'en demeure pas moins que je me suis quand même donné la peine de le faire alors que j'avais des choses bien plus sérieuses en tête et que son attitude est inexcusable. Honnêtement, tu ne trouves pas qu'elle s'est montrée particulièrement grossière ?

— Ma mère est vieille, dit-il en noyant le poisson. Elle manque de souplesse. Nous le savions avant même de nous marier. Elle n'est pas pire qu'avant.

— Mes besoins ont changé. J'attends plus d'elle. J'attends qu'elle me soutienne.

— Au sujet du bébé ? Elle ne peut pas te soutenir, Amanda.

— Peut-être pas, mais toi, tu pourrais.

Elle s'énerva soudain.

— Où étais-tu cet après-midi ? Tu m'as laissée toute seule pour les affronter sur ce sujet. Comment se fait-il que nous n'ayons toujours pas d'enfant ? À cause de qui ? De quoi ? Que comptons-nous faire ? Sais-tu que Megan a même proposé de devenir notre mère porteuse ?

— C'est gentil de sa part, commenta Graham.

— Elle est ton ex-femme ! cria Amanda. Peux-tu seulement imaginer la situation si nous acceptions ? Un vrai vaudeville ! Mais allons plus loin. Qu'est-ce qui lui fait croire que mon utérus est responsable de cette situation ? Pourquoi pensent-ils tous que je suis le problème ? La gynécologue, Emily, a pourtant bien précisé que cela pouvait venir de l'un comme de l'autre. Leur as-tu expliqué ça ? Ou te contentes-tu de dire que je perds le bébé comme si j'étais le maillon faible du couple, celle qui rate toujours le ballon dans les matchs de foot familiaux ?

Choquée soudain par le ton désagréable de sa voix, elle se tut et ils continuèrent en silence pendant un moment. Quand elle eut retrouvé son calme, elle reprit plus posément.

— Je ne déteste pas ta famille, Graham. Seulement quand nous sommes avec eux, je te perds.

— Tu ne me perds pas.

— Tu n'es jamais avec moi. Nous ne communiquons plus. Tu joues avec tes neveux, tu discutes avec tes frères, tu donnes des conseils de jardinage à tes sœurs ou tu plaisantes avec Megan.

— Je me demandais quand elle viendrait sur le tapis. Bon sang, Amanda, Megan est ma plus vieille amie ! Je la connais depuis le berceau. Nous nous sommes séparés en bons termes et j'aime la revoir tout comme j'aime voir ma famille.

Amanda ne dit mot.

— Veux-tu que je leur rende visite seul à partir de maintenant ?

Elle ferma les yeux. Il ne comprenait pas.

— Non, répondit-elle.

— Que veux-tu alors ?

Elle voulait qu'il lui fasse un enfant, voilà ce qu'elle voulait, pensa-t-elle. Qu'il la considère comme le centre de son univers, comme c'était le cas, auparavant.

— Dis-moi, Amanda.

— Je veux que tu me soutiennes devant eux pour que je me sente moins isolée. Reste avec moi, ne m'abandonne pas comme si tu avais honte de moi. Tu devrais être celui qui explique à Malcolm que son médecin qui traite les femmes stériles n'est pas pour moi puisque je ne le suis pas. Prends mon parti. Supporte-moi. Mieux encore, ajouta-t-elle après avoir respiré un bon coup. Dis-leur de s'occuper de leurs affaires. Cette grossesse ne concerne que nous. Ils ne devraient pas s'en mêler. Et inutile de me préciser qu'ils s'inquiètent parce qu'ils nous aiment. Je le sais déjà. Simplement leur attitude ne rend pas la situation plus simple. Ils ne cessent de répéter combien tu désires avoir un enfant comme si je te privais volontairement de ce plaisir, comme s'il suffisait que je claque des doigts pour te donner ce bonheur. Je sais que tu souhaites devenir père, inutile de me le répéter. N'ont-ils jamais entendu parler du respect de la vie privée ?

— Ta famille fonctionne ainsi, commenta Graham. Pas la mienne.

— Eh bien, c'est dommage ! Il serait peut-être temps que tu mettes les choses au point et que tu leur fasses comprendre que je viens en tête dans ta vie. À moins que ce ne soit pas le cas ?

Il lui lança un regard furieux.

— C'est quoi ? Une course ? À qui arrive le premier ?

Amanda secoua la tête. Le regard qu'il lui avait lancé l'avait glacée. Elle n'aurait jamais cru qu'il la regarderait ainsi un jour.

— C'est ça ? renchérit-il. Tu veux que je choisisse ? Ma famille ou toi ?

— Non. Je veux que tu te conduises en mari.

— J'essaie. Dieu m'est témoin que j'essaie. Mais que tu sois jalouse de Megan ou de ma famille ne m'aide guère. Ni ta jalousie envers Gretchen d'ailleurs. Tu veux que j'agisse comme un mari, alors comporte-toi comme une épouse. Fais-moi confiance.

Évidemment, quand ils s'engagèrent dans leur rue, Gretchen se trouvait dans son jardin où elle arrosait ses tulipes.

Avec les derniers rayons du soleil qui nimbaient le paysage de douceur et illuminaient la scène, Gretchen formait un tableau idyllique. La veuve, en cet instant, semblait concrétiser tout ce qui n'allait pas dans leur vie.

Le lundi matin, Amanda se réveilla avec un reste de migraine et une crainte diffuse. Elle chercha quelques pensées positives pour se remonter le moral, mais cela n'était pas facile le jour des funérailles d'un adolescent. Graham lui proposa de se doucher la première, ce qu'elle accepta, et lui tendit une serviette à sa sortie. Elle apprécia également qu'il ne lorgne pas sur son corps et garde les yeux sur son visage et qu'il manifeste une certaine inquiétude à son sujet.

Il lui demanda ce qu'il pouvait faire pour l'aider et sauta sur l'occasion quand elle lui suggéra de déposer quelques douzaines de donuts dans la salle des professeurs pour ceux qui arriveraient en avance.

— Tu as un rendez-vous ? demanda-t-elle en le voyant enfiler un costume.

— Un enterrement, répondit-il. Je veux que tu saches que je suis là, dans le fond de l'église.

Il fallut une minute à Amanda pour comprendre le sens de ses paroles et alors, elle éclata en sanglots sans pouvoir se retenir.

— Seigneur ! murmura-t-il en l'attirant contre lui. C'était supposé te remonter le moral.

Et ça avait marché... malgré les apparences. Ce qui s'expliquait assez aisément. Dans les jours qui avaient suivi la tragédie, elle avait su rester forte et stoïque, gardant le contrôle, même pendant les pires périodes de doute – quand elle pensait qu'elle aurait pu éviter ce suicide si elle avait attrapé Quinn par le bras et l'avait tiré de force dans son bureau pour l'obliger à parler ou si elle s'était montrée plus ferme avec ses parents. Elle ne s'était autorisé aucune faiblesse, acceptant que les autres s'appuient sur elle. Aussi, quand Graham lui avait manifesté son soutien, lui avait proposé une épaule sur laquelle s'appuyer à son tour, elle avait baissé sa garde. Les larmes avaient alors eu la part belle pour s'engouffrer dans la brèche.

Elle ne chercha pas à le repousser. Au contraire, elle

passa les bras autour du cou de son mari et s'accrocha à lui jusqu'à ce que la tempête s'apaise. Puis elle recula et le regarda, se noyant dans le vert de ses yeux.

— Merci, dit-elle en déposant un baiser léger sur ses lèvres.

Pour la première fois depuis des mois, une légère excitation s'empara d'elle. Malheureusement, le moment était on ne peut plus mal choisi. Elle se détourna donc et en apercevant son visage dans le miroir, fit une petite grimace. Résignée, elle entreprit de réparer les dégâts.

Les funérailles eurent lieu dans la petite église du centre-ville et ce, malgré les circonstances de la mort de Quinn. Personne ne fit d'ailleurs le moindre commentaire. L'église disparaissait sous les fleurs et de nombreuses photos du défunt tapissaient les murs. Les élèves restèrent groupés entre eux malgré la présence de leurs parents. Amanda aperçut son mari l'espace d'un instant, mais ne le rejoignit pas – sa place se trouvant auprès du corps enseignant – et quand ils sortirent de l'église, à la fin du service religieux, Graham était parti.

Son visage resta pourtant dans son esprit toute la journée, la réconfortant.

Dans les couloirs du lycée, l'atmosphère demeura lourde et triste, mais seuls quelques élèves, les yeux rougis, se présentèrent au bureau d'Amanda.

Les plus proches amis de Quinn avaient regagné la maison des Davis après la cérémonie.

À 15 heures, les bus de ramassage scolaire avaient embarqué tout le monde et le calme régnait dans les locaux. Quelques traînards s'attardaient en petits groupes sur la pelouse.

Amanda s'assit sur une marche du perron et bientôt deux adolescentes s'approchèrent pour lui parler. Elles ne dirent pas grand-chose, cherchant surtout la compagnie d'un adulte. Amanda resta avec elles jusqu'à leur départ, puis regagna son bureau où Fred Edlin passa la féliciter pour l'efficacité de sa cellule de crise.

— Vous devriez écrire un article, conseilla-t-il. Raconter votre expérience. Toutes les écoles du pays devraient constituer de tels groupes.

Amanda le remercia, mais en fait, avec les nombreuses tragédies survenues au cours des dernières années, la plupart des établissements avaient déjà institué ce système. Il n'y avait donc là rien de bien nouveau.

D'ailleurs, elle ne recherchait pas la publicité. Elle ne souhaitait qu'apporter son aide aux élèves qui en avaient besoin. Le fait que l'équipe ait bien fonctionné lui procurait néanmoins un grand soulagement. Mais la mort de Quinn restait encore trop récente, trop brutale et trop personnelle pour qu'elle puisse ressentir une quelconque satisfaction.

— Bon travail ! coassa Maddie après le départ du directeur.

— Merci, dit Amanda.

Elle s'approcha de l'oiseau et lui tendit un biscuit dont il s'empara vivement.

— Bon gâteau !

— Tu es si facile à contenter. Je crois que c'est là le bonheur d'un animal domestique. Facile à contenter, sans complication.

Un bruit de pas dans le couloir attira son attention.

— Voilàaaaaa Johnny ! cria Maddie.

Effectivement, M. Dubcek apparut sur le seuil de la porte. Il avait assisté à l'enterrement, mais s'était empressé, dès son retour, de troquer son costume contre son habituelle salopette verte. Son visage marqué trahissait son chagrin.

— Comment allez-vous, madame O'Leary ? demanda-t-il d'une voix rauque.

— Ça va. Le choc commence à s'atténuer, mais il faudra encore du temps avant que la vie reprenne son cours normal.

Son travail ne s'arrêtait pas là et elle allait devoir guetter les signes de stress chez les élèves les plus vulnérables.

— C'est la première fois qu'une chose pareille se produit depuis cinquante ans que je travaille ici, dit le vieil homme. Nous avons vu des élèves s'évanouir et tomber raides sur le sol. Nous avons eu des crises d'épilepsie, certains jeunes ont fugué et il y a même eu quelques tentatives de suicide à la maison, mais jamais rien de pareil. Je n'aurais jamais dû l'autoriser à rester. J'aurais dû le renvoyer chez lui.

Amanda sourit. Elle comprenait son sentiment de culpabilité.

— Si Quinn était déterminé à mettre fin à ses jours, il aurait cherché un autre moyen. Peut-être aurait-il fait ça dans les bois et il aurait alors pu se passer beaucoup de temps avant qu'on le retrouve.

— Mais si j'étais arrivé plus tôt, j'aurais pu le sauver.

— Croyez-moi, je me suis moi-même reproché beaucoup de choses. De ne pas l'avoir obligé à venir me parler et d'avoir gardé mes observations pour moi. Si j'avais partagé mes inquiétudes avec le directeur ou son entraîneur, si j'avais prévenu ses parents qu'il n'allait pas bien et risquait de se faire du mal... Si, si, si... Mais personne n'aurait pu prévoir une chose pareille de la part d'un garçon promis à un si bel avenir.

— Quel gâchis ! Oui, un terrible gâchis, dit le vieil homme en secouant la tête avant de prendre congé.

— Saloperie ! glapit Maddie.

Amanda ne put qu'approuver en soupirant.

Elle resta dans son bureau jusqu'à 17 heures discutant avec des parents inquiets pour leur propre progéniture et cherchant conseil. Un des professeurs de Quinn s'arrêta quelques minutes pour lui faire part également de son regret de n'avoir pas su détecter les signes avant-coureurs.

Finalement, elle ferma sa porte et prit le chemin de la maison. La vue du pick-up de Graham dans l'allée lui réchauffa le cœur et plus encore ce qu'elle découvrit dans la cour à l'arrière de la maison.

Une table en fer forgé avait été dressée au milieu de la pelouse avec des bougies et des verres en cristal.

Émue, elle pénétra dans la cuisine et trouva Graham en train de lire les indications sur une boîte de riz. Sur le comptoir, attendaient les steaks qu'Amanda avait achetés pour le dîner qu'ils avaient projeté, quelques jours plus tôt.

— Je me suis dit que nous pourrions finalement avoir ce petit dîner, dit Graham.

Il attrapa une bouteille de vin et, après l'avoir ouverte, remplit deux verres. Puis il en tendit un à sa femme.

— Ça fait un moment, ajouta-t-il.

Elle hocha la tête. Au cours des derniers mois, obnubilée par son désir de grossesse, elle avait commencé à lire toutes sortes de témoignages sur internet de la part de femmes dans son cas et en était ainsi arrivée à refuser de boire la moindre goutte d'alcool.

— Pour ce que ça a changé, murmura-t-elle en levant son verre. À la vie !

— À la vie !

Ils trinquèrent et Amanda savoura le liquide dans sa bouche.

— Tu as l'air mieux, remarqua Graham.

— Un peu, reconnut-elle.

— Rien à signaler pendant l'enterrement ?

— Non. Du moins rien parmi les élèves. Leurs parents m'inquiètent plus. Ils sont si sûrs d'eux, si catégoriques. Une mère m'a arrêtée après la cérémonie pour critiquer les parents de Quinn, affirmant qu'aucun de ses enfants ne ferait jamais une chose pareille. Quand je lui ai expliqué que des jeunes de tous horizons en arrivaient un jour à une telle extrémité, elle a nié. Je suis sûre que, si sa fille cherche à lui parler de Quinn, elle refusera de l'écouter. Cette dernière devra donc se tourner vers ses amis qui n'ont guère plus de réponses.

— Mais ils se réconforteront mutuellement.

— Savoir que d'autres partagent la même souffrance aide en effet à la surmonter. J'aime à penser que ma présence peut également leur apporter un soutien. Je n'ai pas non plus toutes les réponses, mais au moins ils peuvent se reposer sur moi.

— Mais tu as, toi aussi, besoin de te détendre.

— Je le ferai pendant le week-end.

— Tu dois prendre du recul, des distances.

— Difficile dans une telle situation. Je me demande comment font les parents de Quinn ? J'ai du mal à imaginer ce qu'ils peuvent ressentir.

— Moi je peux, remarqua Graham d'une voix triste. Probablement la même chose que ce que j'ai ressenti quand tu as eu tes règles la semaine dernière. Nous avons également perdu un bébé, Amanda, et en même temps, tous nos espoirs, nos rêves, nos projets.

— Nous essaierons encore, dit-elle doucement.

— Tu sembles heureuse d'attendre.

— Non. Pas heureuse.

— Seras-tu décidée à tenter une nouvelle expérience dans un mois ?

— Décidée ? Non. Mais je le ferai.

— Eh ! Si tu fais ça uniquement pour moi, alors il vaut mieux laisser tomber. Un bébé engage pour la vie. Si tu n'en veux pas, autant en parler tout de suite.

— Et que se passera-t-il alors ? lança-t-elle sans réfléchir.

La question traînait dans un coin de sa tête depuis longtemps. Pourtant, quand elle vit le regard de Graham se durcir, Amanda aurait donné n'importe quoi pour la retirer. Mais il fallait qu'elle sache.

— Tu ne veux pas d'enfant ? demanda-t-il.

— J'en veux, je te l'ai déjà dit. Mais que se passera-t-il si nous ne parvenons pas à en avoir un ?

— Ne pas avoir d'enfant n'est pas d'actualité. Je suis incapable d'envisager une telle situation aujourd'hui.

— Moi si. Je le fais sans arrêt. Je reste éveillée la nuit à me poser cette question et à retourner le problème dans ma tête. Que se passera-t-il ? Rejetteras-tu le blâme sur moi ? Sur toi ? Que pensera ta famille ? Que diront-ils ? Me repousseront-ils ? Dans quelle mesure cet enfant est-il important pour toi ? Est-il nécessaire à ton équilibre ? Si aucune méthode ne réussit, resteras-tu avec moi ? Ou chercheras-tu une autre femme ? Toutes ces questions me hantent, Gray, conclut-elle dans un souffle.

Ce dernier ne dit rien. Il demeura impassible. Amanda ne parvenait pas à savoir s'il était en colère ou troublé. Ses yeux verts, sombres, étonnés, ne trahissaient en rien ses sentiments.

Un coup à la porte les fit sursauter tous les deux. Amanda regarda par-dessus son épaule et aperçut Gretchen derrière la moustiquaire.

Elle nota intérieurement que Graham ne s'était pas précipité pour ouvrir la porte à leur voisine. En fait, il ne bougea même pas et ce fut elle qui s'avança, non sans se demander depuis combien de temps Gretchen se trouvait là et ce qu'elle pouvait bien avoir entendu.

Cependant, quand elle s'approcha de la porte et vit de plus près le visage de sa voisine, elle comprit que quelque chose n'allait pas.

— Que se passe-t-il ? demanda-t-elle d'une voix inquiète.

— J'ai besoin de Graham, répondit Gretchen en tremblant.

12

J'ai besoin de Graham...

En quelques mots, les pires craintes d'Amanda venaient de se matérialiser. Non seulement, elle acquit la conviction que Graham était bien le père du bébé, mais en plus, que lui et Gretchen s'aimaient.

Et le fait que les yeux de cette dernière – de grands yeux bleus, écarquillés – soient fixés sur son mari derrière elle, ne fit que renforcer ses doutes.

La jeune femme semblait vraiment désespérée.

Désespérée ? Non.

Amanda reprit ses esprits.

« Effrayée » convenait beaucoup mieux à son expression.

— Que se passe-t-il ? demanda Graham qui s'était avancé.

— Je... Je crois que quelqu'un s'est introduit chez moi, répondit Gretchen d'une voix monocorde, clairement bouleversée, mais tentant à grand-peine de maîtriser sa peur. Il y a des dégâts. Je viens juste de rentrer et je l'ai tout de suite constaté. Seulement... j'ignore si la personne est encore là.

Un cambriolage... Amanda aurait pu éclater de rire tant son soulagement était grand, mais son étonnement

l'en empêcha. Un cambriolage à Woodley ! Impossible...
Surtout dans une rue comme la leur où il y avait toujours
quelqu'un dehors.

— Un vol ? s'enquit Graham, tout aussi surpris que
sa femme.

— Des dégâts. Sur le tableau de Ben. Sur mon... mon
tableau. Je n'avais pas mis l'alarme. Je savais que vous
étiez tous là, vous, les Lange et Karen Cotter. Je n'avais
même pas fermé la porte de derrière à clé. Je ne suis allée
que jusqu'à l'épicerie pour acheter des fruits, ce qui m'a
pris tout au plus une trentaine de minutes.

Une demi-heure. À peu près le temps écoulé depuis
l'arrivée d'Amanda qui n'avait rien remarqué d'anormal.
Mais un intrus aurait très bien pu s'approcher par les bois.

Graham sortit, poussant doucement Gretchen sur le
côté.

— Je vais voir, annonça-t-il.

Comme Gretchen s'apprêtait à le suivre, Amanda l'attrapa par le bras et la retint. La jeune femme tremblait.

— Laissez-le y aller seul. Juste au cas où.

— Il ne devrait peut-être pas. Il pourrait être blessé.
Je ferais mieux d'appeler la police.

Mais elle semblait trop choquée pour agir. D'un autre
côté, c'était le mari d'Amanda qui prenait les risques.
Tirant Gretchen derrière elle, cette dernière décrocha le
téléphone pour composer le numéro du poste de police.
Après s'être présentée et avoir expliqué la situation avec
toutes les indications utiles, elle ressortit suivie de Gretchen et ensemble, elles s'avancèrent vers la maison de
cette dernière. Graham les avait quittées depuis suffisamment longtemps pour qu'Amanda commence à s'inquiéter.

Julie Cotter jouait à la poupée devant chez elle, assise
sur les marches du perron, tandis que les jumeaux allaient
et venaient dans les environs en scooter. Aucun des trois
ne parut trouver anormal qu'Amanda et Gretchen restent
ainsi plantées entre les deux maisons.

Amanda faillit demander aux trois enfants de rentrer. Un dingue pouvait facilement perdre les pédales et s'emparer d'eux comme otages. Mais, après réflexion, elle repoussa cette idée.

— Je suis désolée d'avoir ainsi gâché votre soirée, dit soudain Gretchen. Mais je ne savais pas vers qui me tourner.

— Ne vous en faites pas. À quoi serviraient les voisins sinon ? Quelque chose a été volé ?

— Je ne sais pas. J'ai vu le tableau et j'ai couru. J'aurais dû appeler la police, mais ma seule réaction a été de sortir de là.

— J'aurais probablement réagi de la même façon.

— Je n'ai pas de téléphone de voiture, sinon je m'en serais servie.

— Vous avez fait ce qu'il fallait, la rassura Amanda.

Bon sang, pourquoi Graham mettait-il autant de temps ? Son inquiétude grandissant, elle commença à l'imaginer baignant dans une mare de sang après avoir été attaqué par le cambrioleur, dissimulé dans un placard. Non ! Du calme. Il devait probablement vérifier chaque pièce. Il connaissait bien la maison où ils avaient souvent été invités du temps de June et Ben.

Gretchen porta une main fine à sa bouche. Elle dépassait Amanda d'une demi-tête, mais semblait terriblement fragile. Même avec son ventre rebondi. En le regardant, Amanda ne put s'empêcher d'envier la jeune femme.

— Quel genre de dégâts avez-vous constaté ?

— Les tableaux ont été lacérés.

— Mon Dieu !

— Depuis quelques temps, je reçois des appels anonymes. J'ai d'abord cru que c'étaient les fils de Ben. Mais je ne pense pas qu'ils iraient jusqu'à détruire une chose que leur père adorait. Et j'ai du mal à les imaginer cachés dans les bois en attendant que je quitte la maison.

Amanda avait eu l'occasion de rencontrer les fils de Ben à plusieurs reprises. Ils étaient à peu près de leur âge, mais Graham et elle avaient toujours eu beaucoup plus d'affinités avec leurs parents. Ben et June étaient des personnes calmes, détendues, sereines, de contact facile, tout le contraire de leur progéniture.

Son attention concentrée sur la maison, Amanda sursauta quand une main se posa sur sa hanche. Ce n'était que Julie.

— Tu m'as fait peur, avoua-t-elle avec un soupir de soulagement.

— Qu'est-ce qui se passe ? demanda la fillette.

— Je ne sais pas.

— Qu'est-ce que vous attendez ?

— Graham.

Amanda passa un bras autour des épaules de Julie et la serra doucement avant de la relâcher, un geste qui signifiait clairement qu'elle pouvait retourner jouer. Mais le message ne passa pas.

— Je peux attendre avec vous ? insista la gamine.

— Tu n'aides pas ta maman à préparer le dîner aujourd'hui ?

— C'est déjà fait. Je lui ai demandé de me lire une histoire, mais elle m'a dit qu'elle ne pouvait pas. Je ne sais pas pourquoi puisqu'elle reste là, assise, sans rien faire.

— Elle est probablement perdue dans ses pensées, répondit Amanda d'un ton léger tout en se doutant du genre de pensées que Karen devait ruminer. Elle a peut-être besoin qu'on la réveille. Va vite l'aider, ma chérie.

— Elle va me dire d'aller jouer avec ma poupée. Elle dit toujours ça. Où est Graham ?

— Chez Gretchen.

— Pourquoi ?

— Pour lui rendre un petit service.

Julie jeta un regard curieux en direction de la jeune femme et Amanda craignit un instant quelques questions embarrassantes, mais la fillette se désintéressa brusquement de l'affaire.

— Bon, d'accord, dit-elle en s'éloignant.

— Vous vous débrouillez bien avec les enfants, fit remarquer Gretchen.

— C'est une enfant facile, répondit Amanda avant d'ajouter. Mais que fait Graham ?

— Et la police ?

Les deux questions trouvèrent réponse dans la minute suivante. Graham apparut sur le seuil de la porte juste au moment où la voiture de patrouille tournait dans la rue.

Soulagée, Amanda courut rejoindre son mari, Gretchen sur les talons.

— Il n'y a personne à l'intérieur, annonça-t-il. Les seuls dégâts que j'ai constatés sont sur les tableaux.

— Les tableaux ? D'autres en plus de celui de l'entrée ? demanda Gretchen, plus affolée que jamais.

— Deux dans la salle à manger.

Gretchen se précipita à l'intérieur. Jurant entre ses dents, Graham lui emboîta le pas, suivi d'Amanda qui remarqua immédiatement le tableau dans l'entrée, entaillé en son centre.

Dans la salle à manger, Gretchen, une main pressée sur son cœur, contemplait, atterrée, la peinture sur le mur en face d'elle. Les larmes inondaient ses joues.

Un autre tableau, dans un coin du salon, avait été lacéré, mais rien de comparable avec les dommages occasionnés à la peinture intitulée *La Voisine*. Là, les coups de couteau témoignaient d'une véritable rage qui s'était acharnée à rendre méconnaissable le sujet de la toile, une femme merveilleusement belle dans son jardin.

La police appela depuis la porte.

— Ici ! cria Graham.

Il accueillit les deux officiers de police et les salua par leurs noms quand ils pénétrèrent dans la pièce avant de faire les présentations. Bien que n'ayant jamais eu affaire à eux directement, Amanda les connaissait de vue. Le plus âgé, Dan Meehan, avait la cinquantaine et une allure débonnaire. Son coéquipier, Bobby Chiapisi, affichait facilement vingt ans de moins et semblait tout frais émoulu de l'école dans son uniforme parfaitement amidonné.

Graham leur montra les tableaux et leur expliqua la situation en quelques mots.

Dan siffla doucement entre ses dents.

— On dirait que quelqu'un est drôlement en colère, commenta-t-il. Rien d'autre à signaler à part les peintures ?

Gretchen ne fit aucun effort pour essuyer les larmes sur ses joues. Elle semblait épuisée – anéantie fut le mot qui vint à l'esprit d'Amanda qui ne put s'empêcher d'éprouver de la compassion à son égard.

— Je ne sais pas, murmura Gretchen.

Elle s'assit sur le canapé sans quitter un seul instant la peinture des yeux.

— Je n'ai rien remarqué quand j'ai fait le tour de la maison, dit Graham. Mais je n'ai fait que survoler les pièces du regard. Rien ne semblait dérangé. Aucun objet à terre ou meuble renversé. Gretchen seule pourra savoir si quelque chose a été dérobé.

— Je ne me suis pas absentée longtemps, fit-elle remarquer.

— Combien de temps ? s'enquit le jeune policier, stylo et carnet en mains.

— Une vingtaine de minutes. Peut-être une demi-heure.

— Et personne n'a rien vu ? demanda Dan en se tournant vers Amanda et Graham.

Ils secouaient la tête quand Karen fit son apparition, Julie et les jumeaux dans son sillage, les yeux grands ouverts.

— Que s'est-il passé ? demanda-t-elle avant de pousser un petit cri en découvrant la peinture.

— Quelqu'un a pénétré dans la maison, expliqua Dan. Vous êtes madame Cotter, n'est-ce pas ? Vous habitez le quartier ?

— La maison voisine.

— Avez-vous remarqué une personne étrangère au cours de l'heure écoulée ?

— Non. Quel gâchis ! ajouta-t-elle.

Georgia et Russ entrèrent à leur tour.

— Que fait la police ici ? demanda Russ.

Graham s'approcha pour les mettre au courant tandis que Dan se baissait devant Gretchen. La trouvant pathétique, assise ainsi, seule, sur le canapé, les larmes coulant sur ses joues, Amanda vint s'asseoir près de la jeune femme.

— Voulez-vous vérifier si quelque chose a disparu ? demanda le policier.

Gretchen secoua la tête.

— Les deux seuls objets de valeur ici sont ma bague et mes boucles d'oreilles que je n'enlève jamais.

Les boucles se composaient de diamants assortis en taille et forme à la pierre qui sertissait une élégante bague de fiançailles.

— Pas d'argent ?

— Non. Enfin si, mais je me moque de l'argent. Ils pouvaient le prendre, mais pourquoi faire ça ?

— Avez-vous une idée de qui aurait pu commettre un tel forfait ? Qui avait la clé de la maison ?

— La porte n'était pas fermée.

— Avez-vous un petit ami ?

— Non.

— Le père du bébé ?

— Non.

— Non, quoi ?

— Le père du bébé n'aurait jamais fait une chose pareille.

— Peut-être que si vous vouliez me donner son nom...

— Aucune raison, affirma Gretchen avec une tranquille détermination.

— Vous pourriez peut-être relever les empreintes, fit remarquer Amanda.

— Nous allons le faire.

Dan échangea un regard avec son coéquipier qui ne paraissait pas très content.

— S'il y a eu des empreintes sur la poignée de la porte, il y a longtemps qu'elles sont effacées. La moitié du quartier vient de franchir ces portes.

Allison et Tommy étaient arrivés entre-temps, suivis de Lee.

— J'ai raté quelque chose ? demanda ce dernier avant de lancer un « Oh, merde ! » stupéfait en découvrant la toile lacérée.

Son horreur semblait sincère, mais Amanda aurait quand même souhaité savoir où il se trouvait dans l'heure écoulée et si quelqu'un pouvait en témoigner.

Dan se releva.

— Nous devons laisser Mme Tannenwald vérifier si d'autres dégâts ont été commis, mais il se pourrait bien qu'il s'agisse de l'œuvre d'un pervers.

— Cette peinture seule comptait pour moi, murmura Gretchen.

Amanda posa une main amicale sur son bras.

— Le mieux que je puisse faire est de vous conseiller d'appeler votre compagnie d'assurances, ajouta alors le policier.

Pour la première fois, Gretchen tourna la tête et le regarda en face.

— Vous pensez qu'ils pourront remplacer mon tableau ? demanda-t-elle en colère.

Amanda éprouva une fierté toute maternelle à son égard. N'importe qui pouvait en effet constater que la valeur de cette peinture était surtout sentimentale.

— Non, répondit le policier. Mais ils pourraient envoyer un inspecteur et vous toucheriez alors de l'argent pour acheter une autre toile.

— Je ne crois pas qu'elle veuille une autre toile, intervint Amanda gentiment, mais fermement. Celle-ci était spéciale pour elle. Le mieux que vous pourriez faire, continua-t-elle en reprenant les propres paroles de l'agent, est de retrouver le coupable pour connaître les raisons de son geste.

Le policier perdit un peu de sa superbe.

— Oui, madame O'Leary. Nous allons faire de notre mieux. Je vais envoyer une voiture patrouiller autour du bois et se renseigner pour savoir si quelqu'un a remarqué un inconnu dans les parages.

— Merci, dit Amanda.

Elle fut la dernière femme à quitter la maison. La police se trouvait encore sur les lieux ainsi que Graham et Lee. Les autres s'étaient dispersés petit à petit. Elle remarqua Jordie qui observait la maison, debout sous le porche de la sienne. À part la présence de la voiture de patrouille, le quartier semblait aussi paisible qu'à l'accoutumée.

Quand elle sortit, Georgia discutait avec Karen, un peu plus loin.

— Qu'est-ce qui t'a retenue aussi longtemps? demanda cette dernière.

— J'ai fait le tour de toutes les pièces avec Gretchen. Je suis sincèrement désolée pour elle. À sa place, je n'aurais pas voulu faire ça toute seule. Pas après que quelqu'un s'est introduit chez moi. Quelle drôle de sensation!

— D'être chez elle? s'enquit Karen en haussant les sourcils.

— De savoir qu'une personne mal intentionnée a pénétré chez soi pour perpétrer de tels actes. Si j'étais Gretchen, je me demanderais ce qu'il a touché et à quoi il pensait et s'il observe la scène dehors en attendant de revenir.

— Et les sous-vêtements, fit remarquer Georgia. Penser qu'il a pu poser ses mains dessus... Je me sens sale rien qu'à cette idée.

— Presque un viol, en fait, dit Amanda.

Karen éprouvait beaucoup moins de sympathie pour la veuve.

— Il y a une alarme. Elle n'avait qu'à la brancher.

— Tu branches la tienne ? demanda Georgia.

— Non. Je ne peux pas avec les enfants qui entrent et sortent sans arrêt. Est-ce que quelque chose a disparu ?

— Non. Rien ne semble avoir été dérobé. Mais le vandale n'a guère eu de temps. Gretchen ne s'est absentée que quelques minutes.

Malgré la tiédeur de l'air, Amanda croisa les bras sur son ventre en frissonnant. Gretchen ne faisait pas partie de ses amies, mais elle estimait qu'aucune femme ne devrait subir une telle épreuve. Dormir dans cette maison, ce soir, ne serait pas une mince affaire.

— Je ne cesse de penser à cette toile lacérée. Celui qui a fait ça est complètement détraqué.

— L'a-t-elle décrochée ?

— Non. Graham lui a proposé de le faire, mais elle a dit qu'elle s'en occuperait plus tard.

— En tout cas, je ne regretterai pas ce tableau, commenta Karen. Il ne m'inspirait rien de bon. Alors, d'après vous, qui a fait ça ? Je ne peux pas croire que ce soit un hasard.

— Moi non plus, dit Georgia.

— Celui qui a pénétré dans cette maison avait un but, admit Amanda. Détruire cette peinture.

— Dans ce cas, il ne s'agit pas d'un voleur, raisonna Georgia. Et cette personne devait drôlement lui en vouloir. Tu ferais une coupable idéale, ajouta-t-elle en se tournant vers Karen, un sourire malicieux aux lèvres.

Dans d'autres circonstances, elles auraient probablement éclaté de rire et apprécié la plaisanterie, d'autant plus que la jeune et jolie veuve de Ben en faisait les frais. Mais là, Karen ne sourit pas.

— Ah ! Ah ! Ah ! fit-elle. Vous avez remarqué comment Bobby Chiapisi regardait Gretchen ?

— Il ne la regardait pas, dit Georgia.

— Justement. Il évitait de poser les yeux sur elle. En fait, il agissait comme s'il aurait préféré être ailleurs.

Georgia fronça les sourcils.

— Tu insinues que lui et Gretchen... Non.

— Je l'ai déjà croisé en ville, renchérit Amanda. Il est toujours comme ça. Coincé, raide, mal à l'aise.

— En tout cas, son âge en fait un candidat idéal. De plus, il est célibataire et ne passe pas inaperçu en ville. Elle a pu le remarquer. Et peut-être lui a-t-il fait des avances ? N'était-il pas à l'enterrement de Ben ?

— C'est possible, répondit Amanda qui ne s'en souvenait pas.

Mais Karen restait convaincue de son hypothèse.

— Alors, reprit-elle. Tu es montée avec elle ?

— Oui.

— La chambre est jolie ?

— Assez, oui. Mais elle n'a rien d'un antre de la luxure, si c'est ce que tu veux dire.

— Compte-t-elle dormir seule ici, ce soir ? s'enquit Georgia.

— Je lui ai demandé si elle avait de la famille ou des amis chez qui aller. Elle m'a répondu que non.

— En tout cas, pas question qu'elle vienne chez moi, trancha Karen. L'avoir au bout du couloir équivaudrait à un véritable suicide.

Un lourd silence accueillit cette déclaration.

Puis Karen fit un geste de la main comme pour effacer ses paroles.

— Oh, mon Dieu ! Quel mot malheureux ! Oubliez ça.

Plus difficile à dire qu'à faire, pensa Amanda, quand elles avaient toutes les trois assisté à l'enterrement d'un gamin de seize ans, le matin même. De quoi faire réfléchir.

— Allison est toujours choquée, dit Georgia. Quand elle est à la maison, elle me suit comme une ombre. Comment va Jordie, ajouta-t-elle en jetant un coup d'œil vers le porche des Cotter où il se trouvait toujours.

— Il est calme.

Karen baissa la voix.

— Je vais essayer de lui parler, chuchota-t-elle.

Elle s'avança vers la maison, mais avant même qu'elle ait atteint les marches, Jordie disparut à l'intérieur. Elle s'arrêta, hésita, puis le suivit.

— J'ai l'impression qu'il y a un problème, commenta Georgia. Le fils et la mère ont l'air d'avoir quelques difficultés pour communiquer. Probablement en partie à cause de son âge, mais pourquoi cela se passe-t-il aussi mal chez eux ?

Amanda ne répondit pas tout de suite. Elle n'aimait pas analyser ses amis et de plus, elle n'était pas entrée chez les Cotter depuis Noël.

Mais elle avait confiance en Georgia et souhaitait partager ses impressions avec quelqu'un pour avoir un autre avis. Elle s'éloigna donc en direction de la maison des Lange et Georgia lui emboîta le pas.

— Je crois que l'ambiance n'est pas très bonne chez les Cotter, dit-elle. Il y a de la tension dans l'air entre Lee et Karen et l'humeur des enfants s'en ressent.

— Karen t'a confié quelque chose ?

— Non. Mais il suffit de l'écouter parler.

— Elle semble en effet terriblement amère et son sens de l'humour s'est envolé. Elle ne rit plus, ne raconte plus de potins.

— Elle n'ouvre plus la bouche que pour faire part de ses soupçons.

— Elle n'était pas comme ça avant. Cette histoire, si près de chez elle, la perturbe. Crois-tu que Lee soit le père du bébé de Gretchen ?

— Je l'ignore. En tout cas, Gretchen n'a pas réagi quand il est arrivé chez elle tout à l'heure. Je l'observais. Et je ne pense pas non plus qu'il s'agisse de Bobby.

— Non, convint Georgia.

Elles s'assirent sur les marches, côte à côte.

— Mais cela me fait réfléchir, tu sais ?

— Au sujet de Bobby ?

— De Russ. Je suis souvent absente. Oh, je ne crois

pas qu'il ait eu une aventure avec Gretchen. Il ne se sent pas seul à ce point-là. Du moins, pas encore.

— Il t'adore.

— Oui, mais il y a toujours des limites. J'ai lu un passage d'un article qu'il a écrit. Au sujet de la solitude du parent qui reste à la maison. Il l'avait imprimé et jeté, mais sans le déchirer ou le froisser, comme s'il tenait à ce que je le trouve et le lise.

— L'a-t-il envoyé à son journal ?

— Non. Il me l'aurait d'abord montré. C'est un accord que nous avons entre nous. Il me soumet toujours ce qu'il écrit qui nous concerne.

— Pourquoi l'a-t-il jeté ?

— Bonne question. Peut-être parce qu'il se dévoilait trop ? Ou parce que ce n'était pas un sujet très viril ? En tout cas, je suis heureuse d'être rentrée plus tôt.

— Ton départ précipité de Tampa risque-t-il de nuire à tes relations avec tes acheteurs potentiels ?

— Oui, mais ça en valait la peine. Allison avait besoin de moi et Tommy également, même s'il est plus jeune. Il connaissait suffisamment Quinn pour ressentir de la peine et être choqué. Il ne l'exprime pas directement, mais il aime me savoir à la maison.

Amanda admirait Georgia pour sa perspicacité. Sans avoir jamais suivi le moindre cours de psychologie, elle avait parfaitement compris les besoins de sa famille, tout en étant par ailleurs une femme d'affaires accomplie. En ce moment même, en fin de journée, elle affichait une allure aussi nette et fraîche que si elle venait de se lever, avec son élégant ensemble pantalon et ses cheveux courts bien coiffés.

L'environnement professionnel d'Amanda semblait bien pâle et modeste en comparaison de celui de Georgia et même si ce monde-là ne la tentait guère, elle ne pouvait s'empêcher d'être impressionnée par le potentiel de son amie.

— Alors, ce groupe envisage sérieusement de racheter la société ? demanda-t-elle.

— Les avocats discutent, répondit Georgia. Ils doivent me faire une proposition et la question est de savoir si je vais en accepter les termes. Ils souhaiteraient que je reste à la tête de la société pendant encore trois ans, mais avec un salaire, ce qui signifierait autant de déplacements qu'à l'heure actuelle. Je ne suis pas sûre d'en avoir envie. Je crois que je veux en sortir.

— Et que se passera-t-il si tu refuses ?

— Ils retireront peut-être leur offre. Ils semblent penser que sans moi, la société ne résisterait pas. C'est très flatteur, mais parfaitement ridicule. Je veux dire, il ne faut pas exagérer. La société survivrait très bien sans ma présence. Mais ils veulent que je reste parce qu'ils savent que si quelque chose clochait, je me démènerais pour solutionner le problème et qu'ils ont besoin de moi jusqu'à ce que l'un d'entre eux ait appris toutes les ficelles. Reste à savoir si j'ai vraiment envie de jouer le professeur.

— Et s'ils se retirent, as-tu d'autres acheteurs ?

— Deux autres propositions, mais celle-ci me plaît davantage. C'est un groupe sérieux et de bonne réputation. De plus, s'ils renonçaient, il faudrait recommencer tout le processus, une perspective qui ne m'enchante pas. D'un autre côté, je désire vendre pour arrêter de voyager. Or avec leurs exigences, non seulement je resterais sur les routes pendant encore trois ans, mais comme je ne serais plus alors qu'une simple salariée, j'aurais l'obligation de rendre des comptes. Ça n'aurait donc aucun sens.

— Beaucoup de choses n'ont pas de sens, admit Amanda avec un petit sourire triste.

— Tu fais allusion au bébé ?

— En partie.

— Graham ?

Amanda hocha la tête. Le soleil se couchait lentement, marquant la fin d'une longue journée.

— Vous ne parlez toujours pas ?

— Si, un peu. Nous commençons.

— Et qu'en est-il du sexe ?

Amanda lui jeta un regard en coin et éclata de rire.

— On peut toujours compter sur toi pour aller droit au but.

Georgia passa un bras autour de ses épaules.

— Je ne me le permettrais pas avec tout le monde. Mais toi et Graham comptez beaucoup pour moi. Tu passes ton temps à écouter les problèmes des autres. Qui écoute les tiens ?

— Toi.

— J'écoute.

Le crépuscule recouvrait petit à petit le paysage et cette douce pénombre, propice aux confidences, aida Amanda à s'exprimer.

— Il me tient contre lui, la nuit. C'est si confortable que je reste immobile en m'imaginant que nous sommes vieux et que nous nous réconfortons l'un l'autre. Seulement, nous ne sommes pas vieux et nous voulons plus.

— Si vous le voulez vraiment, où est le problème ?

— C'est comme un mur qui se dresse. Dès que nous pensons sexe, la tension apparaît et le malaise s'installe comme si le sexe était devenu un réflexe conditionné.

— Mais il n'en a pas toujours été ainsi ?

— Seigneur, non ! J'aime Graham. J'ai des frissons rien qu'à le regarder.

À cet instant, son regard fut attiré par les hommes qui venaient d'apparaître sous le porche de Gretchen.

— Regarde-le, dit Amanda. Grand, si beau. Difficile de trouver mieux. Et ces yeux... J'adore ses yeux, son sourire. Même sa barbe.

— Russ a essayé de laisser pousser la sienne, une fois, murmura Georgia d'un ton affectueux. Il pensait que cela lui donnerait un look décontracté. Mais elle a poussé de façon irrégulière. Celle de Graham est parfaite.

— Et ses caresses, continua Amanda, lancée maintenant. Sa façon de faire l'amour. Il se montre attentif, doux, eiAISgnVoi

anticipant le moindre de mes désirs, devinant mes besoins. C'est un amant merveilleux.

Elle s'arrêta net et poussa un grand soupir.

— Voilà, tu sais tout. Je l'aime et avec lui, je me sens plus forte.

— Tout ça m'a l'air parfait.

— Ça l'était. Jusqu'à l'année dernière. Maintenant, l'amour est devenu un acte machinal. Toute spontanéité a disparu de nos rapports.

— Vous ne pensez qu'à ce bébé.

— Mais pas ce mois-ci, déclara Amanda avec détermination. Je ne veux plus y penser. Pas question de compter les jours, d'avaler des cachets ou de prendre ma température. Mais ça ne change rien, ajouta-t-elle avec un petit soupir démoralisé. C'est comme si nous étions allés trop loin. Comme si toutes ces épreuves nous avaient fait perdre le goût du jeu. Nous ne parvenons plus à... à...

— Y croire ?

— Oui.

— Envisager l'avenir ensemble ?

— Oui, reconnut Amanda avec soulagement. Merci d'avoir compris.

— J'essaye, mais c'est difficile pour moi de me mettre à ta place. J'ai eu des enfants quand j'en ai voulu.

Un mouvement de l'autre côté de la rue attira leur attention. Les quatre hommes descendaient maintenant les marches du perron et se dirigeaient vers la voiture de police.

— Tu ne penses quand même pas que Graham est le père du bébé de Gretchen ? demanda Georgia à voix basse.

— Parce qu'elle est venue le chercher ? Cela m'a traversé l'esprit, je l'avoue. Mais j'aurais agi de la même façon à sa place. Graham est l'homme idéal dans de telles circonstances. Calme, les idées claires.

— Tu n'as pas répondu à ma question ? gronda gentiment Georgia.

— Non, je ne crois pas qu'il soit le père de cet enfant.
— Alors qui ?

— Elle refuse d'en parler, dit Russ, un peu plus tard.
Ses lèvres sont scellées.

Les trois hommes faisaient des passes de basket-ball
devant chez les Lange, éclairés par une lampe fixée au toit
du garage. Graham piqua le ballon à Lee et pivota pour
éviter Russ qui bloquait l'accès au panier. Il lança le ballon
qui glissa sans heurt à l'intérieur du filet.

— Beau tir, commenta Lee en prenant la balle au
bond et en se mettant à dribbler.

Russ remonta ses lunettes sur son nez et, les deux
mains sur les hanches, regarda les deux autres.

— Je suis étonné que les policiers n'aient pas cherché
à en savoir plus. Comment ne pas se poser des questions
quand elle fait tant de mystères ? Après tout, les abus
sexuels sont légion à notre époque.

— Parle pour toi, dit Lee qui s'apprêtait à viser le
panier.

Mais Graham intercepta facilement le ballon avant de
contourner Lee en dribblant à son tour, de s'avancer rapidement sous le panier, de sauter et de marquer. Puis il
récupéra le ballon et le tendit à Russ qui s'en empara, mais
ne bougea pas.

— Vous savez ce que je veux dire, reprit-il. Elle
refuse de révéler qui est le père et d'un seul coup, quelqu'un entre chez elle et détruit un tableau que son premier mari – qu'elle aime, qu'elle idolâtre même – lui a
offert. Ce vandalisme est peut-être un acte de jalousie.

Lee indiqua du regard le ballon.

— Tu comptes rester planté là à parler ou tu envisages de jouer ?

Graham retint un sourire. Russ n'avait jamais été un
grand sportif. Oh, il portait la tenue de circonstance !
Aucun doute là-dessus. Il lui arrivait même de transpirer
et du fait de sa haute taille, un spectateur peu averti aurait

facilement pu le prendre pour la star de l'équipe. Mais en fait, il appréciait plus la camaraderie que le jeu. À la réflexion de Lee, il lança le ballon à Graham qui se mit à dribbler sur place. Il adorait le bruit du ballon sur le sol, le rythme. Ça lui rappelait son enfance, quand il jouait pendant des heures avec ses frères. Un bruit familier, normal, contrôlable.

— Alors qui pourrait vouloir détruire cette peinture ? demanda-t-il. Je parie sur un des fils de Ben. Ils n'adressaient pas la parole à Gretchen du vivant de leur père et se sont montrés carrément grossiers à sa mort. Je suis même surpris qu'ils n'aient pas contesté le testament.

Il essaya de marquer, mais le ballon heurta le bord du panier et retomba après un rebond. Lee l'intercepta au vol.

— Ils en avaient l'intention, dit-il. Je les ai convaincus de n'en rien faire.

— Tu es souvent en contact avec eux ? demanda Russ.

— De temps en temps. Ce ne sont pas de mauvais bougres. Il nous arrivait de parler bourse quand ils venaient voir leurs parents.

— Et l'avocat ? De quel côté est-il ? s'enquit Graham.

— Deeds ? Deeds est du côté des frères. Mais c'est une mauviette. Il fera tout son possible pour éviter d'aller au tribunal. D'ailleurs, il ne saurait pas quoi y faire.

— Qu'en pensez-vous ? Vous croyez qu'un des fils aurait pu détruire ce tableau ?

— Personnellement ? Non.

— Ils auraient pu payer quelqu'un pour s'en charger ?

— Possible.

— Tu pourrais leur poser la question ?

— Pourquoi ? répondit Lee en riant. Ce qui est fait est fait. C'est terminé maintenant.

Graham lui lança le ballon avec force, beaucoup plus fort qu'il ne l'aurait fait si Lee avait montré une once de compassion. Lee l'attrapa néanmoins, ce qui n'étonna pas Graham. Le bonhomme avait des réflexes de renard.

— Et s'ils n'avaient rien à y voir ? reprit-il. S'il s'agissait de quelqu'un d'autre, quelqu'un qui pourrait bien pénétrer dans ta propre maison, la prochaine fois, quand ta femme serait là ?

Lee fit glisser le ballon sur sa hanche et resta là, les yeux fixés sur Graham, sans dire un mot.

— Bon sang ! s'exclama Graham, sidéré. Pourquoi ne divorces-tu pas tout simplement ? Si tu la détestes à ce point-là, fiche le camp. Laisse-lui refaire sa vie.

— Pourquoi ? Tout va bien pour moi. Nous avons une maison, une famille et encore quelques bons moments.

— Et que se passera-t-il le jour où les enfants quitteront le nid ? demanda Russ. J'y pense souvent. Encore sept ans et il ne restera plus que Georgia et moi. Que feras-tu quand tu seras seul avec Karen ?

— Voyons, répliqua Lee en haussant les épaules. Il n'y aura jamais juste Karen et moi.

Il fit une passe à Graham qui, dégoûté, ne chercha même pas à l'intercepter. La balle se perdit dans la nuit derrière lui.

— OK. Oublions Karen, dit-il. Parlons de toi. Tu es vraiment heureux ainsi ?

— Oui. Je suis heureux. Je lui fournis tout le nécessaire et elle a de quoi s'occuper. Ce qui me permet d'avoir la liberté de faire ce que je veux.

— Liberté est donc le mot clé ?

— Pour moi, oui. Je ne peux pas vivre sans ça. Karen le sait et l'accepte.

— Et tes gosses ?

— Les gamins m'adorent.

Graham se demanda pour combien de temps encore. Il avait détecté les non-dits dans la voix de Jordie. Il y avait peut-être de l'amour, mais aussi beaucoup de ressentiment et aucun enfant ne pouvait tenir longtemps ainsi. Quels que soient ses différends avec sa propre mère, Graham ne pouvait pas lui reprocher ce genre de choses. Ses parents s'étaient profondément aimés et avaient élevé leurs enfants dans une atmosphère d'affection et de respect mutuel. Graham désirait la même chose pour ses propres enfants.

« Et que se passera-t-il s'il n'y a jamais d'enfant ? avait demandé Amanda. Que deviendrons-nous ? Accepteras-tu de rester avec moi ? »

En fait, elle ne considérait qu'un seul aspect du problème et il aurait très bien pu lui retourner la question. Que ferait-elle s'ils n'arrivaient pas à avoir un enfant ? Après tout, les médecins ne pouvaient pas prouver que le problème venait d'elle. Quoi qu'en dise sa famille, le problème venait peut-être de lui et si c'était le cas, peut-être se détournerait-elle de lui ? À supposer que cela n'ait pas déjà commencé.

Cette pensée le mit mal à l'aise.

S'ils avaient été seuls, il s'en serait ouvert à Russ pour qu'il lui remonte un peu le moral. Mais avec Lee, pas question d'aborder des sujets aussi personnels.

Ayant perdu l'envie de jouer, il décida de rentrer.

— Je dois partir, annonça-t-il avant de s'éloigner dans l'obscurité.

13

Malgré la tristesse qui assombrissait les pensées de Gretchen, le mardi s'annonça comme une journée chaude et ensoleillée, saluée par les senteurs du printemps. Debout à l'aube, elle ramassa du lilas pour parfumer sa cuisine et cueillit une brassée de tulipes – rouges, roses et jaunes – qu'elle répartit dans la maison après les avoir mises dans des vases. Seul le salon y échappa. En fait, elle n'y avait pas remis les pieds depuis le départ des hommes, la veille. Au lieu de ça, elle avait branché son alarme et gagné sa chambre qu'elle avait nettoyée du sol au plafond avant de laver tout son linge et de faire une pile de celui qu'elle destinait au pressing. Rien ne prouvait que quelqu'un ait pénétré dans la chambre, mais elle ne tenait pas à prendre de risques. Elle avait fait trop d'efforts pour chasser la saleté de sa vie pour accepter aujourd'hui la moindre concession.

Elle y réfléchissait maintenant, assise dans un rocking-chair sous la véranda. Il n'était que 7 h 30 et le voisinage s'éveillait lentement et musicalement. Le pépiement des oiseaux dans les arbres, le bourdonnement des abeilles dans les fleurs, les bruits de cuisine par les fenêtres ouvertes. Georgia apparut au coin de sa maison, un bras autour des épaules d'Allison. Gretchen aurait donné n'importe quoi pour que sa mère agisse de même avec elle quand elle avait quatorze ans. Lee ouvrit la porte de son garage et y pénétra, suivit de sa fille Julie.

Chez les O'Leary, tout était calme comme souvent. Graham lui avait dit qu'ils tentaient d'avoir un enfant et Gretchen priait pour eux. Ce serait formidable si elle et Amanda accouchaient à quelques mois de distance. Ça les rapprocherait.

À cet instant, cette dernière apparut à son tour sur son palier. Vêtue d'un chemisier et d'un pantalon beige, elle était séduisante et gracile comme Gretchen ne l'avait jamais été. Elle ouvrit la portière de sa voiture et déposa sa serviette, mais au lieu de s'installer, elle descendit l'allée. Gretchen s'attendait à la voir rejoindre Georgia et Allison qui attendaient maintenant à l'arrêt de bus, mais à son grand étonnement, Amanda se dirigea vers elle.

Son cœur se mit à battre très vite. Amanda s'était montrée très aimable, la veille, mais il n'y avait aucune raison pour elle de continuer. Gretchen se demanda si c'était Graham qui l'avait envoyée et, si c'était le cas, pourquoi.

— Bonjour, dit Amanda en s'approchant.
— Bonjour.
— Comment allez-vous ?
— Bien.

Amanda s'arrêta au pied des marches du perron.
— Vous sentez-vous mieux ?
— Un peu.
— Avez-vous réussi à dormir ?
— Un peu. J'avais branché l'alarme.

Gretchen se tut, persuadée qu'Amanda allait hocher la tête et prendre congé après quelques banalités de bon voisinage. Mais ce ne fut pas le cas. Au contraire, elle posa la main sur la rampe et regarda les parterres de fleurs.
— Voulez-vous une tasse de café ? offrit alors Gretchen.

— Non, merci, répondit Amanda avec un petit sourire. J'en ai déjà trop bu. Je dois aller à l'école.

— Alors quelques tulipes ? J'en ai coupé tout à l'heure, mais il en reste beaucoup. Je pourrais vous en donner un bouquet à emporter à votre bureau.

— Oh, vous n'êtes pas obligée de faire ça.

— Vous n'avez pas de tulipes dans votre jardin.

— Non. Étonnant, n'est-ce pas, quand on connaît la profession de mon mari ?

— Ce n'était pas une critique, s'empressa de dire Gretchen qui ne tenait vraiment pas à offenser Amanda. D'ailleurs il a planté d'autres fleurs tout aussi jolies. Les tulipes auraient surchargé l'ensemble. Je trouve votre jardin magnifique.

— Merci. Le vôtre aussi.

— Votre mari a beaucoup de talent.

Son regard fut attiré à cet instant par Graham qui sortait de la maison. Il se dirigea vers son pick-up et leva le bras pour les saluer, avant de s'installer au volant et de reculer.

Les mains serrées sur ses genoux, Gretchen laissa Amanda répondre à son signe de main, mais une brusque envie s'empara d'elle devant cet échange affectueux.

— Vous avez beaucoup de chance de l'avoir, dit-elle.

Quand le véhicule eut disparu au bout de la rue, Amanda se tourna vers elle.

— Et vous, vous avez de la chance d'attendre un enfant, rétorqua-t-elle. Nous aimerions en avoir un, mais ce n'est pas aussi facile que ça.

Ses yeux se posèrent sur le ventre de Gretchen.

— Comment vous sentez-vous ?

— Grosse.

— Une femme est belle quand elle est enceinte.

— Ce n'est pas l'impression que j'ai.

— La grossesse est le plus bel état pour la femme.

— Je suis désolée. J'imagine que ce ne doit pas être facile pour vous de me voir ainsi.

Amanda ne répondit pas, mais grimpa deux marches.

— Est-ce que le bébé bouge ?

— Oui. Surtout la nuit. Et particulièrement la nuit dernière. Quand je parvenais enfin à m'endormir, un coup de pied me réveillait et alors, tout me revenait en mémoire.

— Toujours aucune idée sur l'identité du vandale ?

Gretchen secoua la tête, puis changea de conversation.

— Vous avez des rhododendrons dans votre jardin, dit-elle. J'aimais beaucoup ces fleurs dans le temps. Il y en avait partout là où j'ai grandi.

— Dans le Maine ?

— Oui. Je parie que ça s'entend quand je parle ?

— Seulement de temps en temps. Un mot par-ci par-là.

— Je me corrige.

— Pourquoi ? L'accent du Maine n'est pas si horrible. Quel endroit dans le Maine ?

Gretchen parut mal à l'aise.

— Une petite ville, si petite qu'elle ne figure même pas sur les cartes.

— Si vous le demandiez à Graham, je suis certaine qu'il serait ravi de planter quelques rhododendrons dans votre jardin.

— Il me l'avait proposé. Il a dit que ces plantes adoraient l'acide et s'accorderaient très bien avec mes conifères. Mais j'ai refusé. Mauvais souvenirs, ajouta-t-elle comme Amanda la fixait d'un air perplexe.

— Je suis désolée.

— Ça fait longtemps maintenant. Enfin, pas tant que ça, mais, Dieu merci, c'est du passé.

Elle s'arrêta de parler et détourna la tête. La voix de Ben venait brusquement de lui revenir en mémoire, quand il lui affirmait que les femmes du voisinage finiraient par l'aimer quand elles la connaîtraient mieux. Amanda avait fait un premier pas aujourd'hui et Gretchen souhaitait désespérément exprimer ses craintes. Au moins, si un jour on la retrouvait morte dans sa cuisine, la police saurait où chercher.

— Ma famille n'était pas très... gentille, avoua-t-elle soudain. Et de mauvaises choses se sont produites dans cette ville. Un jour, je suis partie. Tout simplement, sans rien dire à personne, mais parfois j'ai peur qu'ils me retrouvent quand même.

— Ils n'ont pas assisté à votre mariage ?

— Oh, non ! s'exclama Gretchen. C'est une des raisons pour lesquelles nous nous sommes mariés à Paris.

Elle lut ce qu'elle interpréta comme de la surprise ou du doute sur le visage d'Amanda. Résignée, elle continua.

— Je sais que vous pensez tous que Ben m'a épousée sur un coup de tête. Mais c'est faux. Nous avions mûrement réfléchi. Nous savions que ses fils n'approuveraient jamais notre mariage et que de toute façon, ils ne viendraient pas si nous les invitions. Quant à ma famille, il n'était pas question de lui proposer.

— Croyez-vous que l'un d'entre eux ait pu venir abîmer le tableau ?

— Je l'ignore. Mais je reçois toujours des appels anonymes. Je ne pense pas toutefois qu'il s'agisse des fils de Ben et je n'ai pas d'autres ennemis, à part ma famille. Terrible, n'est-ce pas de dire ça de sa propre famille ?

Amanda semblait plus inquiète que choquée.

— J'ai déjà entendu pire, dit-elle. Si vous en parliez à la police, elle pourrait faire des recherches.

— Oui, mais alors ma famille apprendrait où j'habite. Évidemment, si ce sont eux qui téléphonent, ils le savent déjà. Mais dans le cas contraire, je ne tiens pas à ce qu'ils en soient informés.

— Je comprends. Au sujet de ces appels, avez-vous l'affichage du numéro ?

— Non. Ben ne s'intéressait pas beaucoup à tout ça.

— C'est très facile à installer. Il suffit de demander à

la compagnie du téléphone d'ajouter ce service sur votre ligne.

— Bonjour, Amanda, lança Julie Cotter qui venait vers elles en courant. Je vais avoir un nouveau vélo.

— Vraiment ?

— Mon papa va mettre des petites roues. Mais il doit d'abord monter le vélo et il ne trouve pas ses outils.

— Oh, mon Dieu ! s'exclama gentiment Amanda en passant un bras autour des épaules de la fillette.

— Je peux rester avec toi ?

— Une seconde seulement. Ensuite, il faudra partir pour l'école. Moi aussi d'ailleurs. Tu veux montrer tes dents à Gretchen ?

Se tournant vers cette dernière, Julie écarta les lèvres révélant un large trou entre les canines du haut.

— Tu en as perdu deux ? demanda Gretchen.

La fillette hocha la tête, toute fière.

— Tu vas avoir un bébé ? demanda-t-elle à son tour.

— Oui.

— Ma maman dit qu'il doit avoir un papa.

— Pour l'instant, il m'a moi.

— Mais ma maman dit qu'il doit avoir un papa.

— En effet, reconnut Gretchen en espérant ainsi satisfaire Julie.

Elle se raidit, prête pour la question suivante, mais le regard de la fillette se dirigea vers Amanda.

— Si tu viens nous aider tout à l'heure, on pourra monter le vélo plus vite, dit-elle.

Amanda adressa un sourire entendu à Gretchen avant de répondre.

— J'ai une idée. Si ton papa n'arrive pas à monter le vélo, tu viendras chercher Graham. Il est meilleur que moi pour ce genre de chose. D'accord ?

— D'accord.

— Tu ferais mieux de partir maintenant. Le bus ne va pas tarder.

Julie s'élança et Amanda prit congé de Gretchen.

— Je m'en vais, moi aussi. Surtout n'hésitez pas à m'appeler si vous avez un problème.

Gretchen avait promis, tout en considérant l'offre comme une simple façon de parler, très sympathique au demeurant. D'ailleurs, elle ne comptait pas avoir besoin d'aide. En tout cas, pas si vite. Pourtant, cet après-midi-là, un incident se produisit.

Amanda se trouvait encore à l'école et Graham au travail quand on sonna à la porte de Gretchen. S'approchant de l'entrée, elle regarda derrière les rideaux et aperçut deux voitures garées devant chez elle – trop récentes pour appartenir à un membre de sa famille.

Un homme et une femme se tenaient sur le pas de la porte. Elle ne reconnut ni l'un ni l'autre et ouvrit, gardant néanmoins la moustiquaire fermée à clé.

— Madame Tannenwald ? demanda la femme. Nous sommes inspecteurs de la compagnie d'assurances qui a assuré les tableaux de votre mari.

— Mes tableaux, rectifia Gretchen. Je ne vous ai pas appelés.

— Non. Nous avons reçu un appel de David Tannenwald. Il souhaiterait une estimation des dommages.

David était le plus jeune des deux fils de Ben – ce qui lui faisait quand même dix ans de plus que Gretchen.

— J'ignore pourquoi. Ces tableaux m'appartiennent. Au fait, comment est-il au courant de cette histoire ?

— Je l'ignore. Tout ce que je sais, c'est qu'il a téléphoné. Nous avons également reçu un appel de son avocat, Oliver Deeds, qui pense également qu'une estimation s'impose.

— Nous souhaiterions voir les dégâts, prendre des photos et vous poser quelques questions, renchérit la moitié mâle de l'équipe.

Gretchen ne tenait pas à leur présence chez elle, mais toute la maison était assurée chez eux et elle ne voulait pas se les mettre à dos. D'ailleurs, s'ils voyaient les dégâts, ils pourraient en faire état auprès de David Tannenwald et Oliver Deeds et lui éviteraient ainsi leur visite.

— Vous avez des papiers prouvant votre identité ?

— Nous travaillons chez Connecticut Comprehensive, fit remarquer la femme d'un air ennuyé.

Gretchen ne fit aucun commentaire, mais ne bougea pas non plus. Elle attendit simplement jusqu'à ce que finalement, avec un grognement, la femme plonge sa main dans son sac et l'homme dans sa poche. Après avoir attentivement étudié leurs papiers d'identité, Gretchen consentit à ouvrir la porte. Puis elle recula et les laissa entrer. Elle leur indiqua d'abord le tableau dans l'entrée et ensuite les deux du salon. Ils restèrent un moment devant *La Voisine*.

— Bizarre, commenta finalement la femme. Ce tableau est le moins cher des trois.

— Oui, mais il compte beaucoup pour moi.

— Nous ne pouvons malheureusement pas rembourser la valeur sentimentale.

— Je ne vous ai pas demandé de me rembourser quoi que ce soit.

— Voulez-vous dire que vous ne comptez pas porter plainte ?

— Je n'en sais rien. Peut-être que si. C'est ce que mon mari aurait voulu. C'est d'ailleurs pour ça qu'il a assuré ces tableaux.

L'homme sortit un appareil photo et commença à prendre quelques clichés.

— Qui a vu ça ? demanda-t-il.

— La police et mes voisins.

— Non, rectifia la femme. Il veut dire avant. Qui connaissait l'existence de ces toiles ?

— Tous ceux qui ont pénétré ici au cours des deux dernières années.

— Pourriez-vous nous donner une liste de noms ?

— Non. Des douzaines de gens sont venus ici au moment de l'enterrement. Je n'en connaissais pas le dixième.

— Très bien, dit la femme tandis que son acolyte photographiait maintenant le second tableau. Commençons par les visiteurs les plus récents. Vous pouvez me donner des noms ?

— Pour quoi faire ?

— Pour nous permettre de déterminer si vous avez droit à des indemnités.

Le malaise de Gretchen s'intensifiait. Malgré les cartes qu'ils lui avaient présentées, quelque chose clochait.

— Je ne comprends pas. Ces tableaux sont assurés et complètement détruits. En quoi est-ce si important de connaître le coupable ?

— Parce que si vous l'avez fait vous-même, vous n'avez droit à aucun remboursement.

— Si j'ai fait quoi ?

— Si vous avez vous-même...

Gretchen la fixa, sidérée.

— Pourquoi aurais-je fait une chose pareille ? Pourquoi détruire quelque chose que j'adore ?

— Je l'ignore.

— J'aimais ce tableau. C'est la plus belle chose que mon mari m'ait offerte. Je n'aurais jamais pu faire ça. J'en suis malade chaque fois que je le vois.

— Nous essayons seulement d'estimer l'importance du sinistre.

— Je crois que vous devriez partir, dit Gretchen, furieuse.

— Cela ne changerait rien. Ceci est la procédure normale et si nous partons, quelqu'un d'autre viendra. C'est ainsi quand vous faites une déclaration de sinistre.

— Vous devriez partir, répéta Gretchen, incapable de trouver autre chose à dire.

Un raclement de gorge près de la porte attira leur attention.

— Excusez-moi.

Gretchen se tourna et aperçut Oliver Deeds, debout dans l'entrée. Associé dans le cabinet d'avocats de Ben, il avait été nommé exécuteur testamentaire à la mort de ce dernier. De la taille de Gretchen, il portait un costume sombre et une cravate de couleur indéfinie et paraissait beaucoup plus vieux que les quarante et quelques années de son âge. D'abord en raison de ses cheveux, gris et de plus en plus rares sur le sommet de son crâne. Ensuite parce que la tension autour de ses yeux témoignait de sa fatigue et de son surmenage. Ses yeux rouges également, tristes, une tristesse que sa bouche légèrement incurvée vers le bas accentuait encore. Quand il souriait, il paraissait plus jeune et assez bel homme, mais il ne souriait pas souvent.

— Quel est le problème ? demanda-t-il d'une voix tranquille.

Gretchen répondit. Après tout, il était censé être son avocat maintenant.

— Ces personnes sont envoyées par la compagnie d'assurances, mais ce n'est pas moi qui les ai contactées. Pourriez-vous leur demander de partir ?

— Monsieur Deeds, intervint la femme d'une voix résignée. Nous essayions simplement de lui expliquer que ceci est la procédure normale.

Mais Gretchen fixait maintenant l'homme avec l'appareil photo.

— La dernière photo que vous avez prise n'était pas du tableau, accusa-t-elle.

— Je veux seulement remettre cette peinture dans son contexte.

— Plus de photos et je veux que vous partiez.

Elle adressa un coup d'œil implorant à Oliver Deeds.

— Peut-être que si je reste près de lui..., commença ce dernier.

— Non. Ceci est ma maison et personne n'y entre sans ma permission. Ils ont vu les tableaux. La police a dressé un procès-verbal. La compagnie a donc tout ce qu'il lui faut pour faire son travail. Je veux que vous sortiez tous d'ici.

Raide, elle s'avança vers la porte pour leur montrer le chemin. À cet instant, elle aperçut la voiture d'Amanda qui se garait devant chez elle.

Tremblante de colère, Gretchen sortit et traversa la rue.

Amanda fermait sa portière quand Gretchen approcha, de toute évidence très remontée. L'espace d'un instant, elle craignit une confrontation au sujet de Graham. Mais ce dernier n'était pas là et les trois voitures étrangères stationnées devant chez Gretchen suggéraient une autre histoire.

— Je ne leur ai pas demandé de venir, dit Gretchen, visiblement très affectée. Et je ne pense pas qu'ils aient le droit d'être ici.

— Qui ?

— Les gens de la compagnie d'assurances. Et l'avocat de Ben. Je les ai priés de partir, mais ils refusent de m'écouter.

Soulagée que cela ne concerne pas Graham – et un peu honteuse de l'avoir seulement envisagé – Amanda se reprit.

— Venez, dit-elle en se dirigeant vers la maison de Gretchen.

La journée avait été difficile à l'école entre les parents qui téléphonaient toujours pour exprimer leurs inquiétudes après le suicide de Quinn et les professeurs cherchant conseil quant à l'attitude à adopter avec les élèves. Sans parler de l'absence inexpliquée de Jordie aux cours. Beaucoup de stress qui renforçait encore le sentiment d'impuissance d'Amanda. Au moins, aider Gretchen lui procurait-il un peu de réconfort, l'impression d'être utile.

Une impression qui grandit encore à mesure qu'elles approchaient de la maison. Elle sentit en effet Gretchen se reprendre près d'elle et tirer de nouvelles forces de sa présence, ce qui s'avéra très gratifiant.

Amanda reconnut immédiatement Oliver Deeds. Elle l'avait aperçu à plusieurs reprises après le décès de Ben.

Et les deux inconnus à ses côtés devaient être les inspecteurs de la compagnie d'assurances.

Elle s'éclaircit la voix et tous les trois se tournèrent vers elle.

— Je crois que Mme Tannenwald vous a demandé de partir, attaqua Amanda.

— Êtes-vous une de ses amies ? s'enquit la femme.

— Une voisine, répondit l'avocat à la place d'Amanda. Madame O'Leary, n'est-ce pas ?

— Exact, répondit Amanda surprise qu'il s'en souvienne.

— Ces personnes s'en vont, dit-il à Gretchen tandis que les deux inspecteurs se dirigeaient vers la porte.

— Puis-je avoir vos cartes ? demanda Amanda en tendant la main.

Quand ils les lui tendirent, elle les donna à Gretchen qui s'adressa à Oliver.

— Ils ont dit que David vous avait appelé. Comment était-il au courant ?

— Il a reçu un coup de téléphone d'un de vos voisins.

Amanda devina aussitôt de qui il s'agissait.

— Lee Cotter, dit-elle d'un air dégoûté avant de réaliser que Gretchen avait peut-être un autre avis à son propos.

Elle étudia le visage de la jeune femme, mais ne détecta rien dans un sens ou dans l'autre.

— Pourquoi aurait-il appelé David ? demanda Gretchen à Oliver.

— Pour lui raconter ce qui s'était passé. Lee voulait savoir si David ou son frère avait quelque chose à voir dans cette histoire. David n'a pas trop apprécié.

— Et c'était le cas ?

— Non, répondit Oliver. Ils ne vous feraient pas de mal.

— David a dit à la compagnie d'assurances que c'était probablement moi qui avais abîmé ces tableaux.

— Vraiment ? s'exclama Amanda, sidérée. Probablement parce qu'il n'a pas vu votre visage quand vous avez découvert les dégâts.

Elle s'avança pour regarder *La Voisine*. Les lacérations qui lardaient la peinture lui donnaient mal au cœur. Pourtant quelque chose retint son attention, un peu comme une planche du test de Rorschach. Quand on y regardait de plus près, il semblait y avoir comme un dessin dans la façon dont les coups de couteau avaient été donnés. Mais elle ne parvint pas à l'interpréter.

— C'est ce que ces deux personnes recherchaient en venant ici. Des preuves contre moi, dit Gretchen à l'avocat. Pourquoi ? Cela n'a rien à voir avec le testament.

— Je suis l'exécuteur testamentaire et je suis supposé vous protéger. Or c'est David qui m'a prévenu, ce qui m'a surpris. Si j'avais été au courant, j'aurais pu intervenir.

— Pourquoi ? Cela ne regarde pas David.

Amanda se tourna vers eux juste comme Oliver baissait les yeux. Il repoussa les quelques rares cheveux sur son front et soupira. Quand il se redressa, son regard se posa d'abord sur Amanda, puis sur Gretchen.

— Pouvons-nous parler seuls ? demanda-t-il.

— J'ai confiance en Amanda, répondit Gretchen.

Oliver finit par capituler, après un long silence.

— Très bien. David et Alan ne digèrent pas trop bien votre grossesse. Ils pensent que...

— Ils pensent que j'avais un amant avant même la mort de Ben, coupa Gretchen. Cela ne me surprend pas. Dites-leur qu'ils se trompent. Dites-leur que s'ils n'abandonnent pas leurs manœuvres, je les attaque en justice.

— Les attaquer pour quel motif ?

— Je n'en sais rien. C'est vous l'avocat. Diffamation, calomnies, ce que je pourrai trouver. J'ai l'argent nécessaire pour ça. S'ils essayent de salir ma réputation, je n'ai rien à perdre.

Amanda avait envie de retourner examiner la peinture pour tenter de comprendre ce qui avait attiré son attention, mais l'attitude de Gretchen la fascinait. Fragile et si déterminée à la fois, totalement naturelle. Sans parler du sujet abordé qui l'intéressait au plus haut point.

— Avez-vous une relation avec le père du bébé ? demanda Oliver.

— Ce ne sont pas vos affaires.

— Cela pourrait faciliter les choses si je pouvais leur donner un nom.

Gretchen secoua lentement la tête et Oliver changea de tactique.

— Très bien. Oublions David et Alan, dit-il plus gentiment. Vous avez raison. Ceci ne regarde personne à part vous... et moi, puisque j'étais l'avocat de Ben et qu'il m'avait accordé sa confiance. Avez-vous besoin de quoi que ce soit ?

— Non, répondit Gretchen. Je vais bien.

Sa voix restait ferme, mais Amanda crut pourtant y déceler une légère fêlure.

L'avocat la regarda un moment, puis abandonna le sujet.

— Bon. Tenez-moi au courant si vous avez des problèmes. Et n'oubliez pas que vous pouvez retirer autant d'argent que vous voulez de votre compte.

— Je vais bien, répéta Gretchen.

Oliver serra les lèvres et hocha la tête. Alors qu'il se dirigeait vers la porte, il parut se souvenir des tableaux et s'arrêta pour leur jeter un coup d'œil.

— Voulez-vous que j'engage un détective privé pour retrouver le coupable ? proposa-t-il.

— Non.

— Voulez-vous que je parle à la police ?

— Inutile. Ils ne me suspectent pas, eux.

— Ni moi. Mais une intervention masculine pourrait peut-être accélérer les choses.

— Elle en a bénéficié d'une, dit Amanda. Mon mari connaît les policiers qui sont venus. Il s'assurera que le dossier de Gretchen reste bien sur le dessus de la pile.

Oliver parut perdre de sa superbe.

— Oh, je vois. Très bien, mais si Gretchen a besoin de quoi que ce soit, son argent est là pour ça.

À peine avait-il franchi le seuil de la porte que Gretchen se tournait vers Amanda.

— L'argent est là pour ça ! C'est faux. Il est pour les fils de Ben. Cet homme me traînerait devant les tribunaux s'ils le lui demandaient.

Elle eut une exclamation dégoûtée, fit un geste désabusé de la main et se détourna avant de revenir vers Amanda.

— Ben avait dit que je pouvais compter sur Oliver. Tu parles ! Il a clairement choisi son camp. Je préférerais mourir plutôt que de l'appeler.

Elle devint soudain très pâle et porta la main à son ventre. Puis elle respira un grand coup en se redressant.

Amanda remarqua aussitôt son malaise.

— Que se passe-t-il ? demanda-t-elle.

Gretchen s'assit lentement sur le canapé en soutenant son ventre. Elle s'astreignit à respirer profondément pendant quelques secondes.

— Alors ? s'inquiéta Amanda.

— Contractions de Braxton-Hicks. Le médecin a dit que c'était normal. Ça commence à aller mieux.

— Vous en êtes sûre ? Voulez-vous un verre d'eau ou autre chose ?

— Non, merci. Vous en avez déjà assez fait pour moi.

Se relevant, elle se dirigea vers la cuisine.

Amanda eut brusquement le sentiment d'avoir été congédiée. Mais se reprenant, elle se demanda s'il ne s'agissait pas plutôt d'une espèce de réserve ou même de prudence. Vu le peu de relations que ses voisines avaient jusqu'alors entretenues avec elle, Gretchen avait toutes les raisons de se montrer circonspecte.

Pour s'assurer que tout allait bien, Amanda la suivit dans la cuisine et son attention fut immédiatement attirée par des cahiers et livres posés sur la table.

— Qu'est-ce que c'est ? demanda-t-elle.

Gretchen qui venait de boire un verre d'eau, rassembla rapidement les documents.

— Rien, dit-elle, d'un air plus gêné qu'offusqué.

— On aurait dit du français, insista Amanda.

— J'essaie de l'apprendre, avoua Gretchen. J'adorais écouter parler cette langue quand j'étais en France avec Ben. Mais ce n'est pas facile. Voulez-vous un verre d'eau ou de jus de fruit ? proposa-t-elle ensuite.

— Non, je dois rentrer. J'ai des rapports à écrire.

Gretchen l'accompagna jusqu'à la porte.

— Ce matin, j'ai contacté la compagnie du téléphone pour l'affichage du numéro du correspondant, dit-elle. Je n'ai pas encore reçu d'autres appels, mais c'est quand même une bonne idée.

— En tout cas, ça peut toujours servir.

— Merci d'être venue à mon secours.

— Ravie d'avoir pu vous être utile. Trois contre une semblait un peu déséquilibré. Vous vous sentez mieux maintenant ?

Gretchen hocha la tête en ouvrant la porte.

— Merci encore.

Amanda éprouvait une certaine fierté en regagnant sa maison. Aider Gretchen lui avait procuré beaucoup de satisfaction et elle brûlait d'impatience d'en parler à Graham.

Mais celui-ci n'allait pas tarder à appeler pour la prévenir qu'il rentrerait tard sous un prétexte fallacieux comme elle devait le découvrir un peu plus tard.

14

Quand Amanda quitta la maison de Gretchen, Karen se trouvait sous sa véranda, une cigarette à la main qu'elle cachait le long de sa cuisse. Elle l'observa tandis qu'elle retournait chez elle et se demanda ce qui se tramait. Et plus elle réfléchissait, plus son malaise augmentait. Finalement, après avoir tiré une dernière bouffée, Karen écrasa le mégot sous la rambarde, le jeta au loin et descendit les marches.

— Maman ? appela Julie de la fenêtre de sa chambre.

— Je vais chez Amanda, chérie. Je reviens tout de suite.

— Et notre tarte ?

— Je reviens tout de suite, répéta Karen.

Qu'est-ce qui lui avait pris de suggérer de faire une tarte ?

La faute en revenait au supermarché qui offrait des promotions intéressantes sur les plus belles myrtilles que Karen ait vues depuis longtemps et évidemment – bonne poire comme toujours – elle s'était dit que sa famille apprécierait sûrement une petite tarte maison. Julie, en tout cas, et les jumeaux sans aucun doute. Jordie n'y ferait probablement pas attention – depuis la mort de Quinn, il se comportait comme un véritable zombie. Et Lee ? Lee n'aimait pas les myrtilles.

Mais Lee rentrerait tard. Il avait du travail, à ce qu'il
paraît, et elle ne pourrait de toute façon jamais vérifier la
véracité du prétexte invoqué. Les relevés de son portable
ne lui permettaient pas de savoir où il se trouvait quand
il téléphonait. Elle n'avait pas repéré le numéro de Gretchen sur ces factures et celles du poste à la maison ne
donnaient pas le détail des appels. Mais Lee pouvait très
bien lui téléphoner de son bureau et entretenir avec elle
des relations très spéciales pendant ses prétendues ses-
sions de travail tardives. Le sexe au téléphone était
devenu une pratique courante – on en parlait dans tous
les journaux – et, pour sa part, elle le considérait comme
une faute aussi grave que l'acte lui-même.

Cela étant, l'absence de Lee, ce soir, l'arrangeait. La
remise des diplômes approchait et elle devait appeler plusieurs parents d'élèves et solliciter leur aide pour la préparation du repas prévu à cette occasion. Elle n'aurait donc
pas eu de temps à consacrer à son mari. D'ailleurs, à bien
y réfléchir, elle en avait à peine pour faire une tarte et
encore moins pour rendre visite à Amanda. Mais impossible de laisser passer ça.

Amanda venait de déposer les sacs du supermarché
et le courrier du jour sur la table de la cuisine quand
Karen monta les marches et ouvrit la porte.

Elle l'accueillit avec un sourire.

— Bonjour, Karen, dit-elle.

— C'est bien toi que j'ai vue sortir de chez Gretchen ?
demanda cette dernière d'un air dégagé.

Mais Amanda détecta aussitôt la tension sous son
apparente nonchalance. Les lignes de chaque côté de ses
lèvres en témoignaient.

— En effet, répondit-elle.

— Il semblait y avoir beaucoup de monde. Des gens
que je connais ?

— Non. Deux des voitures appartenaient aux inspecteurs de la compagnie d'assurances et la troisième, à Oliver Deeds. Ils étaient là pour estimer les dégâts.

— Pourquoi est-elle venue te chercher ?

Amanda commença à ranger ses achats dans le réfrigérateur.

— Elle n'a pas l'habitude d'affronter des gens pareils et elle avait besoin d'un support moral.

— Ces inspecteurs s'occupent aussi de rechercher les coupables ?

— Seulement pour pouvoir déterminer si elle a droit à une indemnisation.

— Elle réclame donc de l'argent. Je comprends mieux ce qu'elle voulait dire quand elle affirmait que ces tableaux comptaient pour elle. À se demander qui a pu commettre ce délit...

— Qu'entends-tu par là ?

— Eh bien, elle ne serait pas la première personne à détruire quelque chose juste pour toucher la prime d'assurance.

Les inspecteurs de la compagnie avaient suggéré la même chose, mais l'instinct d'Amanda lui soufflait qu'ils se trompaient.

— Oh, je ne pense pas que ce soit le cas. Ce n'est d'ailleurs pas elle qui a prévenu la compagnie d'assurances mais David Tannenwald et seulement après que Lee l'eut mis au courant.

— Lee ? s'exclama Karen, d'une voix passablement affolée. Pourquoi Lee aurait-il appelé David ?

Amanda secoua la tête et haussa les épaules.

— Alors ? continua Karen. Ont-ils des suspects ?

— Pas encore. Graham m'a laissé un message. Il a parlé avec les policiers. Aucune autre effraction n'a été signalée et personne n'a rien remarqué de suspect de l'autre côté du bois.

— Et qu'est-ce qu'ils en concluent ? demanda Karen d'une voix sèche. Que celui qui a fait ça habite par ici ?

— Non. Cela signifie simplement qu'ils n'ont aucune piste, répondit Amanda d'un ton apaisant.

— Et les empreintes ?

— Il y en avait probablement, mais trop de gens ont touché la porte.

— Qu'en pense Gretchen ?

— Elle n'est pas très contente.

— Compte-t-elle maintenir sa plainte ?

— Je ne crois pas. Elle est surtout complètement démoralisée à cause des tableaux.

— Tu penses qu'elle va déménager ?

— Déménager ? demanda Amanda, surprise. Elle n'y a pas fait allusion.

— À quoi a-t-elle fait allusion ?

— Au bébé, dit Amanda parce que cela lui semblait un sujet positif.

Bien mal lui en prit. Karen l'interpréta aussitôt de façon négative.

— Elle parle du bébé en connaissant tous les problèmes que tu rencontres ? s'indigna-t-elle. Quel égoïsme ! Et tu continues à lui rendre visite ? Trois fois en deux jours. Que se passe-t-il ? Tu l'aimes bien ?

— Je n'ai rien à lui reprocher, répondit Amanda avec honnêteté. En fait, je n'ai jamais rien eu contre elle. Je n'ai simplement jamais eu l'occasion de mieux la connaître. Je la trouvais distante.

— Vous êtes devenues amies ? s'exclama Karen comme s'il s'agissait d'une véritable trahison de sa part.

Amanda comprenait la réaction de Karen. Elle réagirait probablement de la même façon si elle était mariée avec Lee. Mais elle avait épousé Graham qui ne l'avait jamais trompée. Pour cette raison, elle tenait à lui conserver sa confiance.

— Amies, c'est beaucoup dire. Mais il y a peut-être plus à apprendre à son sujet que nous le pensions.

— Ouais... Comme par exemple qu'elle vole le mari des autres.

Amanda pensait plutôt aux livres de français qu'elle avait aperçus sur la table. Le fait que leur voisine apprenne une autre langue à ses moments perdus donnait d'elle une image très différente de celle d'une femme assise devant sa télévision à regarder des feuilletons à longueur de journée. Mais elle ne tenait pas à en informer Karen.

— Gretchen est un être humain comme les autres, une femme qui a traversé des moments difficiles et je crois qu'elle apprécierait notre soutien.

— Sa prétendue fragilité n'est peut-être qu'une comédie, répliqua Karen avec une moue dédaigneuse.

— Pourquoi ferait-elle ça ?

— Parce qu'elle cherche des alliées. Bon sang, Amanda, n'en ferais-tu pas autant à sa place ? Quel meilleur moyen de piquer un homme que de devenir amie avec sa femme ?

Amanda en resta bouche bée. Malgré la compassion qu'elle éprouvait pour Karen, cette dernière ne lui inspirait guère de sympathie en cet instant.

— Quel cynisme ! s'exclama-t-elle avec détachement, mais fermeté.

— En tout cas, tu dois bien admettre qu'elle refuse toujours de donner le nom du père. Pourquoi un tel mystère ? S'il s'agit d'un étranger que nous n'avons jamais vu, pourquoi n'en rien dire ?

— Je l'ignore, mais elle a probablement ses raisons. Peut-être cherche-t-elle à protéger quelqu'un.

— Exact.

— Karen ! Cela ne signifie pas pour autant que nous connaissons cet homme. Des tas de raisons peuvent la pousser à agir ainsi.

Elle se remémora les allusions de Gretchen à sa famille dans le Maine. Mais là aussi, pas question d'en parler à Karen.

— Après tout, quelqu'un a pénétré chez elle pour se livrer à des actes de vandalisme.

— Je me méfierais si j'étais toi, dit Karen, pas du tout convaincue.

— D'un autre côté, si je me rapproche d'elle, j'obtiendrai peut-être des confidences ?

— Il se peut également qu'elle continue à raconter des mensonges.

— En tout cas, je ne vois pas quel mal il y a à lui témoigner un peu de gentillesse. Elle n'a pas demandé à ce que l'on vienne lacérer ses tableaux.

— Tu agis ainsi pour faire plaisir à Graham ?

— Non, pour moi. Depuis quelques temps, je me sens inutile, impuissante comme si j'avais perdu tout contrôle sur les événements. Avec Gretchen, j'ai l'impression de servir à quelque chose. Cela fait du bien, tu sais.

Elle pensa à Quinn qu'elle n'avait pas su aider, à Jordie qui ne s'était pas présenté à leur rendez-vous aujourd'hui.

— Comment va Jordie ? demanda-t-elle d'un air détaché.

— Bien, répondit Karen, mais sa voix s'était brusquement durcie. Pourquoi me poses-tu cette question ?

— Quinn était son ami. Beaucoup de ses copains sont passés me voir pour en parler. Ils ont du mal à reprendre une vie normale.

— Jordie va bien. Il est malheureux, mais il va bien.

Quand elle téléphona de Kansas City, la voix de sa fille lui mit aussitôt la puce à l'oreille. Quelque chose n'allait pas. Compte tenu des derniers événements, son imagination s'emballa.

— Que se passe-t-il, ma chérie ? demanda Georgia, anxieuse.

— Je viens juste de me disputer avec Jordie, expliqua Allison. Il dit que tout le monde a repris sa petite vie comme si rien ne s'était passé, alors que Quinn est mort. Mais que pouvons-nous faire d'autre, maman ? Personne n'a oublié Quinn et on en parle encore à l'école, mais les cours continuent et tout le reste. On ne peut pas parler de la mort sans arrêt.

— Le lui as-tu dit ?

— Oui, mais il dit que je suis insensible. Tu crois que je suis insensible ?

— Non. Tu es la personne la plus sensible que je connaisse.

— Jordie est complètement ailleurs. Des fois, on lui parle, mais il ne semble pas entendre. Il trouve que Quinn était formidable. Mais il s'est quand même suicidé. S'il était si formidable que ça, aurait-il agi ainsi ?

— Non.

— Quinn était sympa, c'est vrai, je suis la première à le dire. Il était intelligent, un grand joueur de base-ball, mais il n'était pas parfait pour autant. Comment le faire comprendre à Jordie ?

— As-tu essayé de lui en parler carrément ?

— Oui. Il dit que je ne sais pas de quoi je parle, puis il tourne les talons et s'en va. Nous sommes tous malheureux, mais, lui, il s'en va. Est-ce que c'est vraiment un ami s'il n'est pas là quand on a besoin de lui ? N'est-ce pas à ça que servent les vrais amis, à être présents quand les temps sont durs ?

— En effet, reconnut Georgia, non sans une petite pointe de culpabilité.

Elle tenait tellement à être là pour Allison. Et pas seulement comme une mère. Sa fille devenait une femme et elle voulait être son amie. Et voilà qu'elle se trouvait à nouveau à des milliers de kilomètres d'elle.

— Papa dit qu'avec les hommes, c'est une question d'honneur et que je dois aborder la question par la bande. Mais je ne vois pas comment je pourrais faire alors que je ne comprends même pas ce que cela veut dire.

— Parles-en avec Amanda. Elle saura te conseiller.

— J'aimerais bien, mais ces derniers temps, elle est toujours chez Gretchen.

— Pas toujours.

— Bon, d'accord, peut-être pas, mais en tout cas, elle y était encore il y a quelques minutes. Est-ce que ça veut dire que Gretchen est une personne bien ? Qu'on peut la fréquenter maintenant ?

Georgia se sentit soudain un peu coupable.

— Gretchen a toujours été quelqu'un de bien.

— Tu ne l'as jamais aimée.

— Disons que je n'ai jamais eu l'occasion de la connaître vraiment. C'est peut-être ce qu'Amanda est en train de faire et c'est très bien. Amanda est très bonne dans ce genre d'exercice. Va lui parler, ma chérie. Elle t'aidera avec Jordie.

— J'aimerais bien que tu sois là.

Georgia aussi, mais elle passait ses journées avec son avocat à rédiger les dernières clauses du contrat. L'affaire pourrait très bien se conclure avant la fin de la semaine, du moins si Georgia acceptait de rester à la tête de la compagnie. Or, on touchait justement là le point le plus épineux du contrat. Si elle s'y refusait, elle se retrouverait à la case départ et devrait recommencer toutes les négociations avec une autre société. Cette seule pensée la rendait malade après tout le temps et les efforts qu'elle avait déjà consentis.

« J'aimerais bien que tu sois là », lui disait sa fille.

Le sentiment familier revenait déjà et elle n'était partie que depuis ce matin.

— Moi aussi, dit-elle. Mais la semaine va être courte, Allie. Je serai rentrée demain soir. Passe-moi ton père, tu veux ?

— Bonsoir, dit Graham.

Au son de sa voix, le cœur d'Amanda fit un bond dans sa poitrine.

— Bonsoir. Je me demandais quand tu allais appeler. Tu seras bientôt là ?

Elle préparait le dîner, anxieuse de lui parler. Elle avait besoin de lui, un besoin qui n'avait rien à voir avec l'envie d'être réconfortée ou le suicide d'un adolescent. Ce besoin concernait l'avenir, leur avenir et elle ne pouvait continuer dans le brouillard.

— En fait, je me dirige dans la direction opposée de la maison, répondit Graham.

— Tu vas à Providence ?

— Non. Stockbridge.

Il avait dessiné les jardins d'un musée, quelques mois auparavant et le projet s'avérait une telle réussite que sa photo trônait déjà sur le mur de son bureau.

— Je croyais Stockbridge terminé, fit remarquer Amanda.

— Moi aussi. Mais ils discutent encore mes honoraires.

— Ils en avaient pourtant approuvé le montant en signant le contrat.

— Je sais, mais ils disent que tous les sous-traitants ont dépassé leur budget et qu'ils n'ont plus d'argent. Je vais donc défendre mon cas à une réunion du conseil d'administration.

Graham ne se rendait pas à Stockbridge bien que ce qu'il ait dit soit vrai. Les directeurs du musée rechignaient en effet à payer sa facture qui comprenait, outre la conception du projet, son exécution par l'équipe de Will sous la supervision de Graham. Pourtant, sans même parler de la qualité du résultat, l'investissement en temps, à lui seul, avait été considérable, comme il avait d'ailleurs tenté de l'expliquer au conseil cet après-midi même, lors d'une conférence téléphonique.

Non, ce soir, il dînait avec son frère Peter. Mais Amanda s'était montrée si paranoïaque à propos de sa famille qu'il préférait ne pas le mentionner. Ni aux autres membres de la famille d'ailleurs. Aussi avait-il choisi un endroit retiré à une heure de route pour l'un comme pour l'autre. Fidèle à lui-même, Peter avait accepté sans même poser de questions, une qualité que Graham appréciait et qui justifiait son choix parmi ses autres frères.

Ils se retrouvèrent dans le parking, s'embrassèrent et pénétrèrent dans l'établissement où ils se glissèrent à une table au fond de la salle. Ils dînèrent en parlant de tout et de rien et, une fois rassasié, Graham en vint à son problème.

— Nous devons parler de la famille, dit-il. Je ne sais plus comment leur faire comprendre.

— À propos du bébé ? demanda Peter toujours aussi perspicace.

Graham laissa éclater toute la frustration qui couvait en lui depuis des semaines.

— Ils n'arrêtent pas d'en parler, de poser des questions. Ils ne cessent de me répéter combien maman aimerait me voir devenir père. Ils font des suggestions sur ce que nous devrions faire pour concevoir cet enfant, comme si nous nous y prenions mal ou que nos médecins n'étaient que des incapables.

— Ils s'inquiètent et voudraient sincèrement vous aider.

— Eh bien, ça ne marche pas et en plus, ça sème la zizanie dans mon couple. On a déjà vu des mariages brisés à cause de l'interférence de la famille. Nous traversons une période difficile. Le stress généré par les échecs successifs de toutes les méthodes pèse lourd sur Amanda et leur attitude n'arrange vraiment rien. Maintenant, elle commence à croire que je prends parti.

— Elle se trompe ? demanda Peter.

Une question que Graham s'était posée nombre de fois au cours des derniers jours.

— Je n'en sais rien. Ce n'est certes pas mon intention, mais la pression est lourde pour moi aussi, sinon pire. Vous représentez mon passé, mes racines. Je vous aime et je respecte votre opinion. Mais je suis marié à Amanda qui est mon présent, mon avenir.

Les paroles de sa femme lui revinrent une fois de plus

en mémoire. Que se passera-t-il si nous n'avons pas d'enfant ? Que deviendrons-nous ?

— Tu n'as pas l'air très convaincu, Gray, fit remarquer Peter.

Graham ouvrit la bouche pour protester, mais aucun son ne sortit. Réfléchissant à la signification d'une telle réaction, il détourna les yeux.

— Je ne sais plus quoi penser, reconnut-il non sans un sentiment de crainte. Cette histoire de bébé détruit notre couple et je ne sais pas si nous pourrons recoller les morceaux.

— À ce point-là ?

— Pas tout à fait, mais tout allait si bien jusque-là. J'ignore encore si nous sortirons indemnes de cette épreuve.

— L'aimes-tu ?

— Oui, répondit-il en le regardant dans les yeux.

— Pourquoi ?

— Pourquoi ? Que veux-tu dire ?

— Qu'est-ce que tu aimes chez elle ?

Graham se redressa et réfléchit un instant. Il n'eut aucune peine à se retrouver six ans plus tôt, sur cette colline du Greenwich, lors de sa première rencontre avec Amanda.

— J'aime son physique. Elle est petite, délicate, si féminine. Je ne veux pas dire que Megan ne l'était pas, ajouta-t-il très vite, embarrassé. Mais Amanda est différente. Parce qu'elle est petite, je me sens fort, viril.

C'était en effet une des premières choses qu'il avait ressenties. Avec son expérience précédente, cela comptait plus encore que pour un autre homme et il ne recherchait pas d'excuses.

— J'aime son côté fragile, ses jambes et la façon dont ses cheveux bouclent.

— Ce ne sont que des aspects physiques, interrompit Peter.

— Pas tout à fait. Ils cachent un comportement. Elle

tente de discipliner ses cheveux pour qu'ils restent bien coiffés, mais les boucles s'échappent toujours et j'adore ça. C'est comme ce côté sauvage en elle qu'elle ne peut totalement étouffer malgré ses efforts.

— S'exprime-t-il de différentes façons ? demanda Peter en souriant.

— Oh oui. Nous avions l'habitude de faire de grandes randonnées en montagne et il lui arrivait de trébucher et de tomber, mais elle se relevait toujours en riant. Même chose en kayak. Elle se retournait plus souvent que n'importe qui, mais sans jamais s'avouer vaincue. Sous ses airs tranquilles, elle est aventureuse, toujours partante pour de nouvelles expériences. Et puis, il y a sa sensibilité, tu sais, avec son travail.

— Je l'ai observée avec ses neveux et je reconnais qu'elle est formidable. Mais je ne l'ai jamais vue en action à l'école.

— Moi si. On dirait qu'elle devine toujours le ton juste à adopter, la bonne approche. Et pourtant, les élèves réagissent très différemment les uns des autres. Certains doivent être pris avec douceur, d'autres au contraire ont besoin d'être bousculés. Sans dire grand-chose, elle sait trouver les mots qui réconfortent et apaisent. Elle est également intelligente, pleine de bon sens et j'aime ça. La première fois que je l'ai vue, elle portait un nœud rouge pour tenir ses cheveux en arrière. On ne l'apercevait que de temps en temps. Un éclat rouge. Et elle me plaît en rouge.

— Quel aventurier ! gloussa Peter.

Mais Graham se trouvait toujours sur sa colline. Le ruban rouge n'était pas la première chose qu'il avait remarquée chez elle, ni ses cheveux blonds ou son physique. Il tenta d'exprimer le plus justement sa pensée.

— Je crois que ce qui a retenu mon attention chez elle, c'est sa façon de me regarder. Nous étions plusieurs à travailler ce jour-là, mais c'est moi qu'elle regardait et, sans parler de fierté masculine, je me suis senti spécial.

Comme si j'étais seul, unique à ses yeux. Un sentiment que je ressens souvent en sa compagnie.

Il regarda son frère s'attendant à le voir rire comme n'auraient pas manqué de le faire Will, Joseph et Malcolm. Mais Peter resta sérieux, pensif.

— Tu as dit que vous aviez l'habitude de faire des randonnées et du kayak. Pourquoi ? Vous n'en faites plus ?

— Pas depuis quelques temps.

— Pourquoi ?

— Pas le temps. Notre travail nous accapare et nous redoutons aussi de faire quelque chose qui pourrait réduire nos efforts à néant pour avoir un enfant. Cette grossesse est devenue une véritable obsession.

— Avoir des enfants n'est qu'un aspect d'une relation, dit Peter.

— Va répéter ça à Joseph, à Will, à James, à MaryAnne ou à Kathryn, ricana Graham.

— Je le ferai si tu veux. Je ferai tout ce qui est en mon pouvoir pour vous aider, Gray.

Graham le savait et c'était la raison pour laquelle il avait voulu le voir. Mais il ne s'agissait pas seulement de parler à ses frères et sœurs.

— Je sais bien qu'ils m'aiment et ne veulent que mon bonheur. Ils sont pleins de bonnes intentions, mais sans le vouloir, ils rendent une situation déjà difficile, pire encore. Ce problème n'existait pas pendant mon mariage avec Megan parce que vous la connaissiez tous. Elle faisait déjà partie de la famille. Amanda, elle, est tellement différente – de nous tous, de Megan – que l'osmose ne se fait pas quand nous nous retrouvons tous ensemble. Et je me sens écartelé entre ma femme et ma famille. Comment trouver un juste équilibre ?

Peter ne répondit pas. Il semblait réfléchir.

— Tout serait certainement plus simple si nous parvenions à avoir des enfants, reprit Graham. Mais que se passera-t-il si ce n'est pas le cas ? Vont-ils en rejeter la responsabilité sur Amanda et la repousser ? Vont-ils nous laisser tranquilles ? Parce qu'en insistant comme ils le font, ils me mettent à l'écart et je ne veux pas avoir à choisir.

— J'ai compris, dit Peter. Qu'attends-tu de moi ? Que je leur parle ?

— Non, sauf s'ils amènent le sujet sur le tapis.

— Et si c'est le cas ?

— Alors, dis-leur de nous laisser tranquilles. Qu'ils s'occupent de leurs affaires. Explique-leur que je suis un grand garçon – que j'en connais plus qu'eux sur le sujet de l'infertilité. Que je désire un bébé de tout mon cœur, mais que leur harcèlement devient pénible. Dis-leur que s'ils veulent vraiment nous aider, ils doivent accepter Amanda comme un membre à part entière de la famille. Bon sang, Peter, dis-leur ce que tu veux. Toi, ils t'écouteront.

— Et pour maman ?

— Je m'en charge.

Il ne savait pas encore comment, mais il trouverait bien un moyen. Cela réglé, il voulait poser une dernière question à son frère, le prêtre.

— Dis-moi que ça n'a pas d'importance si nous n'avons jamais d'enfant.

— Oh, vous en aurez. Si vous n'y parvenez pas naturellement, vous pourrez toujours en adopter un.

Ce n'était pas ce que Graham voulait entendre.

— Dis-moi que ça n'a pas d'importance si nous n'en avons pas un à nous.

— Bien sûr. Aucune importance. Si vous ne parvenez pas à concevoir un enfant, c'est la volonté de Dieu. En tout cas, c'est mon avis. Quel est le tien ?

Amanda rédigeait un rapport quand le téléphone sonna.

— Allô ?

— Graham O'Leary, s'il vous plaît.

— Je suis désolée, il est absent pour le moment. Qui est à l'appareil ?

— Stuart Hitchcock, de Stockbridge. Je voulais le remercier d'avoir bien voulu nous consacrer un peu de temps cet après-midi. J'ai toujours pris son parti et il a très bien défendu sa position. J'aurais aimé pouvoir lui donner une réponse quand il a appelé, mais plusieurs membres du conseil d'administration avaient des projets pour la soirée et nous avons dû nous séparer à 18 heures. Une autre réunion est prévue la semaine prochaine. Pourriez-vous lui dire que nous ne manquerons pas de le prévenir dès que nous aurons pris une décision ?

Amanda accepta en se demandant où son mari passait la soirée puisque, de toute évidence, il n'était pas à Stockbridge contrairement à ce qu'il avait annoncé.

15

Quand Graham rentra enfin, Amanda ne voulait plus savoir où il avait passé la soirée. Assise sur le canapé, aussi détendue qu'on puisse l'être avec l'esprit en bataille, elle l'écouta ouvrir la porte. Elle aurait pu se lever et l'attaquer de front, mais sa colère était trop grande, de même que sa déception et sa peur.

Elle choisit donc d'écrire le message de Stuart Hitchcock qu'elle tendit à Graham, le lendemain matin, au petit déjeuner. Ce dernier le lut, puis resta une éternité à fixer le morceau de papier qui le condamnait sans appel avant de relever les yeux dans lesquels elle lut sa culpabilité.

— J'étais avec Peter, avoua-t-il. Je devais lui parler et je pensais que tu n'apprécierais pas.

Pourquoi pas ? De tous les O'Leary, Peter était celui qui lui inspirait le plus confiance. Mais là n'était pas la question.

— Tu m'as menti, fit-elle remarquer.

— Je n'avais pas vraiment le choix.

— On a toujours le choix, affirma-t-elle.

Il ne répondit pas, ne bougea pas, mais son visage exprimait le conflit qui l'agitait. Amanda se sentait, elle aussi, partagée. Une partie d'elle-même souhaitait le serrer dans ses bras, le rassurer, lui dire qu'elle comprenait et qu'elle l'aimait malgré tout, mais l'autre ne tenait pas à se mettre à nu avant de connaître d'abord ses sentiments.

— Question confiance, ton attitude ne me facilite pas les choses, dit-elle comme Graham ne semblait pas décidé à aborder le sujet.

— Confiance ? Oh, seigneur ! Tu en es toujours à Gretchen ?

— J'en suis à que-représentons-nous-l'un-pour-l'autre. Tu n'as toujours pas répondu à la question de savoir ce qui se passerait si nous ne parvenons pas à avoir un enfant.

— Nous aurons un enfant, répondit-il d'un air abattu. D'une façon ou d'une autre, nous en aurons un.

Amanda ignorait ce qu'il entendait par d'une façon ou d'une autre. Quant à son air malheureux, il pouvait très bien s'expliquer par son refus de donner une réponse plus honnête. Quoi qu'il en soit, cet échange ne lui avait pas apporté de réponses satisfaisantes.

— Je dois partir, dit-elle en attrapant sa serviette.

Entre le moment où elle se leva et celui où elle franchit la porte, Graham aurait eu largement le temps de se lever et de dire « Attends, parlons. Je veux passer le reste de ma vie à tes côtés, avec ou sans enfant, et je n'ai jamais regardé une autre femme. C'est toi que j'aime. »

Mais il ne bougea pas.

Amanda se jeta à corps perdu dans le travail qui, Dieu merci, ne manquait pas. Elle reçut trois élèves venus chercher conseil et de nombreux coups de téléphone de parents. Une mère s'inquiétait des notes de sa fille qui dégringolaient alors que la fin de l'année approchait. Une autre voulait savoir si l'attitude de son fils à la maison lui paraissait normale. Une autre encore faisait part de la mauvaise influence des copains de son fils sur ce dernier. Les parents d'une élève l'avertirent qu'ils divorçaient et que leur fille réagissait mal à cette nouvelle. Quelques-uns enfin appelèrent au sujet du suicide, tenant à s'assurer que l'école restait vigilante.

Amanda répondit en professionnelle confirmée jusqu'à ce qu'Allison Lange se présente sur le seuil de la porte, en fin de matinée. Comme la plupart des élèves qui venaient lui demander son aide, elle paraissait indécise, hésitante.

Mais Amanda se sentit aussitôt concernée. D'abord parce qu'elle connaissait bien l'adolescente, mais aussi parce qu'elle savait qu'Allie et Jordie étaient proches et que Jordie traversait actuellement une période difficile. Elle lui avait envoyé un e-mail ce matin, mais n'avait toujours pas reçu de réponse.

Attirant Allison dans son bureau, elle referma la porte derrière elle.

— Bonjour, ma belle, lança Maddie.

— On dirait que tu as besoin d'une amie, fit remarquer Amanda.

Allison ne sourit pas.

— Ma mère répète que je dois vous parler, commença-t-elle. Je voulais passer, hier soir, mais j'ai eu peur qu'on me voie.

Elle s'approcha de la cage du perroquet.

— Évidemment, personne n'aurait pu savoir de quoi nous parlions, mais je me serais quand même sentie coupable.

— Je t'aime, dit Maddie.

— Coupable ? reprit Amanda en s'approchant d'elle.

— À propos de Jordie.

— Je m'inquiète aussi à son sujet, dit Amanda en repoussant une mèche de cheveux de la jeune fille derrière son oreille. Je crois qu'il est perturbé par... beaucoup de choses.

Allison parut soulagée qu'Amanda ait remarqué et se sentit plus libre de s'exprimer.

— Je peux à peine lui parler. On dirait une autre personne. Il desserre à peine les lèvres et quand je lui demande ce qui ne va pas, il m'envoie sur les roses. Il marche dans les couloirs avec l'air de défier quiconque de s'approcher de lui. À part que...

Elle s'arrêta, parfaitement immobile maintenant.

— À part qu'il n'est pas là aujourd'hui, conclut-elle.

Ce qui expliquait probablement pourquoi il ne répondait pas au courrier d'Amanda.

— Est-il malade ?

— Il ne l'était pas ce matin. Je l'ai vu dans le bus. Il est descendu avec les autres et a pénétré dans l'établissement, mais il ne s'est pas présenté au cours de mathématiques et personne ne l'a aperçu depuis.

— Personne ?

— J'ai demandé à ses copains. Ils ignorent où il est. Il s'est comporté avec eux de la même façon qu'avec moi.

— Et tu n'as aucune idée de l'endroit où il peut se trouver ?

Allison secoua la tête.

La première réaction d'Amanda fut de penser qu'il s'était fait porter pâle et était rentré chez lui. C'était l'explication la plus simple qui serait facilement confirmée par un coup de fil à l'infirmière.

Mais si elle se trompait, Allison serait d'autant plus inquiète. Remettant donc l'appel à plus tard, elle tenta de rassurer l'adolescente.

— Il se trouve probablement à l'infirmerie, dit-elle. Ou chez lui, s'il ne se sentait pas bien.

Allison secoua à nouveau la tête.

— Non, j'ai appelé. Deux fois, au cas où il aurait été aux toilettes. Aucune réponse.

— L'infirmière l'a peut-être gardé avec elle, le temps de pouvoir joindre sa mère.

Amanda hésita. Allison se montrait aussi futée que sa mère.

— Tu as été jusqu'à l'infirmerie ? demanda-t-elle.

— Seulement jusqu'à la porte, avoua la jeune fille

d'un air coupable. Et puis, la sonnerie a retenti et je n'ai pas osé traîner.

— Où es-tu supposée être maintenant ?

— À l'étude.

Amanda lui rédigea un mot d'excuse.

— Donne-le au surveillant. Cela t'évitera des ennuis.

— Que dois-je répondre si on me demande où j'étais ?

Habituée à cette question, Amanda n'eut aucune peine à trouver une réponse. Les élèves l'aimaient, mais ils ne tenaient pas à être vus avec elle. Dans ce cas pourtant, la vérité ne posait guère de problème.

— Tout le monde sait que nous sommes voisines et que ta maman n'est pas en ville. Tu n'auras qu'à dire que tu avais parlé avec ta mère au téléphone, hier soir, et qu'elle t'avait demandé de me remettre un message.

— Qu'allez-vous faire pour Jordie ?

— D'abord appeler l'infirmerie.

— Et s'il n'y est pas ?

— J'essayerai de joindre ses parents.

— Je ne veux pas qu'il ait d'histoires à cause de moi. C'est juste que... Je m'inquiète au sujet de... de l'autre, vous savez.

Amanda hocha la tête. Elle comprenait. L'autre évidemment, c'était Quinn qui avait été l'ami de Jordie malgré leurs différences. Quinn brillait en classe alors que Jordie se maintenait péniblement au niveau. Quinn était la star de l'équipe de base-ball tandis que Jordie ne quittait pas le banc de touche. Quinn avait été président des deuxièmes années. Jordie n'était qu'un élève de première année et peu concerné par la politique. Si Amanda avait dû nommer un élève susceptible d'imiter Quinn, elle aurait sans hésitation pointé le doigt vers Jordie.

Jordie n'était pas à l'infirmerie et l'infirmière ne l'avait pas vu.

Il n'était pas non plus chez lui. Ou, s'il y était, il ne répondait pas au téléphone.

Amanda embrigada Maggie Dodds pour l'aider à fouiller discrètement l'école sans alerter les autres élèves.

Puis Amanda appela Karen dans sa voiture. N'obtenant pas de réponse, elle laissa un message et fit de même avec Lee.

Des visions d'horreur lui traversant l'esprit, elle prit des dispositions pour se libérer avant de sauter dans sa voiture et de regagner son domicile. Aucun véhicule devant chez les Cotter, ce qui éliminait au moins la possibilité de les retrouver à l'intérieur baignant dans une mare de sang. Mais restait Jordie et à l'idée de tout ce qu'il aurait eu le temps de se faire, Amanda décida de chercher de l'aide.

Graham n'était pas rentré, mais Russ devait être chez lui. Sa voiture se trouvait dans l'allée et la porte de derrière, ouverte. Amanda traversa la cuisine en appelant et s'avança jusqu'à son bureau. Personne. Ne restait plus que Gretchen.

Elle ressortit donc et traversa le jardin en direction de la maison de sa voisine.

À son coup de sonnette, Gretchen apparut, l'air contente de la voir, bien qu'un peu étonnée.

Amanda était sur le point de lui expliquer la situation quand Russ surgit derrière Gretchen. Comme il semblait fidèle à lui-même, vêtu d'un T-shirt et d'un short, les cheveux ébouriffés, Amanda ne se posa aucune question sur sa présence. D'ailleurs, que Russ couche ou non avec Gretchen était le cadet de ses soucis pour l'instant. Jordie passait en priorité.

Russ l'accompagna jusqu'à la maison des Cotter. Ils sonnèrent, puis frappèrent. Comme personne ne répondait, Amanda récupéra la clé dissimulée dans une cachette que Julie lui avait révélée.

— Jordie ? appela-t-elle en franchissant le seuil. Jordie ? C'est Amanda !

Un silence pesant régnait à l'intérieur et elle jeta un coup d'œil angoissé à Russ avant de le suivre dans une visite succincte de la demeure. Il semblait avoir compris l'importance du temps. Si Jordie avait tenté de se suicider, quelques minutes de plus ou de moins pouvaient tout changer.

Ils ne trouvèrent rien, ni à l'étage, ni au sous-sol, ni dans les placards. Comme ils sortaient, Gretchen les rejoignit. Karen arriva à cet instant.

Elle descendit de voiture, s'arrêta et les regarda.

— Que se passe-t-il ? demanda-t-elle.

— Jordie n'était pas en classe, expliqua Amanda calmement. Il a assisté au premier cours et ensuite, il est parti. Nous avons fouillé l'école et nous pensions qu'il était peut-être rentré.

Karen fixa Amanda sans réagir, puis Russ qui s'était approché et Gretchen.

Amanda ne sut comment interpréter son attitude. Avec les événements de la semaine précédente, si Jordie avait été son fils, elle aurait paniqué. Karen semblait comme anesthésiée, mais Amanda ignorait si c'était parce qu'elle était affolée et ne savait pas quoi faire ou parce qu'elle se demandait pourquoi ils se montaient autant la tête.

Se sentant un peu coupable d'avoir aussitôt envisagé le pire, elle tenta de se justifier.

— J'ai essayé de t'appeler et d'appeler Lee et j'ai laissé des messages. Je m'inquiétais.

— Pourquoi ? demanda Karen.

— La mort de Quinn a été un choc très pénible pour Jordie.

— Mais Jordie n'était qu'un des amis de Quinn. Qu'est-ce qui te fait penser que sa mort pouvait affecter mon fils plus que les autres ? Pourquoi aussitôt imaginer le pire ?

— Karen, nous parlons de ton fils, mon voisin. Je le connais et je me sentais concernée.

Le regard de Karen passa de l'un à l'autre avant de revenir se poser sur Amanda.

— Eh bien, aucune raison de t'inquiéter, dit-elle en colère. Jordie va bien. Et il a fini par accepter la mort de Quinn. Nous en avons parlé. Tout va bien.

Karen refusait de regarder la vérité en face, Amanda aurait parié là-dessus. À priori, Russ semblait partager son avis.

— Sais-tu où il est ? demanda-t-il.

— Oui. Il est avec Lee.

— Au milieu d'une journée d'école ? s'étonna Amanda. Lee est passé le prendre ? Quelqu'un était au courant ?

— J'ignore comment Lee a fait. Je n'étais pas avec lui, mais si Jordie a manqué l'école, c'est qu'il était avec son père.

— C'était prévu ?

— Oui. Je crois que Jordie avait surtout besoin de parler.

Elle se dirigea vers la porte d'entrée, puis se retourna soudain, l'air horrifié.

— Tu n'as quand même pas ameuté toute l'école, n'est-ce pas ?

— Non.

— Ah, merci mon Dieu ! Ce serait bien la dernière chose dont nous aurions besoin. Que tout le monde s'imagine qu'il va se suicider.

Elle reprit son chemin en direction de la porte.

— Je vais appeler Lee. Je suis certaine qu'il avait prévenu quelqu'un et que l'école fait des histoires pour rien. Jordie va bien. Va, retourne au lycée et répète-le aux autres, jeta-t-elle encore par-dessus son épaule.

Jordie n'était pas avec son père, comme Karen l'apprit une heure et quatre cigarettes plus tard – le temps qu'il lui fallut pour joindre son mari. La bonne nouvelle c'est qu'elle n'avait pas besoin de se demander s'il se trouvait avec la veuve. La mauvaise, c'est que Jordie n'était toujours pas rentré.

— Où est-il alors ? interrogea Lee, passablement mécontent.

— Sûrement avec des copains.

Évidemment, même si c'était la première fois qu'il s'absentait sans prévenir l'un ou l'autre de ses parents. Il traversait une période difficile. Il grandissait et la crise de l'adolescence le rendait agressif et rebelle. Mais il se trouvait avec ses copains, aucun doute à ce sujet.

— Est-ce qu'Amanda s'est renseignée ? insista Lee. Pour voir si d'autres élèves manquaient ?

— Je suppose que oui.

— Tu supposes ? Tu ne lui as même pas posé la question ? C'est la première chose que j'aurais demandée.

— Tu n'as rien demandé parce que tu n'étais pas à ton bureau, répliqua-t-elle. Où étais-tu ?

— J'avais un déjeuner.

— Ne mens pas pour une fois.

— Qu'est-ce que ça veut dire ?

Ça voulait dire qu'il était devenu aveugle tant à l'égard des besoins de sa femme que de ceux de ses enfants et inconscient des conséquences que la guerre qu'ils se menaient commençait à avoir sur toute la famille. Ça voulait dire que lorsque la facture de la carte de crédit d'un homme faisait état d'une visite chez un obstétricien alors que sa femme n'avait pas eu le moindre rendez-vous, des questions se posaient. Mais ce sujet serait abordé en son temps. Il y avait plus urgent.

— Je m'inquiète juste au sujet de Jordie, dit-elle. Je vais appeler ses amis.

— Tiens-moi au courant.

Karen dut patienter plus d'une heure avant de pouvoir commencer ses appels, jusqu'à ce que le bus de ramassage scolaire dépose Julie et les jumeaux et qu'elle apprenne que l'entraînement de base-ball était terminé.

Les copains de Jordie ne devraient donc pas tarder à rentrer chez eux, du moins s'ils ne s'arrêtaient pas en route.

Elle parvint à en joindre quelques-uns, mais aucun n'avait vu son fils. Tout le monde croyait qu'il était rentré chez lui parce qu'il ne se sentait pas bien.

Divers scénarios envahirent l'esprit de Karen, l'un d'entre eux étant que la police avait arrêté son fils et l'avait jeté en prison. Ce qui était absurde. Comment auraient-ils pu savoir pour le couteau ?

Affolée maintenant, elle appela son mari.

— J'ai un mauvais pressentiment, dit-elle.

— Ça ne m'étonne pas. Tu as toujours été d'un naturel inquiet.

— C'est différent. Ces derniers temps, il se comportait bizarrement.

— Comme tous les adolescents.

— Et s'il s'agissait d'autre chose ?

Il ne répondit pas tout de suite, puis elle l'entendit jurer entre ses dents et soupirer.

— Très bien, je rentre. Appelle d'autres copains, d'accord ? Il doit bien être quelque part.

Amanda ne pouvait rester sans rien faire. Jordie n'était pas avec son père, elle en avait la conviction, et Karen ignorait où il se trouvait. Amanda avait déjà eu l'occasion de travailler avec des parents qui refusaient d'admettre les problèmes de leur enfant. À cet égard, les parents de Quinn Davis en constituaient un bon exemple.

Affolée à cette pensée, elle entreprit de mener une enquête discrète et apprit que Jordie était resté au lycée jusqu'à 10 heures avant de disparaître. Depuis, personne ne l'avait revu. Quand elle eut terminé le tour de ses amis et de certains de ses professeurs, il était près de 17 heures. Elle téléphona à Karen qui répondit d'une voix anxieuse.

— Karen c'est moi. As-tu des nouvelles ?

— Non. Il n'était pas non plus avec Lee, ajouta-t-elle avec un soupir. J'ai dû me tromper. Il doit probablement se trouver chez un de ses copains.

— As-tu appelé la police ?

— La police ? Pourquoi veux-tu que j'appelle la police ?

— Pour leur signaler la disparition de Jordie.

— Il n'est pas absent depuis assez longtemps pour considérer ça comme une disparition.

— Peut-être aux termes de la loi, mais c'est une petite ville et la police connaît Jordie. Ils pourraient...

— Ça n'a rien à voir, coupa Karen. Rien à voir du tout. Jordie n'aurait jamais fait une chose pareille. Jamais. Pas Jordie.

— Je sais, dit gentiment Amanda. Mais il existe d'autres moyens d'exprimer son chagrin. S'il se sentait vraiment trop malheureux et s'il n'avait plus les idées claires...

— Pourquoi n'arrêtes-tu pas de rabâcher à ce sujet, Amanda ? Tu te montes la tête alors qu'il s'est peut-être tout simplement offert une petite virée avec des amis à Darien ou à Greenwich. Alors, je ne vois pas ce qu'apporterait de plus de prévenir la police, à part lui valoir un article dans le journal la semaine prochaine. Comme pour Quinn. C'est cet article qui l'a poussé au suicide. S'il n'avait pas été ainsi publiquement humilié, il serait probablement encore vivant aujourd'hui. Je ne comprends pas pourquoi tu parles de police. Que cherches-tu exactement ?

Amanda resta pétrifiée par cette tirade. Mais Karen n'était de toute évidence pas dans son état normal.

— Je m'inquiète simplement pour Jordie, dit-elle d'une voix calme.

— Et je t'en suis reconnaissante. Mais tu ne dois pas oublier ce qui s'est passé. Tu n'as pas été capable d'aider Quinn, alors tu te sens coupable. Coupable et vulnérable et tu vois des drames partout. Je comprends, Amanda, mais Jordie va bien. Je te le répète. Il va bien.

Malgré tout, Amanda était anxieuse. D'accord, elle se sentait coupable de n'avoir pas pu aider Quinn, mais la situation était différente avec Jordie parce qu'elle le connaissait bien et qu'elle l'avait reçu en rendez-vous. Peut-être avait-elle tendance à prendre les choses trop à cœur, mais le pire scénario s'était malheureusement réalisé avec Quinn et elle ne pouvait se contenter d'attendre les bras croisés.

Elle quitta donc le lycée et, une fois dans la voiture, attrapa le téléphone. Le fait qu'elle soit partie de la maison en coup de vent ce matin et qu'elle et Graham ne se soient pas parlé de la journée n'avait aucune importance. Graham connaissait bien Jordie et entretenait avec lui des rapports chaleureux, indépendants de Karen et Lee. Son opinion comptait beaucoup pour Amanda.

Il n'était pas au bureau, mais elle parvint à le joindre sur son portable et lui expliqua la situation en quelques mots.

— Crois-tu que je m'alarme pour rien ? demanda-t-elle enfin.

— Non. Tu connais Jordie et moi aussi. Karen et son mari feraient bien de s'inquiéter eux aussi. En tout cas, moi je réagirais différemment s'il s'agissait de mon enfant.

Le cœur d'Amanda se serra. D'un mot, il venait de réveiller son plus cher désir : tenir un bébé dans ses bras, le tendre à son mari et voir la lumière dans ses yeux.

Avec un gros effort, elle parvint à repousser cette image.

— Je ne comprends pas Karen. Comment peut-elle rester ainsi à attendre ?

— Et Lee également ? Parfois certaines personnes réagissent ainsi parce que ne pas savoir vaut mieux qu'apprendre le pire.

Une réaction qu'Amanda pouvait comprendre. Elle ne l'avait que trop expérimentée avec Graham, repoussant sans cesse une discussion importante de peur des réponses possibles.

— Mais si on agit vite, il est possible de prévenir le pire. Je suis sur le chemin de la maison et je vais essayer de leur parler à nouveau. Si tu étais à la place de Jordie et que tu traversais des moments difficiles, où irais-tu ?

— Pas avec des copains, répondit Graham sans hésiter. En tout cas, pas Jordie. Il se tient toujours en marge du groupe. Je ne peux l'imaginer en train de chercher du réconfort auprès de ses amis, sauf s'il fréquente un autre groupe que nous ne connaissons pas.

Des perdants, pensa aussitôt Amanda.

— Des perdants, dit Graham. Un terme cruel, mais qui caractérise bien le genre de personnes qui respecteraient Jordie.

Amanda connaissait bien tous les élèves de l'école et qui copinait avec qui.

— Je n'ai jamais vu Jordie avec d'autres garçons que ses amis habituels. Où irais-tu si tu étais à sa place et terriblement malheureux ?

Elle savait ce qu'elle ferait si elle avait été Jordie. Elle chercherait refuge dans les bois. Jordie aimait se promener dans la forêt. Il le lui avait dit une fois. Il adorait son mystère et son silence. La paix qui y régnait.

Graham ne fit aucune suggestion.

— J'ai un rendez-vous à Danbury, mais mon instinct me suggère plutôt de rentrer. Je te retrouve à la maison.

Amanda l'aurait bien embrassé. Dans ce genre de situation, ils réagissaient toujours de la même façon.

— La disparition de Jordie s'explique peut-être très simplement et il est possible qu'il réapparaisse en pleine forme d'ici peu. Auquel cas, nous en rirons ensemble. Mais le suicide de Quinn est bien trop récent pour que je prenne ça à la légère. Et s'il te plaît, ne me dis pas de prendre du recul face à la situation. J'en serais incapable.

— Je sais, dit Graham. C'est une des choses que j'aime chez toi.

Les larmes aux yeux, elle mit quelques secondes à se ressaisir.

— Merci, parvint-elle à bredouiller.

Puis le portable se mit à grésiller et elle comprit que

la communication allait être coupée. Elle entendit vaguement Graham dire qu'il arrivait avant que la connexion ne s'arrête.

Quand elle atteignit son quartier, le seul signe d'un hypothétique drame était les nuages qui assombrissaient le ciel de mai. Les jumeaux Cotter sillonnaient les rues sur leur scooter, tandis que Julie étrennait son nouveau vélo à une allure plus modérée. Chez les Lange, Tommy lançait sa balle de base-ball, coaché par son père.

Amanda se gara et se dirigea vers eux. Russ s'avança à sa rencontre.

— Du nouveau ? demanda-t-il à voix basse pour que son fils n'entende pas.

— Pas encore.

Elle regarda la maison des Cotter où tout semblait calme.

— À propos de ma présence chez Gretchen, tout à l'heure, reprit Russ. Je suppose que tu as dû être étonnée de me trouver là. J'étais juste passé pour prendre de ses nouvelles. Je venais à peine d'entrer quand tu as sonné.

— Amanda, regarde ! cria Julie Cotter.

Ils tournèrent tous les deux la tête dans sa direction. Tout en continuant de pédaler, la fillette fixa intensément la route devant elle, puis lâcha les deux mains une fraction de seconde avant de s'agripper de nouveau au guidon et de les regarder en souriant fièrement.

— Formidable ! s'exclama Amanda. Tu es drôlement forte ! Es-tu le père de ce bébé ? demanda-t-elle ensuite à Russ.

— Non.

— Dans ce cas, aucune raison pour que je sois étonnée.

Elle observa la maison des Cotter.

— Ils ont tellement peur du scandale, dit-elle.

— Si j'étais à leur place, il y a longtemps que j'aurais ameuté les troupes.

— Gray également, sans parler de moi. Je vais aller voir si je peux les décider à réagir.

Contournant la maison, elle entra par derrière. Karen se trouvait au téléphone et Lee, appuyé contre le comptoir, les deux bras croisés.

Amanda le regarda, les sourcils levés en signe d'interrogation.

Il secoua la tête, les lèvres serrées.

— As-tu une idée de l'endroit où il peut être? demandait Karen à son interlocuteur.

Elle écouta et soupira d'un air excédé.

— Bien, s'il se manifeste, pourrais-tu, s'il te plaît, lui demander de bien vouloir nous appeler ?

Quelques secondes plus tard, elle raccrochait et se tournait vers eux.

— Il n'était pas à l'entraînement de base-ball, mais ça ne veut rien dire puisqu'on n'a pas l'autorisation de jouer quand on a manqué la classe.

— Aucune idée ? demanda Amanda à Lee.

— Non, répondit-il en s'emparant de ses clés de voiture. Je vais faire un tour.

— Où vas-tu ? interrogea Karen, l'air affolé.

— Partout où mon satané fils pourrait être.

Il sortit en claquant la porte. Dans le silence revenu, Karen eut un geste furieux.

— Tout ça est de sa faute, dit-elle. Les enfants ne sont pas naïfs et Jordie est assez grand pour comprendre ce que fait son père. Il ne couche peut-être pas avec Gretchen, mais il a une maîtresse, aucun doute là-dessus.

— Jordie sait de qui il s'agit ?

Karen haussa les épaules sans répondre.

— Pourrait-il s'enfuir à cause de ça ?

— Il ne s'est pas enfui, dit Karen, la main devant la bouche.

Amanda remarqua que ses doigts tremblaient. Elle s'approcha et posa une main apaisante sur son épaule.

— Appelle la police.

— Non.

— Ils pourraient sillonner la ville et ouvrir l'œil.

— Nous n'avons pas besoin d'eux. Si on les mêle à ça, cette histoire n'en finira jamais.

— Pourquoi pas ? s'étonna Amanda en se demandant s'il y avait des choses qu'elle ignorait.

— Comme ça, répondit précipitamment Karen. Je trouve juste prématuré d'appeler la police.

— Mais il a quitté l'école à 10 heures ce matin, soit depuis plus de huit heures !

— Il devrait commencer à avoir faim. Il ne va pas tarder à rentrer. Je vais préparer un hachis Parmentier. Il adore ça.

— Maman ? appela une voix dehors.

Quelques secondes plus tard, le nez de Jared s'écrasa contre la moustiquaire.

— Ron a foncé sur moi. Il l'a fait exprès.

— Dis-lui que je veux qu'il s'excuse.

Jared se retourna.

— Maman a dit que tu devais t'excuser, hurla-t-il à pleins poumons avant de s'adresser de nouveau à sa mère d'une voix normale. On a faim. On mange bientôt ?

— Une fois que ce sera prêt. Je vais me dépêcher.

— Puisque Lee est parti en voiture, moi, je vais marcher, dit Amanda.

— Marcher où ?

— Dans les bois.

— Jordie ne serait jamais allé de ce côté.

Amanda pensait le contraire, mais ne jugea pas nécessaire de discuter.

— On ne sait jamais. Je garde mon portable. Tu m'appelleras s'il revient ?

Karen parut soudain perdre ses moyens.

— Tu ne penses pas qu'il pourrait se faire du mal, n'est-ce pas, Amanda ?

— Non, mais je crois qu'il est malheureux.

— Est-ce qu'un autre gamin a déjà fait ça ?

— Quoi ? Disparaître ? Peut-être, mais je veux surtout retrouver Jordie.

— Tu te fais plus de souci pour lui que pour les autres ?

Amanda hocha la tête.

— Beaucoup de choses le perturbent en ce moment, Karen. Tu l'as dit toi-même, il est assez grand pour comprendre ce qui se passe entre toi et Lee et il doit se sentir partagé.

— Partagé ?

— Il ne doit pas savoir pour qui prendre parti – pour toi ou pour son père – et il doit sans doute prier pour que les choses s'arrangent sans y croire vraiment. Ce qui doit générer chez lui une grande frustration et un sentiment d'impuissance.

— Crois-tu qu'il pourrait se suicider ?

— Non. Mais il vaut mieux fouiller les bois avant que la nuit tombe. Cela nous donne deux heures. Veux-tu venir ?

Karen secoua la tête.

— S'il se rend compte que je m'inquiétais assez pour me lancer à sa recherche, il va péter les plombs. Non, il vaut mieux que je reste ici et passe encore quelques coups de téléphone.

Tournant le dos à Amanda, elle s'empara de l'appareil.

Amanda ne s'arrêta chez elle que le temps d'enfiler un jean et une veste. Bien que les journées soient douces, la température tombait vite le soir et en plus, la pluie menaçait.

Elle glissa le portable dans sa poche et sortit. Graham se garait. Sans un mot, il la rejoignit, devinant d'instinct où elle allait. Ensemble, ils traversèrent le jardin et s'enfoncèrent sous les arbres.

16

Pendant quelques minutes, ils marchèrent en silence, Graham en tête sur le sentier. À l'exception de quelques aiguilles de pin et feuilles mortes, vestiges du dernier automne et qui tapissaient encore le sol, toute végétation avait depuis longtemps disparu sur ce passage, piétinée par des promeneurs. Le sol, toujours humide après la neige de l'hiver et les pluies du printemps, étouffait le bruit de leurs pas.

La forêt paraissait étrangement silencieuse comme si la lourdeur de l'air absorbait tout son insolite. Dans le ciel qu'ils apercevaient entre les branches, par-dessus la voûte verte des arbres, les nuages s'amoncelaient, menaçants. Amanda aurait pu jurer que la forêt retenait son souffle, comme dans l'attente d'un terrible événement, et cette impression accentuait encore sa propre appréhension.

Même les écureuils roux qui vivaient là se montraient discrets, retenant leurs jacassements habituels. Ils se poursuivaient et sautaient d'arbre en arbre avec souplesse, mais sans bruit. Le bruissement dans les feuillages attestait seul de la présence des oiseaux, accompagné, de temps en temps, d'un sifflement ou d'un trille – la saison des amours battait son plein – mais là encore comme assourdi dans l'air épais.

Muette elle aussi, Amanda suivait son mari qui avançait d'un pas sûr, son corps ferme revêtu d'un polo et d'un jean. Elle adorait le voir ainsi. Le grand air restait son véritable élément et bien qu'ils ne soient qu'à quatre-vingt-dix minutes de Manhattan et une dizaine du centre de Woodley, cette forêt citadine remplissait son office et le transformait.

Une forêt qui abritait un véritable monde, une vie intrinsèque qu'Amanda percevait nettement malgré son inquiétude et qui, elle l'espérait, protégerait Jordie.

— Jordie, appela Graham. Il parle toujours de la tour, ajouta-t-il en se tournant vers sa femme.

— S'il est venu ici, c'est sûrement là que nous le trouverons bien que cet endroit soit classé zone dangereuse.

— Au contraire. Ça l'attirera d'autant plus.

Il s'arrêta, mit les mains en porte-voix et appela encore Jordie. Amanda se rapprocha de lui et passa les bras autour de sa taille. Ils écoutèrent, mais seul l'écho de la voix de Graham leur répondit.

— De toute façon, même s'il est là, il ne se manifestera pas, murmura-t-il.

— Ce qui ne signifie pas qu'il ne désire pas être retrouvé, fit remarquer Amanda.

Graham lui jeta un coup d'œil par-dessus son épaule. En plus de sa sensibilité, elle manifestait un réel intérêt envers son prochain, beaucoup de chaleur humaine. Il attrapa sa main et la serra dans la sienne, puis il reprit sa marche.

Amanda devait marcher plus vite pour se maintenir à son rythme, son pas étant plus court que le sien, mais elle en avait l'habitude.

— Cela me rappelle notre sortie au mont Jefferson, dit-elle, heureuse de changer de sujet. Tu te souviens ? Il avait commencé à neiger et nous avons dû regagner le chalet en vitesse.

— Tu n'as pas arrêté de glisser tout le long du chemin et tu en as gardé de belles marques bleues et jaunes sur le corps pendant des jours.

— Mais nous avons réussi. Tu m'as manqué, Gray, ajouta-t-elle doucement.

D'un seul mouvement, il se tourna, l'attrapa, la serra très fort contre lui et l'embrassa avant de la relâcher et, sa main toujours dans la sienne, de reprendre la marche. Amanda en fut complètement retournée, mais garda suffisamment de lucidité pour se souvenir de la raison de leur présence ici.

— Jordie, Jordie.

— Que ferons-nous s'il s'est fait mal ? demanda Amanda.

— Attendons de voir.

— Nous avons parlé, lui et moi.

— Je m'en doute. Il y a combien de temps ?

— Une semaine.

— Avant la mort de Quinn.

— Oui.

Il exerça une pression réconfortante sur sa main pour lui remonter le moral. Cela faisait maintenant cinq bonnes minutes qu'ils progressaient et il leur en restait encore une dizaine avant d'atteindre la tour. Ils continuèrent, conscients de l'urgence, tendant l'oreille pour guetter tout bruit suspect.

— Il y a longtemps que nous n'avons pas fait de randonnées, Gray. Pourquoi ?

— Trop occupés. Ça va ?

— Ça va.

— Je veux dire, physiquement, précisa-t-il avec un regard entendu.

Elle comprit ce qu'il avait en tête. Pour la première fois depuis des mois, elle ne prenait aucun médicament. Son inquiétude la réconforta ainsi que l'absence de colère dans sa voix.

— Mieux, répondit-elle. C'est comme si je reprenais possession de mon corps.

Une goutte d'eau tomba sur son bras, puis une autre sur son nez.

— Oh, mon Dieu !

— Ouais, on dirait que c'est parti. Jordie ! Bon sang, où peut-il donc bien être ?

— Voilà la tour ! s'exclama Amanda en repérant la construction en pierre qui se dressait à une centaine de mètres, comme un obélisque au milieu des arbres.

Bien que solidement bâtie selon les méthodes traditionnelles de la région, la tour portait les marques des agressions du temps. De nombreuses pierres s'étaient détachées, la plupart probablement lors du tremblement de terre, l'année précédente, ce qui ne l'empêchait pas de rester debout sur une hauteur de près de douze mètres, ses flancs inclinés criblés de trous et de bosses.

Amanda trébucha sur une racine et serait tombée si Graham ne l'avait retenue.

— Doucement, dit-il sans ralentir.

— Tu le vois ?

— Nous ne sommes pas du bon côté. S'il est là, il se trouve probablement de l'autre côté.

— Que... Que ferons-nous s'il... s'il s'est...

Elle ne pouvait s'empêcher d'imaginer le pire, Jordie pendu au bout d'une corde...

— N'y pense pas, murmura Graham.

La pluie s'intensifiait et, lâchant sa main, Graham se mit à courir. Amanda l'imita sans tenter de voir plus loin que son dos – une autre de ses habitudes. Une féministe convaincue l'aurait certainement vilipendée de suivre aussi aveuglément son mari, mais elle lui aurait rétorqué qu'elle en tirait beaucoup de plaisir. En effet, regarder Graham était particulièrement agréable. Ses jambes bougeaient en parfaite coordination avec ses bras et tout son corps se mouvait sans effort, d'un mouvement souple et fluide. Malgré sa grande taille et son poids, il se déplaçait avec grâce et légèreté, avec une confiance qui la rassurait.

Le chemin tournait vers la droite et bientôt Amanda

sentit la masse de la tour au-dessus d'eux à mesure qu'il se rapprochait. Sa veste était maintenant mouillée et des mèches de cheveux humides commençaient à boucler autour de son visage.

Ils débouchèrent dans la clairière où se dressait la tour à cinquante mètres d'eux.

Large d'une trentaine de mètres à la base, elle se rétrécissait en hauteur pour ne plus faire que la moitié du diamètre au sommet. Une barrière de fortune en fines planches de contre-plaqué l'entourait – bien piètre force de dissuasion. Tordue par endroits, brisée en d'autres, elle témoignait du passage de nombreux alpinistes en herbe et si Jordie l'avait escaladée, il n'était certainement pas le premier.

— Jordie ? appela Graham en avançant.

Soudain il leva la tête et s'arrêta net, puis reprit sa marche plus lentement.

Amanda avait également repéré le garçon, mais son soulagement de le découvrir vivant fut grandement tempéré par la situation précaire dans laquelle il se trouvait. Assis tout en haut de la tour, avec son T-shirt sale et son jean, il se distinguait à peine dans le jour qui déclinait. Ses jambes pendaient dans le vide donnant une illusion de stabilité démentie par la façon dont ses mains s'agrippaient aux pierres de chaque côté de ses hanches. En fait, ainsi placé, il pouvait tout aussi bien tomber à la renverse à l'intérieur que dégringoler par-devant et avec la pluie qui rendait les rochers glissants, un accident n'était pas à exclure.

— Mon Dieu, Jordie ! s'exclama Graham. Tu nous as foutu une sacrée trouille ! Tes parents te cherchent partout. Ils sont complètement paniqués. Appelle-les, ajouta-t-il à mi-voix pour Amanda.

Tirant le portable de sa poche, elle tapa le numéro les doigts tremblants. Comme rien ne se passait, elle regarda de plus près.

— Aucune tonalité. Je ne peux pas le croire.

— C'est notre faute, reconnut Graham avec un grognement de frustration. Nous avons voté contre quand ils ont voulu installer une antenne ici. Le temps ne s'arrange pas, Jordie, cria-t-il à l'attention de l'adolescent. Tu crois que tu peux arriver à descendre ?

Plus facile à dire qu'à faire. Amanda le savait, mais tenait à laisser Graham tenter une approche d'homme à homme. Malheureusement, même si Jordie acceptait de descendre, rien ne prouvait qu'il pourrait y parvenir. Les grimpeurs ne redescendaient jamais seuls de la tour. Ils avaient toujours besoin d'aide.

Jordie ne bougea pas.

— Tu crois qu'il est vivant ? demanda-t-elle horrifiée.

— Oh, oui, la rassura Graham. Comment es-tu monté ? demanda-t-il. Par l'arrière ? On pourrait te guider.

Amanda nota le mouvement de Jordie.

— Pourquoi pas ? Tu serais le premier à le réussir. Tu ne peux quand même pas rester là-haut toute la nuit.

Jordie hocha la tête.

Graham et Amanda retinrent leur souffle quand le garçon détacha une main de la pierre et la glissa sous son T-shirt. Ils se figèrent quand la main ressortit, tenant un pistolet.

— Bon sang, où as-tu trouvé ça ? cria Graham.

Jordie ne répondit pas, mais ne pointa pas non plus l'arme dans une direction ou une autre. Il se contenta de la garder posée sur ses jambes pour bien montrer qu'il détenait un moyen de pression.

— Ce doit être celui de Lee, chuchota Amanda. Karen en a parlé une fois. Tu n'as pas besoin de ça, Jordie. C'est inutile. Les choses ne sont pas aussi dramatiques qu'il paraît.

Jordie ne protesta pas et continua à regarder au loin.

Amanda se rapprocha de Graham. Malgré sa chemise mouillée, elle pouvait sentir la chaleur qui émanait de lui.

— Comment allons-nous le décider à descendre ?

— Nous ne pouvons pas. Il fait sombre et les pierres sont glissantes. Seuls les pompiers peuvent le récupérer.

— Je vais aller les chercher.

— Non, moi. Je cours plus vite. Tu restes ici et tu tentes de le faire parler. Tu es certainement meilleure que moi dans cet exercice.

Il posa les doigts sur sa bouche, avant de caresser sa joue. Puis après un dernier regard, il partit.

Son départ laissa un vide brutal et Amanda dut faire un effort pour se ressaisir. Elle leva la tête et eut du mal à distinguer Jordie. La pluie, typique ondée printanière, tombait de façon régulière, mais sans force. Rejetant une mèche mouillée, elle se rapprocha de la tour.

— Je voulais te parler aujourd'hui, cria-t-elle. Je t'ai envoyé plusieurs e-mails.

— Où est allé Graham ? demanda Jordie d'une voix méfiante.

— Prévenir tes parents. Ils se rongeaient les sangs.

— Tu parles, murmura-t-il.

Amanda n'aurait probablement pas entendu si elle ne s'était attendue à cette réponse. Jordie en voulait donc bien à ses parents – pas besoin d'être un grand psychologue pour s'en rendre compte. Et Amanda jouissait d'un net avantage dans une telle situation. Non seulement, elle était intime avec Karen et Lee, mais surtout elle avait grandi dans une famille qui se disputait sans cesse et ne connaissait que trop cette impression au creux de l'estomac à chaque fois qu'elle franchissait le seuil de la maison, une maison qui aurait pourtant dû représenter un havre de paix pour l'enfant, puis l'adolescente qu'elle avait été.

— Ils t'aiment, cria-t-elle, mais la pluie s'intensifia soudain noyant ses paroles.

Elle abrita ses yeux des deux mains et prit son souffle.

— Pourquoi la tour, Jordie ? Tu comptes vraiment passer la nuit là-haut ?

Il ne répondit pas.

— Parle-moi.

C'était indispensable. Il fallait lui faire exprimer ses craintes, sa colère. Mais pour cela, elle devait se rapprocher de lui.

Sa décision prise, elle s'avança, escalada la barrière et contourna la tour jusqu'à l'endroit où l'agencement des pierres formait comme des marches.

— Ne montez pas, cria Jordie.

— Je ne peux pas te parler d'ici.

Elle posa un pied sur la première pierre pour tester sa solidité. La roche était glissante, mais ses chaussures de marche possédaient de bonnes semelles. Essuyant ces dernières pour ôter toutes les feuilles mortes, elle grimpa sur le premier niveau. Puis elle attrapa une aspérité au-dessus de sa tête et se hissa un peu plus haut. Son pied dérapa, mais elle parvint à se rétablir. Elle s'accorda une minute, le temps pour son cœur de retrouver un rythme normal, avant de reprendre son ascension.

— Si vous montez, je saute, menaça Jordie.

Il ne mentionna pas d'utiliser son arme, ce qui était finalement un bon signe.

Elle ne le voyait plus. Il se trouvait sur l'autre côté de la tour. Et d'ailleurs, entre la pluie et la nuit qui tombait, elle avait déjà du mal à distinguer les pierres au-dessus d'elle. Mais elle les sentait et ses mains traçaient la route à tâtons.

La pente inclinée des flancs l'aidait. Pas à pas, elle s'élevait un peu plus, l'estomac contracté par l'appréhension.

— Amanda ? cria Jordie.

Sa voix avait une note curieuse, comme s'il voulait savoir où elle se trouvait sans parvenir à décider s'il était en colère ou apeuré.

— Si tu sautes, répondit-elle, j'ai toutes les chances de tomber. Tu auras donc ma mort sur la conscience.

En fait, elle risquait bien de tomber quoi qu'il fasse. Le sol s'éloignait de plus en plus et cette constatation ne la réconfortait vraiment pas.

— Si je suis mort, ça n'aura guère d'importance, rétorqua Jordie en toute logique.

— Tu n'as pas envie de mourir. Tu aimes trop la vie.

Il garda le silence.

Amanda progressait lentement, malgré sa peur. Assez bizarrement, plus elle montait, plus les appuis devenaient faciles à trouver, mais là résidait justement le piège. On racontait que les dieux de la tour vous soutenaient et vous tiraient vers le haut et aujourd'hui, elle n'était pas loin de le croire. Son pied glissa à nouveau, ce qui à cette hauteur se révélait beaucoup plus périlleux. Elle cria et se raidit en prévision de la chute qui la menaçait, mais parvint à se rattraper in extremis. Un peu plus haut, une pierre se détacha sous son pied, manquant de peu de l'entraîner. Elle écouta le bruit de la roche qui dégringolait en ricochant le long de la paroi. Un son terriblement angoissant.

À mi-hauteur, elle atteignit le point de non-retour d'où, selon la légende, il lui était impossible de redescendre. Elle hésita. Que lui réservait la suite du parcours ? Des instants exaltants ou une pure terreur ? Elle aurait bien parié sur la deuxième alternative. Reprenant son ascension, elle se concentra sur ses appuis. La peur au ventre, elle se traita d'idiote – pourquoi n'avait-elle pas attendu les pompiers ? – et finit par se persuader qu'elle allait sûrement mourir. Mais Quinn s'était suicidé et Jordie tenait un pistolet. D'ailleurs, il était trop tard pour redescendre. Il ne lui restait donc plus qu'à continuer, un pas après l'autre, jusqu'au sommet.

— Jordie ? appela-t-elle d'une voix tremblante quand elle fut proche de l'arrivée. Es-tu toujours là ?

Un ricanement lui répondit, pas très loin.

— Où voulez-vous que je sois ?

Son sens de l'humour, comme sa menace de sauter plutôt que d'utiliser son arme, le trahissait. Amanda espérait ne pas se tromper en pensant qu'il avait conscience d'avoir fait une erreur sans savoir comment la réparer.

Elle continua de grimper jusqu'à ce que ses mains ne rencontrent que du vide. Son estomac se contracta et l'espace d'une seconde, elle craignit de s'évanouir.

— Vous êtes folle, dit Jordie.

Sa voix toute proche la stimula et bientôt elle se hissait pas très loin de lui.

— Toi et moi, répondit-elle d'une voix haut perchée.

Elle pouvait à présent s'appuyer sur le rebord en pierre pour soulager un peu ses jambes, mais elle ignorait que faire de plus. Ses genoux tremblaient, son cœur battait la chamade et son esprit refusait de fonctionner de façon cohérente, trop occupé à s'auto-insulter.

Jordie dut détecter la panique dans sa voix.

— À l'intérieur, il y a une corniche sur laquelle vous pourrez vous tenir debout.

Amanda fit passer une de ses jambes par-dessus le rebord et se laissa glisser doucement jusqu'à ce que son pied touche la saillie qui ne lui parut pas très large. Elle semblait néanmoins solide. Prudemment, elle amena sa deuxième jambe. Elle se reposa une minute, puis se rapprocha lentement de Jordie.

Il était trempé – elle pouvait s'en rendre compte malgré la faible luminosité – et ne tenait plus l'arme. Une constatation qui la soulagea... presque autant que le manque de visibilité qui l'empêchait de voir le sol très loin en dessous.

Elle fit repasser une jambe par-dessus bord et resta ainsi à cheval sur le muret.

— Graham va sûrement me tuer, dit-elle. Ces pierres sont traîtres et je ne suis pas une risque-tout. Où est le pistolet ? demanda-t-elle dans la foulée.

Jordie ne répondit pas.

— Je ne voudrais pas que le coup parte accidentellement, reprit-elle.

— Je sais me servir d'une arme.

— J'en suis certaine, dit-elle.

Mais sans ajouter qu'il était à la portée de n'importe

quel crétin de pointer une arme sur son cœur et d'appuyer sur la détente juste pour prouver son fait. Pas question de lui mettre des idées pareilles en tête.

— Vous n'auriez pas dû monter.

Un craquement sinistre l'interrompit, suivi du bruit de pierres qui dégringolaient le long de la paroi. Amanda commença à paniquer. Si la tour continuait à s'effriter ainsi, elle finirait par s'écrouler et les enterrer vivants.

— Je ne voulais pas que tu te sentes seul, dit-elle d'une voix suraiguë.

Elle repositionna ses mains sur le muret, une devant, l'autre derrière, et se cramponna.

— Comment pouvez-vous savoir ce que je ressens ? demanda Jordie. Vous n'êtes pas moi.

— Non, mais c'est mon métier.

— Lire dans les esprits ?

— Comprendre les sentiments. C'est à cause de Quinn ?

Jordie regardait droit devant lui. La nuit descendait très vite maintenant.

— Quinn avait besoin d'aide, reprit-elle.

— Ouais et je l'ai bien aidé, grommela Jordie avec amertume. C'est moi qui lui ai donné la bouteille de vodka. Il voulait de l'alcool pour une fête. J'ai cru que c'était pendant le week-end et que je pourrais y aller si je lui trouvais une bouteille. Alors je lui ai dit que mon père avait une réserve dans la cave et qu'il ne remarquerait pas si j'en prenais une.

— Et maintenant tu te sens coupable ?

— Si je ne lui avais pas donné cette bouteille, il ne se serait pas présenté ivre à l'entraînement et n'aurait pas été puni. Il n'y aurait pas eu d'article dans le journal et il serait toujours vivant.

— Oh, Jordie ! Ce n'est pas aussi simple. Il ne s'agissait pas seulement de cet article.

— Je sais. Il y avait aussi ses parents. Ils ne sont peut-être pas parfaits, mais, au moins, ils sont ensemble.

— Tes parents aussi le sont.

— À peine. Ils n'arrêtent pas de se battre. Si c'est ça le mariage, autant rester seul.

— Tous les mariages traversent des périodes difficiles.

Il se tourna pour la regarder, l'air incrédule.

— Ils se détestent.

Amanda se retrouvait en terrain connu. Après des années à se lamenter sur les relations orageuses entre son père et sa mère, elle avait finalement appris à se protéger.

— Que tu le croies ou non, ils t'aiment.

— Pourquoi mon père voit-il Gretchen alors ?

Un grondement sourd troubla le silence, une légère vibration, puis plusieurs pierres se détachèrent à nouveau dans un bruit de cavalcade.

Amanda retint son souffle et ne bougea plus un cil jusqu'au retour du silence.

Où donc était Graham ? gémit-elle intérieurement. Pourquoi mettait-il autant de temps ?

— Vous ne répondez pas ?

— J'ignorais qu'il voyait Gretchen. Tu es sûr de ce que tu avances ?

— Ce ne serait pas la première fois qu'il tromperait ma mère. Et ne me racontez pas des histoires. Je les entends se disputer. Je peux même vous donner des noms si vous voulez.

— A-t-il parlé de Gretchen ?

— Non, mais ma mère en est persuadée. Elle pique de telles colères qu'elle me fait peur.

— Je m'inquiète pour ce pistolet, Jordie. Si tu l'as glissé dans ta ceinture et que le coup part accidentellement, tu risques de te blesser très sérieusement.

— Ça ne fait rien.

— Si ça fait, insista-t-elle.

Malgré la peur qui lui nouait l'estomac, elle devait absolument obliger Jordie à exprimer tous ses ressentiments avant l'arrivée des secours.

— Pourquoi te fait-elle peur ?

— Je ne la reconnais plus quand elle parle à mon père. Elle le déteste vraiment et c'est la faute de Gretchen. Elle aurait mieux fait de partir après la mort de Ben. Elle n'avait aucune raison de rester ici et si elle voulait rester, elle n'avait qu'à se débrouiller toute seule sans l'aide de mon père, de Russ ou de Graham. Si elle n'avait pas cherché à les attirer, rien ne serait arrivé.

— Rien quoi ?

— Les disputes entre mes parents. Avant ils s'engueulaient de temps en temps, mais rien de bien méchant.

— C'est comme de dire que Quinn s'est suicidé à cause du journal. C'est une explication bien trop simpliste.

— Alors, pourquoi s'est-il tué d'après vous ?

— Parce qu'il était profondément perturbé et ne pouvait s'en ouvrir à personne. Il ne supportait plus toutes les contraintes qui pesaient sur lui – il devait réussir partout, n'avait aucun droit à l'échec. Finalement, la pression a été trop forte.

— Tout le monde doit supporter des contraintes. Comme de réussir aux examens.

— Oui, mais on attendait de lui qu'il soit toujours le premier.

— À cause de ses frères ?

— C'est possible.

— Mais il était le premier.

— Et il devait le rester. La pression grandissait. Il se montrait sûr de lui et confiant, alors qu'au fond de lui-même, le doute et la peur de l'échec le rongeaient.

Jordie réfléchit un moment.

— Si je comprends bien, il s'est tué parce qu'il n'était pas parfait ? Que devrions-nous dire ? Aucun de nous n'est parfait ?

— Quinn non plus, mais on lui demandait tant qu'il a fini par baisser les bras. Son impuissance a pris le dessus et lui a ôté toutes ses forces. Mais toi, tu es fort, Jordie. Tu continues à te battre. Quinn, lui, avait abandonné parce qu'il n'était pas fort.

— Bien sûr que si. Sinon comment aurait-il pu réussir tant de choses ?

— Quelles choses ? Devenir président de la classe ? Lanceur au base-ball ? M. Sympathie ? La vie est pleine de choix, Jordie, mais aucun de ceux-ci n'était difficile. La seule fois où Quinn a dû affronter une situation pénible, il a fait le mauvais choix. La mort n'est pas une option, pas quand tu es jeune et en bonne santé, pas quand tu débordes de qualités et que les gens t'aiment.

— Ce n'est pas aussi simple, murmura Jordie avant de baisser brusquement la tête.

Amanda avait, elle aussi, entendu les bruits. Des pas. Quelqu'un approchait. Quelques secondes plus tard, les faisceaux de plusieurs lampes de poche trouèrent la nuit.

— Merde ! marmonna Jordie entre ses dents.

— Amanda ? appela Graham. Amanda ?

— Je suis en haut, cria-t-elle.

Soudain toutes les lampes de poche se redressèrent et la lumière l'aveugla. Instinctivement, elle leva la main pour protéger ses yeux, mais son mouvement brusque fit bouger les pierres sous elle.

— Baissez les lampes ! hurla-t-elle.

La lumière disparut, dirigée maintenant vers le sol.

— Jordie ?

C'était cette fois la voix de Karen, suivie de celle de Lee.

— Que fais-tu là-haut, Jordie ?

— Descends, pressa Karen. Nous parlerons. Nous trouverons une solution.

Une autre voix s'éleva venant du chemin.

— Les pompiers arrivent, annonça Russ. Tiens bon, Jordie. Ils ne sont plus loin.

— Amanda est avec lui, expliqua Graham. Je monte.

— Non ! cria Amanda. Non, Gray. Les pierres ne sont pas stables. Lors de mon escalade, plusieurs se sont détachées et si ça continue, nous allons nous retrouver dans de sales draps.

— Je suis déjà dans de sales draps, grommela Jordie.

— Si tu sautes, je saute, lança Amanda en l'attrapant par le poignet.

Elle se moquait qu'il soit vexé que tous ses proches soient en bas. Elle ne le laisserait pas mourir pour une question d'amour-propre. Et sous ses yeux en plus.

— Vous ne comprenez pas, chuchota Jordie d'une voix angoissée. Je ne peux pas descendre. Ils me tueront quand ils sauront ce que j'ai fait.

— À cause de la vodka ? Personne ne t'en voudra pour ça. Tu n'as pas obligé Quinn à boire.

— Pas la vodka, dit-il, l'air paniqué cette fois. Gretchen.

Aussitôt tout se mit en place dans l'esprit d'Amanda.

— Le tableau, murmura-t-elle.

— Oui. Je le déteste. Je la déteste. Je veux qu'elle parte. Tout redeviendra comme avant entre mes parents si elle s'en va.

Amanda en doutait fort. Elle avait pu constater dans son propre couple les ravages que la méfiance pouvait causer, alors qu'en l'occurrence, rien ne le justifiait. Contrairement aux Cotter où les trahisons de Lee étaient bien réelles. Lee trompait Karen, sinon avec Gretchen, avec une autre femme sans le moindre doute, et son mariage battait de l'aile bien avant l'arrivée de Gretchen. Le départ de cette dernière ne sauverait probablement pas la situation.

Soudain d'autres pierres se détachèrent et Amanda sentit nettement bouger celles qui se trouvaient sous elle. Son pouls s'accéléra et elle se crispa dans l'attente d'une catastrophe, mais rien ne se produisit.

En bas, Graham jura.

— Elle va bien, dit Russ. Reste ici. Il serait imprudent de monter.

— Gray ? appela Amanda.

— Ça va, répondit-il.

Mais l'attention d'Amanda revint brusquement sur Jordie qui marmonnait maintenant d'une voix désespérée.

— Je n'aurais jamais dû faire ça. J'étais tellement en colère. Et mes coups de téléphone ne lui faisaient pas peur.

— Les coups de téléphone ?

— Anonymes. Juste pour l'affoler. Mais ça n'a pas marché. C'était stupide de ma part. Stupide. Stupide !

Amanda resserra sa main sur son poignet. Elle pouvait sentir la tension de son corps. Elle le secoua.

— Pas stupide. Tu es en colère. Et tu en as le droit. Simplement ta colère ne doit pas être dirigée contre Gretchen, mais contre tes parents parce qu'ils se disputent et que cela te fait de la peine. J'ai vécu la même chose et je peux comprendre ce que tu ressens. Je me répétais que je ne pouvais pas intervenir parce que cela ne ferait qu'envenimer la situation. Alors je me refermais sur moi-même et je restais sombre et silencieuse, ce qui les rendait encore plus malheureux et augmentait mon ressentiment. Il m'a fallu des années pour admettre que j'avais le droit d'être en colère, des années pour que je m'autorise à reconnaître le bien-fondé de ma rancœur.

— Et que s'est-il passé ?

— J'ai fini par leur dire ce que je pensais.

— Est-ce que ça a changé quelque chose ?

— Non, mais je me suis sentie mieux après.

En bas, l'activité grandissait et d'autres personnes rejoignirent les premiers arrivants.

— Bon sang, la moitié de la ville est ici, grommela Jordie.

— Non. Juste quatre hommes. C'est le nombre requis pour transporter une échelle assez haute pour nous atteindre.

— Ils vont le raconter dans le journal comme pour Quinn.

— Tout ce qu'ils sauront, c'est que nous sommes montés jusqu'ici et que nous n'avons pas pu redescendre.

— Je ne descends pas. C'est impossible. J'ai vu les inspecteurs de la compagnie d'assurances. Ils vont me poursuivre en justice. La police aussi.

Soulagée de constater que les secours arrivaient, Amanda se sentait plus calme.

— Bien sûr que non. Nous trouverons une solution.

— Comme si Gretchen allait oublier ses tableaux abîmés ? ricana Jordie.

— Non, mais elle pourrait bien comprendre les raisons de ton geste.

— Les flics sont déjà au courant.

— Mais ils ne pourront rien faire si elle ne porte pas plainte.

— Alors il ne me reste plus qu'à affronter mes parents ?

— Parce que tu t'imagines qu'ils ne vont pas se sentir coupables ? Réfléchis un instant, Jordie. Rappelle-toi ce que tu as éprouvé pour Quinn et la vodka. Ils vont certainement ressentir la même chose, une fois leur colère initiale retombée. Tu dois leur parler, leur dire ce que tu penses de leur attitude. Cela pourrait bien les aider.

Les voix se croisaient en bas. Amanda entendit le bruit de l'aluminium qui frottait sur la pierre, puis des grattements, des grincements tandis que l'échelle se dépliait jusqu'au sommet. Enfin elle la distingua et retint son souffle quand son extrémité s'appuya sur le rebord près de Jordie. Elle redouta que tout ne s'écroule sous son poids, mais finalement la paroi résista.

— Tu n'as aucune raison d'avoir honte, Jordie, cria Karen en bas. Aucune raison.

— Nous faisons tous des erreurs, renchérit Lee.

Mais ce fut la voix de Graham, calme mais pleine d'intensité qui remua le plus Amanda.

— Tiens bon, ma chérie. Tiens bon pour moi.

Les larmes inondèrent ses yeux, mais elle se ressaisit.

Le moment était mal choisi pour s'attendrir. Un pompier commença à grimper et l'échelle protesta avec un grincement sinistre.

— Qu'est-ce que je dois faire ? demanda Jordie.

— Ils t'aiment, affirma Amanda.

— Vous allez leur dire que nous avons parlé à l'école ?

— Non. Je t'ai déjà expliqué que c'était confidentiel. D'ailleurs tu ne m'avais pas raconté grand-chose. Bien moins que ce que tu m'as avoué ici et que tu dois répéter à tes parents.

— Au sujet de Gretchen ? Ils vont péter les plombs.

— Pas si tu leur expliques la raison de ton geste.

— Facile à dire.

Oui... Elle réalisa soudain qu'elle était bien la dernière à pouvoir donner un tel conseil. Après tout, elle n'avait guère brillé ces derniers temps quand il s'agissait de partager ses sentiments.

— Mais tu dois le faire. C'est la seule attitude raisonnable, une attitude adulte.

Lâchant son poignet, elle attrapa son menton et l'obligea à tourner la tête pour la regarder.

— Tu es fort, Jordie. Tu es un battant, un survivant. Tu peux le faire, je le sais.

Elle soutint son regard jusqu'à ce que la voix d'un homme juste en dessous d'eux les fasse sursauter.

— Très bien, Jordie. Je vais attraper ta jambe et guider ton pied jusqu'au premier barreau.

Jordie commença à secouer la tête, mais Amanda posa la main sur son épaule.

— Si, dit-elle. Quinn était un lâche. Pas toi. Montre-leur, Jordie, je t'en prie.

Pendant un instant, il parut vouloir se rebiffer, mais finalement, il poussa un soupir et elle put lire la capitulation dans ses yeux.

Elle lui tint le bras jusqu'à ce qu'il ait posé ses deux

pieds sur l'échelle. Il releva une dernière fois la tête vers elle.

— Va, lui souffla-t-elle. Je te suis.

Elle vit le pompier commencer à descendre juste derrière Jordie de façon à l'empêcher de tomber. Un pas après l'autre, ils s'éloignèrent.

Amanda commençait à se détendre et à voir le bout du tunnel quand des pierres se mirent à dégringoler et son assise à vaciller.

Cette fois, l'alerte dura beaucoup plus longtemps.

17

L'espace d'un instant, alors qu'elle tanguait sur le rocher détrempé, Amanda se vit tomber, s'écraser en bas devant son mari et mourir à ses pieds.

Mais elle ne mourut pas. Le cœur battant, elle avança lentement jusqu'à une pierre stable. Sous elle, des voix s'interpellaient et elle s'inquiéta pour Jordie. Elle ne voyait plus l'échelle.

— Comment va-t-il ? cria-t-elle.

— Bien.

La voix de Graham lui parut très proche.

— Gray ?

— Je suis sur l'échelle, derrière toi. Es-tu blessée ?

— Non. Seulement terrifiée.

— Tu vas devoir revenir en arrière jusqu'à l'endroit où tu étais.

— Je ne peux pas. Les pierres bougent.

— Nous n'avons pas le choix. Envoyez la lumière que je puisse la voir ! hurla-t-il vers le bas. Bien, vas-y. Doucement. Là, c'est bien.

Impatiente de se retrouver près de lui, elle progressa lentement à reculons, les yeux fixés sur ses deux mains mouillées et glacées.

— Continue.

En entendant la voix de Graham si proche, elle se mit à pleurer doucement. Elle sentit une main sur sa jambe qui la guidait prudemment.

— Là, c'est bien. Encore un peu. Je vais poser ton pied sur le dernier échelon. Maintenant, fais passer ton autre jambe par-dessus le mur.

Elle suivit ses instructions, trop heureuse que quelqu'un prenne le commandement. Les larmes coulaient sur ses joues et elle tremblait, fatiguée, le corps douloureux, et anxieuse maintenant pour Graham. Une fois les deux pieds sur l'échelle, Graham derrière elle, elle osa enfin ôter ses mains du rocher pour s'agripper aux montants.

Graham se serra contre elle et posa son menton dans le creux de son épaule. Pendant un long moment, ils restèrent ainsi, immobiles.

— Ne pleure pas, Mandy. Nous descendons maintenant.

De crainte de déloger de nouvelles pierres, ils progressèrent très lentement, un échelon après l'autre. L'échelle s'élargit comme ils atteignirent une nouvelle extension, puis encore un peu plus bas, mais Amanda n'avait qu'une conscience très sommaire de ce qui l'entourait, se concentrant sur la voix de Graham. Elle n'écoutait même pas ses paroles, seulement le son de sa voix qui lui permettait de trouver la force de bouger ses jambes jusqu'à ce qu'enfin, ils touchent le sol et que Graham l'attire dans ses bras.

Il l'entraîna dans la clairière, loin de la tour et des autres, rassemblés là. S'agenouillant sur la terre mouillée, il la serra contre lui et la berça dans ses bras qui tremblaient.

Amanda ne réagissait plus, à la fois trop épuisée et trop heureuse. Elle ne sentait pas la pluie – de toute façon, ils étaient déjà trempés – et les paroles n'étaient pas nécessaires.

Finalement, Russ s'approcha d'eux et leur apprit que Jordie avait eu la jambe cassée lors de la dernière chute de pierres, mais qu'il s'en tirait quand même plutôt bien. Il revint un peu plus tard pour annoncer qu'on l'emmenait sur un brancard. Et une troisième fois encore pour savoir s'ils avaient besoin d'aide.

Graham se releva alors et aida Amanda à se mettre debout en remerciant Russ, lui assurant que tout allait bien.

Bien. Le mot parut faible à Amanda. Jordie était sauvé et une tragédie avait été évitée. Amanda connaissait maintenant l'auteur des actes de vandalisme chez Gretchen et, si elle ignorait toujours le nom du père de l'enfant, elle savait maintenant avec une absolue certitude que ce n'était pas Graham. Serrée contre lui, à l'abri au creux de ses bras, plus aucun doute ne subsistait.

Tandis qu'ils regagnaient leur maison à travers la forêt, elle sentit renaître cette attirance qui les avait rapprochés au début de leur rencontre, cette alchimie que les tests de laboratoire et les courbes de température avaient complètement annihilée, cette étincelle qui s'enflammait entre eux au moindre regard et qui caractérisait leurs rapports. Oui, il faisait bon la retrouver, ainsi que la chaleur du corps de Graham contre le sien.

Quand ils sortirent du bois, l'ambulance s'éloignait déjà, emportant Jordie vers l'hôpital, et une petite voix dans la tête d'Amanda lui suggéra de s'inquiéter de savoir qui l'avait accompagné et qui s'occupait des autres enfants.

Mais elle choisit d'ignorer cette voix. Graham seul occupait son esprit et son cœur et elle repoussa égoïstement toute autre préoccupation.

La porte de la cuisine à peine refermée derrière eux, Graham la souleva, l'assit sur le comptoir et prit son visage entre ses mains. Son baiser exprima sa faim mieux que n'importe quel discours et il lui avoua bientôt avoir senti renaître son désir – ce qu'elle savait bien avant que ses lèvres ne touchent les siennes. Elle s'abandonna à son étreinte, s'accrochant à ses épaules pour lui rendre ses baisers.

— Je t'aime, murmura-t-il tandis que sa bouche s'aventurait dans son cou.

Dans le même temps, sa main s'attaqua à la fermeture Éclair du jean d'Amanda qui résista parce qu'elle était mouillée. Mais il en fallait plus pour décourager Graham et bientôt, il glissa sa main dans le pantalon de sa femme.

L'excitation d'Amanda grandit avant même que cette main n'atteigne sa destination et sa caresse ne fit que démultiplier ses sensations. Elle jouit presque instantanément et les ondes de son plaisir lui parurent se prolonger indéfiniment. Elle n'avait pas encore retrouvé son souffle quand Graham lui ôta complètement son pantalon. Elle l'aida à se débarrasser du sien, les mains fébriles tant son impatience de le sentir en elle était grande et quand il la pénétra enfin, ce fut magique. Rapide, doux et magique. Il commença à bouger, réveillant son désir et les sensations à peine apaisées de son premier orgasme, et l'amena rapidement à un second tout aussi fort qu'il partagea en s'accrochant à elle avec un râle de plaisir.

Un moment plus tard, Graham releva la tête et glissa ses mains dans les cheveux d'Amanda avant de s'emparer à nouveau de sa bouche. Et ce fut comme des retrouvailles après une longue absence. Après l'avoir longuement embrassée, ses lèvres glissèrent sur son cou, puis ses mains fébriles relevèrent son pull qu'elle l'aida à enlever et détachèrent son soutien-gorge. Quand sa bouche se posa sur le mamelon d'un de ses seins, elle gémit tandis qu'un long frisson la traversait de part en part. Graham reprit alors son va-et-vient en elle et leur plaisir s'intensifia dans le même temps, jusqu'à l'explosion finale.

Ils reprirent lentement leurs esprits, savourant cet instant merveilleux.

— Tu n'as pas froid ? demanda Graham dans un murmure rauque.

Elle secoua la tête.

— Tu es trempée.

Elle ne pouvait le nier et remarqua la lueur malicieuse dans le regard de son mari.

Elle ne protesta pas quand il la porta en direction de la salle de bains et resserra ses bras autour de son cou.

— Sèche-moi, susurra-t-elle à son oreille.

Il profita d'une pause pour s'approcher d'une fenêtre, un téléphone à la main, et l'appeler. Elle décrocha après la première sonnerie. Elle attendait.

— Je ne pourrai pas venir ce soir, annonça-t-il.

— Pas du tout ? demanda-t-elle, déçue.

— Non. On a besoin de moi ici. Il est hors de question que je puisse m'absenter.

— Tu avais dit que ça n'arriverait pas.

— J'ai aussi dit que la situation était délicate. Maintenant, c'est encore plus difficile.

— Pourquoi ?

— Il y a des complications. Il s'est passé quelque chose.

— Quelque chose ?

Il passa une main lasse dans ses cheveux, trop fatigué pour trouver la force d'entrer dans les détails.

— Nous avons eu une grosse trouille, ce soir. Je dois réparer les pots cassés. C'est important.

— Je pensais que je comptais pour toi.

— Bien sûr, dit-il et parce qu'il n'éprouvait aucune émotion en entendant sa voix, il se sentit un peu coupable et sa voix s'adoucit. Nous en avons déjà parlé, ma chérie. Tu comptes, mais il y a des priorités.

— Je n'ai plus de temps à perdre. Bientôt le bébé sera là.

— Ne me pousse pas à bout. Pas ce soir. Je suis épuisé.

Il avait envie de nier être le père de ce bébé. Après tout, il n'était même pas certain que ce soit le cas. Dieu sait qu'elle n'avait rien d'une sainte nitouche. Mais après les événements de la soirée, il ne se sentait pas d'humeur belliqueuse. La peur se révélait un puissant anesthésiant.

— Je t'appellerai demain.

— Qu'est-ce qui me le prouve ? demanda-t-elle d'une voix glaciale.

Pas question qu'il se laisse piéger dans une situation inextricable. Après tout, si ce bébé n'était pas le sien, il ne lui devait absolument rien.

— Je préfère ne pas répondre à ça. Je ne peux pas te parler maintenant, un point c'est tout.

Raccrochant le téléphone, il tourna le dos à la fenêtre et reporta ses pensées sur sa famille.

Georgia avait prévu d'être à la maison pour le dîner, mais son vol eut du retard. Elle venait de sortir de l'avion et de rebrancher son portable quand il sonna. C'était Russ. Elle resta pétrifiée au milieu du terminal tandis qu'il lui expliquait les derniers événements. Une fois le premier choc passé, elle se remit à marcher de plus en plus vite. S'il lui était resté un moindre doute quant à ce qu'elle voulait faire, il venait de disparaître.

Elle voulait rentrer chez elle.

Karen aurait passé la nuit à l'hôpital si elle ne s'était pas fait tant de soucis pour ses autres enfants. Allison les surveillait. Quand elle rentra, ils étaient couchés, mais bien réveillés, et attendaient son réconfort. Elle passa un long moment avec eux, les serrant dans ses bras et les embrassant. Puis elle les borda et leur souhaita bonne nuit. Quand elle descendit, elle décrocha le téléphone et appela la chambre de Jordie.

Lee décrocha.

— Allô ?

— C'est moi. Comment va-t-il ?

— Très bien. Je te le passe.

Il y eut un moment de silence, puis la voix de Jordie.

— Allô ?

— Comment va ta jambe ? demanda-t-elle avec autant de légèreté que possible.

— Ça va.

— Elle te fait mal ?

— Un peu.

— Est-ce qu'ils t'ont donné un calmant ?

— Oui.

— Bien. Tu dois être fatigué ?

— Un peu.

— Jordie ?

Elle ne savait par où commencer. Il y avait tant à dire.

— Je serai à la maison demain matin, dit-il d'une voix qui mettait fin à la conversation.

Karen ne put deviner s'il agissait ainsi parce qu'il ne voulait pas parler ou parce qu'il était fatigué, parce qu'il souffrait ou parce qu'il était fidèle à lui-même... ou bien seulement à cause de la présence de son père.

— Je sais, chéri, dit-elle. Je t'attendrai. Je voulais juste que tu saches que je t'aime.

Il ne répondit pas.

— Jordie...

Ses yeux se remplirent de larmes. C'était son fils et, bien qu'il se soit mal conduit, elle réalisa soudain que la responsabilité leur en incombait à elle et à Lee. Tenter de garder la famille unie était une chose, mais le faire aux dépens du bonheur de ses enfants en était une autre.

— Je sais, maman, murmura Jordie. Moi aussi.

— Nous devons parler, murmura Amanda un peu plus tard.

Ils avaient fait l'amour sous la douche, puis encore dans le lit et elle reposait maintenant, sa joue sur son épaule, la main sur sa poitrine et les jambes enroulées autour des siennes.

— Plus tard, répondit Graham à mi-voix, les yeux fermés.

— Parler est important et il y a longtemps que nous ne l'avons plus fait.

— Pour d'autres raisons que celle-ci, répliqua-t-il avec l'ombre d'un sourire.

Elle posa un doigt sur sa bouche et il l'embrassa.

— Pourquoi avons-nous arrêté ?

Il resta silencieux si longtemps qu'elle se demanda s'il ne s'était pas endormi, une habitude qu'il avait après l'amour. Pas elle. Au contraire, l'amour la stimulait et, même aujourd'hui, alors qu'elle aurait dû être épuisée après son aventure avec Jordie, le sommeil la fuyait.

— La vie, murmura-t-il enfin.

— La vie ?

— Les soucis, le travail. Toutes les choses qui se mettent en travers.

Il poussa un grand soupir, se tourna et ouvrit les yeux pour la regarder.

— Pour répondre à ta question, je veux rester avec toi. Si nous ne parvenons pas à avoir un bébé, nous en adopterons un.

Elle étudia son visage. Son regard ne fléchit pas et elle y lut une profonde sincérité.

— Et si d'autres choses viennent nous séparer ?

— Nous les repousserons.

— Nous ne nous en sommes même pas aperçus, cette fois. Comment ferons-nous pour les repérer à l'avenir ?

— Nous avons l'habitude. C'était notre premier coup dur.

— Je suis désolée de t'avoir accusé d'être le père du bébé de Gretchen. Mais elle était enceinte et pas moi et tu lui avais dessiné un si joli jardin à l'époque de la conception du bébé. Qui est le père à ton avis ? demanda-t-elle en relevant la tête.

— Je l'ignore.

— Tu crois que c'est Lee ?

— Mmm.

Ce qui signifiait « possible ». Elle se rappela sa conversation avec Jordie.

— Au moins, si c'est Lee, il pourra intervenir et l'empêcher de porter plainte contre son fils au sujet du tableau.

Gretchen attendit jeudi matin pour appeler. Elle connaissait le numéro par cœur. Bien qu'elle n'ait pas souvent appelé Oliver Deeds, elle y avait beaucoup pensé pendant les mois terribles qui avaient suivi la mort de Ben. Oliver s'était révélé un véritable soutien pour elle pendant cette période. Il l'avait aidée quand elle ne savait comment gérer telle ou telle situation, avait représenté pour elle une source de stabilité, comme Ben l'avait souhaité. Évidemment, Ben n'avait pu anticiper la violence de la réaction de ses fils à la lecture du testament et comment Oliver s'était ainsi retrouvé tiraillé entre deux directions.

— Filham et Marcus, annonça la voix chantante d'une standardiste.

— Oliver Deeds, s'il vous plaît.

— De la part de qui ?

— Gretchen Tannenwald.

Oliver prit rapidement la communication. Spécialisé dans les questions de successions, cet homme ne vivait et respirait que pour ses actes et contrats.

— Gretchen ?

— Oui, dit-elle avant de se lancer précipitamment dans un discours longuement répété, tentant désespérément de paraître forte et indépendante. Je n'en ai pas pour longtemps. Je voulais juste vous dire que j'ai appris le nom de celui qui avait abîmé mes peintures. C'est quelqu'un que je connais, alors je ne porterai pas plainte. J'aimerais que vous préveniez la compagnie d'assurances ainsi que David et Alan.

Il y eut un petit silence.

— Vous voulez dire que vous renoncez à votre déclaration de sinistre ?

— Je n'ai jamais fait de déclaration de sinistre. Je ne les ai jamais appelés. C'est vous qui l'avez fait.

— Vous avez droit à cet argent.

— L'argent ne remplacera pas mes tableaux.

— L'argent, c'est de l'argent. Vous attendez un enfant. Vous en aurez besoin. Vous savez que vous pouvez compter sur mon aide.

— Non.

Il garda le silence et Gretchen espéra qu'elle l'avait surpris, ce qui était somme toute pathétique. Oliver la connaissait bien mieux que les fils de Ben et aurait dû savoir que l'argent ne l'intéressait pas.

— Alors, qui a commis cet acte de vandalisme ? finit-il par demander.

— Ça n'a aucune importance.

— Est-ce quelqu'un avec qui vous sortez ?

— Je suis enceinte. Je ne sors avec personne.

— Oh ! Je me demandais seulement. Gretchen...

— Voilà, coupa-t-elle. Je voulais juste vous avertir. Au revoir, Oliver.

Graham se trouvait encore au lit à près de midi, pour la première fois depuis... Malgré ses efforts, il ne se rappelait pas à quand remontait sa dernière grasse matinée. Tout comme il ne se rappelait pas quand ils avaient fait autant l'amour. Et ce n'était pas fini. Tournant la tête sur l'oreiller, il découvrit la masse blonde de ses cheveux. Son dos et ses fesses nus reposaient contre lui, également nu. Un petit engourdissement avait envahi son bras là où la joue d'Amanda reposait, un engourdissement très localisé, comme il ne tarda pas à le constater. En effet, la proximité du corps d'Amanda réveillait déjà son excitation.

Ils avaient tous les deux téléphoné à leur travail pour prévenir de leur absence. Cela faisait longtemps qu'ils n'avaient pas fait l'école buissonnière.

Il se serra contre sa femme avec un soupir de contentement. La passion qui avait présidé à leurs précédentes étreintes avait eu raison de sa frustration des mois écoulés et il ne ressentait plus maintenant que le plaisir langoureux de son désir qui montait lentement dans son bas-ventre.

Amanda respira profondément, jeta un coup d'œil par-dessus son épaule, se tourna et lui dit bonjour avec un petit soupir ensommeillé.

— Bonjour, dit-il à son tour en l'embrassant sur le nez.

— Mmm. Ça fait des mois que tu n'as pas embrassé mon nez.

— Ça fait des mois que tu n'as pas été aussi mignonne.

Elle paraissait à peine vingt ans. Non pas qu'il fantasme sur les jeunettes. Enfin, si peut-être, un peu. En tout cas, la fraîcheur d'Amanda lui plaisait.

Elle ferma ses yeux, mais, quelques secondes plus tard, les ouvrit tout grands.

— As-tu appelé les Cotter ?

— Oui. Un peu plus tôt. Jordie va bien. Il a passé la nuit à l'hôpital et je crois qu'il doit voir quelqu'un ce matin.

— Un psychologue ?

— J'en ai l'impression.

— Qui t'en a parlé ? Karen ou Lee ?

— Karen. Lee n'était pas là. Il devait s'occuper des formalités.

— Ou se balader quelque part.

— Il était vraiment bouleversé, hier. Il ne jouait pas la comédie quand vous étiez en haut.

Amanda retint son souffle et il comprit qu'elle se remémorait cette terrible expérience. Sa propre peur avait probablement été aussi grande que la sienne, une fois que la colère qu'il avait éprouvée en la découvrant au sommet de cette tour fut retombée pour céder place à l'angoisse et à l'admiration. Restée avec Jordie pendant qu'il courait chercher du secours, elle avait su d'instinct quelle attitude adopter.

— Tu as été formidable, dit-il doucement.

— Une espèce de... rédemption.

Elle passa les doigts sur sa barbe naissante, puis caressa sa bouche.

— Karen et Lee vont devoir prendre des décisions, reprit-elle.

— Nous aussi.

Il ne voulait pas parler de Karen et Lee. En fait, il ne voulait pas parler du tout. Il préférait partager de nouveaux moments de passion avec sa femme, des instants passionnés et irresponsables, aussi légers que son humeur. Il y avait bien trop longtemps qu'ils ne l'avaient fait et il se rendait compte à quel point celui lui avait manqué.

— J'ai faim. Y a-t-il quelque chose de bon à se mettre sous la dent dans cette maison ?

— Eh bien, tu as le choix, répondit-elle en réfléchissant. Poulet, steak ou... moi. Il faudra décongeler les deux premiers, mais en ce qui me concerne, je suis prête.

Graham ne mit pas longtemps à vérifier ses dires. Il la pénétrait quand le téléphone sonna, mais ni l'un ni l'autre ne tourna la tête.

Georgia reposa le récepteur, l'air anxieux.

— J'espère qu'ils vont bien, s'inquiéta-t-elle.

— Ils vont bien, la rassura Russ. Crois-moi, ils vont bien. Et ne va pas sonner à leur porte. Ils ont besoin de rester seuls. Tu le saurais si tu avais été là, hier soir. Bon sang, quelle scène effrayante.

Elle n'était arrivée chez elle qu'à 22 heures, alors que le drame était depuis longtemps joué.

Le téléphone sonna et elle lut le numéro de son avocat s'inscrire sur l'écran de réception. Elle décrocha.

— Oui, Sam.

— Ils ne veulent pas revenir sur les termes du

contrat. Ils tiennent à te conserver à la tête de la société pendant encore deux ans. C'est leur seule concession.

— Deux ans au lieu de trois ?

— C'est déjà quelque chose. En tout cas, c'est plutôt flatteur.

— La flatterie ne m'aide guère quand mes enfants ont besoin de moi et que je me trouve à deux heures d'avion.

Georgia se frotta la nuque. Elle était fatiguée – fatiguée de faire et défaire ses valises, de tirer ses sacs dans les aéroports, de courir d'une porte d'embarquement à une autre pour attraper des correspondances – sans parler de sa lassitude émotionnelle, son inquiétude permanente de ce qui se passait chez elle pendant son absence, ses longs coups de téléphone avec Allison qui grandissait trop vite. Et il y avait Russ, Russ et ses besoins, et les conséquences possibles si leurs séparations se prolongeaient trop longtemps. Jamais elle n'avait imaginé qu'un jour elle se retrouverait à prendre d'importantes décisions d'affaire tandis que son amour de mari fouillerait dans la lessive propre à la recherche des chaussettes de son fils.

Elle se mit à rire en imaginant la scène.

Russ lui jeta un coup d'œil étonné.

— J'ai raté quelque chose ? demanda Sam.

— Non.

Elle respira un grand coup et se redressa.

— Alors, voilà le marché, dit-elle en soutenant le regard de son mari. Je veux pouvoir faire le marché, acheter de la lessive et laver le linge de mes enfants. Est-ce donc si terrible ?

— Non, mais je ne sais pas comment je vais pouvoir traduire ça en termes juridiques.

— C'est facile. La réponse est non. Le contrat tombe à l'eau si je dois continuer à voyager d'un bout à l'autre du pays. Je travaillerai chez moi et on pourra me joindre au téléphone. Les voyages sont terminés.

— Cela pourrait bien ficher le marché en l'air.

— Eh bien, nous en trouverons un autre. Ma décision est prise.

Vendredi matin arriva et Amanda reprit le chemin du lycée aussi forte que Georgia. Passer la journée avec Graham l'avait dynamisée. Ils s'étaient retrouvés et avaient beaucoup parlé, abordant les sujets de la confiance et de la communication, mais évitant la moindre allusion à la famille de Graham ou même au bébé.

Faisant fi des conventions, ils avaient passé la journée, nus, sans prendre la peine de s'habiller. De toute façon, ils n'avaient pas quitté la chambre et s'ils avaient écouté leurs messages, à deux reprises, ils s'étaient bien gardés de débrancher le répondeur. Ils s'étaient embrassés et avaient fait l'amour si souvent qu'Amanda avait cessé de compter, reposant ensuite dans les bras l'un de l'autre. Ils s'étaient douchés ensemble, avaient mangé des pizzas au lit et avaient dansé, nus au milieu de la chambre.

Ils s'étaient aimés avec autant d'intensité qu'au début de leur rencontre. Une passion qui avait balayé tout ce qui s'était mis en travers de leur amour au cours des derniers mois. De nouveau, ils formaient un couple, seuls au monde, et leurs corps se retrouvaient, évoluant avec cette merveilleuse synchronisation qui caractérisait une entente parfaite.

Ce fut une extraordinaire évasion du monde qui les entourait et Amanda n'aurait pas hésité à recommencer le jour suivant si une petite voix au fond de sa conscience ne lui avait rappelé ses responsabilités – des réunions qui requéraient sa présence, des coups de fil à passer. Graham de son côté dirigeait une entreprise et certaines tâches l'attendaient. Une journée de travail s'imposait donc, d'autant que le week-end était proche.

Cela étant, Graham se manifesta toute la journée, lui

envoyant des e-mails toutes les heures, l'appelant deux
fois avant le déjeuner et deux fois après et quand elle regagna la maison vers 16 heures, il l'attendait devant la porte,
deux sacs à ses pieds.

18

L'espace d'une seconde, cette peur irrationnelle qui n'avait pas quitté Amanda au cours des dernières semaines refit surface. Mais quelque chose dans le sourire de Graham lui rendit sa confiance. Il ne lui accorda que le temps de se changer avant de l'entraîner vers son pick-up et de prendre la direction du nord.

Située dans la petite ville de Panama, au nord du Vermont, l'auberge à l'enseigne étonnante de La Grenouille verte possédait déjà une excellente réputation malgré une ouverture récente. Chaque chambre était différente, mais toutes décorées sur le thème de la grenouille. Les fenêtres donnaient sur la campagne environnante, luxuriante en cette période, avec, juste derrière l'hôtel, une mare enjambée par un petit pont et des chemins de randonnées qui partaient dans toutes les directions. De l'autre côté de la rue, un petit magasin offrait un large éventail de bonbons et notamment des barres géantes de chocolat aux amandes – la faiblesse d'Amanda.

Cette dernière n'aurait pu imaginer meilleur endroit pour une escapade et ne voyait que deux récriminations à émettre. La première, légèrement atténuée par la qualité cinq étoiles de la nourriture, concernait l'absence de service en chambre, ce qui les obligeait donc à s'habiller et à descendre. La seconde visait plus particulièrement Graham et l'habitude qu'il avait prise d'émettre un guttural « temps mort » quand elle tentait d'aborder un sujet un tant soit peu sérieux.

Comme quand elle voulut parler de Quinn.

— Temps mort, cria-t-il.

Ou quand elle reconnut qu'ils adoraient tous les deux leur travail et qu'il leur avait été facile de s'y noyer quand la situation s'était tendue à la maison.

— Temps mort.

Également quand ils parlèrent de la famille de Graham.

— Temps mort.

Et encore quand la question de savoir qui était le père de l'enfant de Gretchen revint sur le tapis.

— Temps mort, lança-t-il de nouveau.

— Je ne crois pas, protesta-t-elle cette fois d'un ton si grave que Gray éclata de rire. C'est important, Gray. Ce bébé a déclenché toute une série de réactions et de remises en question dans le quartier. Je veux savoir qui est le père. Pas toi ?

— Je ne veux pas penser à ça, dit-il en l'attrapant par le cou et en la serrant contre lui. Cela ne figure pas dans mes priorités du moment. Pas plus que ma famille ou mon travail ou même Quinn ou Jordie. Bien sûr, nous devrons parler de toutes ces choses. Je ne suis pas certain de bien comprendre ce que tu as ressenti à la mort de Quinn ou ce que tu peux éprouver au milieu d'une grande famille alors que tu as grandi toute seule. Ni même pourquoi tout le monde s'est ainsi senti menacé par Gretchen, mais c'est bien de tenter de l'expliquer. Néanmoins, rien de tout cela n'a d'importance. La seule chose qui compte, c'est nous et nous avons eu tendance à l'oublier ces derniers temps. Tu sais ce que j'aime le plus chez toi ? demanda-t-il en la fixant de ses yeux verts.

Incapable d'articuler un mot, elle se contenta de secouer la tête.

— C'est que tu sois si différente de nous, de ma famille. Je désirais ce changement, Mandy. Pourquoi crois-tu que j'ai laissé pousser ceci ? interrogea-t-il en tirant sur sa barbe.

Intéressante question. Ils n'en avaient jamais parlé et elle n'avait jamais cherché à analyser son geste – et pourtant, Dieu sait qu'elle analysait tout. Elle s'était contentée d'accepter cette barbe comme une addition à son charme.

— Provocation ? suggéra-t-elle.

— Beaucoup plus simple. Je voulais simplement paraître différent d'eux. Je voulais prendre un autre chemin. Je le souhaite toujours.

Amanda le prit au mot et chassa de son esprit la famille de Graham et son influence sur lui. Mais le répit fut de courte durée.

Ils venaient à peine de prendre le chemin du retour, le dimanche après-midi, quand le téléphone portable de Graham sonna. C'était Peter. Dorothy avait eu une attaque.

Pas question de déposer Amanda à la maison. Elle s'y opposa farouchement. Dorothy était la mère de Graham et il s'agissait d'une urgence. Elle tenait à rester près de lui.

Graham conduisit tout le long, retraçant le chemin qu'ils avaient emprunté deux jours plus tôt jusqu'à ce qu'ils atteignent l'autoroute et mirent le cap à l'est de Woodley. Le coup de téléphone avait brusquement chassé leur humeur détendue et nonchalante et plus ils se rapprochaient de leur destination, plus Graham devenait tendu. Il appela successivement son frère Will qui lui apprit que Dorothy avait eu son attaque à l'aube, Joseph qui l'informa qu'elle était réveillée et consciente et enfin Malcolm qui lui précisa que c'était Megan qui l'avait découverte.

Ne sachant que dire, Amanda garda le silence. Elle ne pouvait rassurer Graham en lui disant que Dorothy

allait se remettre parce qu'elle n'en savait rien. Elle se
contenta donc de poser une main réconfortante sur son
épaule, lui rappelant ainsi sa présence à ses côtés.

Ils atteignirent l'hôpital en début de soirée. Graham
se gara et mi-courant, mi-marchant, se précipita dans
l'établissement et jusqu'à l'ascenseur. Grâce aux informations de MaryAnne, il savait où trouver la chambre au
sixième étage, mais, même sans la moindre indication, il
n'aurait pu rater sa destination, compte tenu du nombre
de O'Leary postés devant la porte.

Malcolm vint à leur rencontre.

— Elle va bien. En fait, elle refuse de rester ici, mais
il n'est pas question de la laisser sortir avant qu'ils lui
aient fait passer toute une série d'examens. Elle aura
besoin d'aide de toute façon. Elle a perdu le sens de l'équilibre et a tendance à partir sur la gauche. Les médecins
pensent que son cerveau a dû subir quelques dommages
mineurs de ce côté.

— Mineurs ?

— Mineurs, confirma MaryAnne qui les avait
rejoints. Elle a eu de la chance.

Bien qu'elle n'ait pas une grande affection pour cette
femme, Amanda ne put s'empêcher de remercier le Seigneur en devinant le soulagement de son mari.

— Qu'est-ce qui a provoqué cette attaque ? demanda
ce dernier.

— Ils n'en savent rien. D'où les tests. Il ne s'agit peut-
être que d'un problème d'âge.

— Doit-on s'attendre à d'autres attaques par la
suite ?

— Ils vont lui prescrire des médicaments pour l'éviter, précisa Peter qui venait de s'approcher.

— Tu parles ! railla Graham.

Tout le monde savait que Dorothy détestait avaler
des cachets.

— Elle n'aura pas le choix. Viens, ta visite va lui faire
plaisir. Elle ne cesse de te demander.

En pénétrant dans la chambre, le cœur d'Amanda se serra pour Dorothy qui avait l'air d'une pauvre petite chose perdue dans le lit. Même si l'attaque n'avait été que légère, il était évident que Dorothy avait eu terriblement peur comme en attesta le tremblement de la main qu'elle tendit vers son fils.

Graham la prit et se baissa pour déposer un baiser sur la joue de sa mère.

— Tu as l'air drôlement en forme pour quelqu'un qui vient de me faire vieillir de dix ans.

— Où étais-tu ? demanda Dorothy d'une voix enfantine. Tu n'étais pas chez toi. Ils n'ont pas cessé de téléphoner. Heureusement que Will avait le numéro de ton portable.

Amanda suivit Graham et embrassa également sa belle-mère.

— Il a raison. Vous avez l'air en meilleure forme que nous. La route paraît interminable quand on s'inquiète.

Dorothy ne lui accorda qu'un simple regard avant de se tourner vers Graham.

— Ils veulent que je reste ici. Il n'en est pas question.

— Tu le dois. Il faut que tu passes des examens.

— Non. C'est ce qui a causé la mort de ton père.

— Non, maman. C'est le cancer qui l'a tué.

— Non, sans ces examens...

— Il serait mort de la même façon. Simplement nous n'aurions appris la cause de son décès que plus tard.

— Crois ce que tu veux.

— Mais tu te trompes, maman. Et tu te mets martel en tête pour rien. Faire des analyses ne tue pas.

— Facile à dire, grommela-t-elle. Ce n'est pas toi qui vas les subir. Ils disent aussi que je ne peux pas rentrer à la maison, que j'ai besoin d'aide. Mais mes filles ne peuvent passer leur temps avec moi. Elles doivent prendre soin de leurs propres familles. Ma belle-sœur a des problèmes de hanche et serait incapable de monter les escaliers. Je demanderais bien à Megan – elle accepterait sans hésiter.

Je serais encore étendue sur le sol si elle ne s'était pas inquiétée en constatant que je n'avais pas rentré mon journal. Quelle brave fille ! Mais Megan doit s'occuper de sa librairie. Alors qui va m'aider ?

— Nous embaucherons quelqu'un.

— Une étrangère ! s'exclama Dorothy sidérée. Il n'en est pas question.

— Pourquoi pas une infirmière ? suggéra Amanda gentiment. Elles sont parfaites et certaines acceptent même de cuisiner et de faire le ménage.

— Eh bien, embauchez-en une pour vous. Ma génération n'a pas besoin de bonne.

— Maman, Amanda n'a pas tort.

— Elle travaille. Elle veut que quelqu'un prenne soin de sa maison. Si elle ne travaillait pas, elle pourrait le faire elle-même.

— Mais son travail est important. Elle aide des enfants. Pourquoi devrait-elle renoncer à son travail pour s'occuper de sa maison ?

Amanda vit le piège. Dorothy ne rata pas l'occasion.

— Elle aide les enfants des autres. C'est ça le problème.

Une infirmière pénétra dans la chambre.

— Le moment est venu, madame O'Leary, dit-elle. Nous allons lui faire passer un scanner, précisa-t-elle à l'intention de Graham et Amanda.

Dorothy jeta un regard angoissé en direction de son fils. Mais en constatant qu'elle ne pouvait attendre aucun secours de sa part, elle serra les dents et se laissa entraîner.

Graham passa presque toute la nuit au téléphone, parlant alternativement avec chacun de ses frères et sœurs pour trouver une solution pour leur mère. Les examens n'avaient rien donné. D'autres seraient pratiqués au cours des prochains jours, mais Dorothy restait sur ses positions au sujet de l'aide à domicile. Finalement ils en vinrent à envisager que chaque membre de la famille se relaie à tour de rôle à son chevet.

Assise près de lui dans la cuisine, Amanda lui chuchota qu'elle pouvait également passer chaque jour, après l'école, pour l'aider. À quoi, Graham répondit par un sourire de remerciement en secouant la tête.

Amanda se sentit mise à l'écart sans pouvoir lui en tenir rigueur. Dorothy ne voulait pas d'elle. C'était un fait bien établi. Elle accepterait peut-être l'aide de ses filles ou de ses belles-filles, mais pas celle d'Amanda. En écoutant les paroles de Graham, elle devina que ces possibilités étaient envisagées, mais aussi qu'aucun des frères ou sœurs de son mari ne la considérait comme une alternative possible. Tout le monde avait conscience du rejet de Dorothy à son égard, malgré les dénégations de Graham.

D'un coup, le sentiment d'insécurité que le week-end merveilleux lui avait fait oublier, se manifesta à nouveau, plus fort encore. Un peu comme une graine abandonnée, mais qui aurait survécu à la tempête et qui reprendrait lentement, mais sûrement, racine. Si Graham le remarqua, il ne le montra pas, totalement absorbé par ses conversations jusqu'à ce qu'il raccroche enfin. Ils montèrent dans leur chambre.

Une fois couchés, Graham l'attira dans ses bras et lui manifesta le même amour, la même tendresse qu'au cours des jours précédents. Mais garder le silence ne suffisait pas. Toute leur passion retrouvée ne pouvait venir à bout de cette petite graine. Amanda voulait que Graham l'admette. Si au cours des deux dernières années, les difficultés qu'ils avaient rencontrées pour concevoir un bébé avaient constitué la cause majeure de leur éloignement, la famille de Graham arrivait juste derrière.

Et elle commençait à être fatiguée d'être considérée comme une intruse.

Mais elle ne pouvait le lui dire maintenant. Dorothy était hospitalisée et Graham inquiet. Le moment n'était guère opportun pour une confrontation.

Lundi matin trouva Karen dans le même état d'esprit. L'heure n'était pas à la confrontation. Jordie allait porter un plâtre pendant six semaines et voir un psychologue bien plus longtemps encore. Les jumeaux devinant que quelque chose ne tournait pas rond se refermaient sur eux-mêmes, communiquant plus que jamais dans leur propre jargon, et Julie s'accrochait aux basques de sa mère. Il n'y avait que pendant les heures de classe que Karen retrouvait un peu de liberté, mais pour se consacrer à l'une ou l'autre de ses tâches de bénévolat.

Amanda et Graham s'étaient offert une escapade. Et pourquoi pas ? Ils s'aimaient. Ils pouvaient donc oublier le reste du monde. Pas Karen. Quand elle n'était pas à l'école, s'efforçant de se comporter comme si tout était normal, elle tournait en rond chez elle à imaginer toute sorte d'horreurs. Elle ne pouvait passer en voiture devant chez Gretchen sans se la représenter derrière ses rideaux en train de l'observer avec pitié ou mépris.

Karen s'était débarrassée du couteau utilisé par Jordie pour lacérer les tableaux. Ainsi Gretchen ne pouvait plus porter plainte. Même si Jordie avait avoué, elle n'avait aucune preuve.

Restait le pistolet avec lequel elle n'était pas supposée jouer. Russ l'avait déposé ce matin, empaqueté dans une enveloppe à bulles bien fermée à l'adresse de Lee. Évidemment, elle n'avait pu résister à la tentation de l'ouvrir et le simple fait de toucher l'arme lui avait fait perdre les pédales.

La porte de la cuisine s'ouvrit et Lee entra. La porte claqua derrière lui.

— On m'a transmis ton message. Il paraît que c'est urgent.

Lentement, calmement, Karen sortit le petit pistolet de sa poche. Le tenant à la hauteur de sa taille, elle le pointa sur Lee qui fronça les sourcils et eut le réflexe de faire un pas de côté. Karen pivota de façon à garder le canon de l'arme pointé dans sa direction, ressentant un étrange pouvoir.

— Bon sang, que fais-tu avec ça ? demanda-t-il sans quitter le revolver des yeux.

— Russ l'a apporté ce matin. Je crois qu'il t'appartient ?

— Je n'ai pas de pistolet.

— Je l'avais déjà vu dans ton tiroir.

— Tu fouilles dans mes tiroirs maintenant ? dit-il en s'emportant comme elle l'avait anticipé.

Il excellait dans cet art de tourner la situation à son avantage. Mais elle refusa de se laisser déconcentrer. Elle savait où elle voulait en venir.

— Je range tes slips, n'oublie pas. De temps en temps, il m'arrive de placer ceux du dessous en dessus. Le pistolet se trouvait là depuis longtemps. Pas un très bon endroit pour le cacher, Lee. Jordie n'a pas eu à le chercher bien loin.

Prenant conscience que nier ne marcherait pas, Lee changea de tactique.

— C'était le meilleur endroit pour l'attraper au cas où un cambrioleur se serait introduit dans la maison au milieu de la nuit. D'ailleurs, comment sais-tu que ce pistolet est celui que tenait Jordie ?

— Parce que le tien n'est plus là. Et parce que personne n'a découvert d'arme sur Jordie quand on l'a déshabillé à l'hôpital. J'ai d'abord cru que c'était toi qui l'avais pris, mais apparemment, c'était Russ.

— Pose ça, dit Lee. Les pistolets peuvent tuer.

Karen hocha la tête.

— Celui-ci aurait pu tuer ton fils. J'en ai fait des cauchemars la nuit dernière.

Il tendit la main.

— Donne-moi ça.

— Pas encore.

— Que veux-tu faire ?

— Dire ce que j'ai à dire.

Il soupira l'air ennuyé.

— Qu'est-ce que tu as à dire ? demanda-t-il comme s'il s'adressait à une enfant capricieuse.

C'était en général à ce moment-là que Karen faiblissait. Face à Lee, le brillant professionnel, celui qui possédait la connaissance, l'intelligence, l'entregent, elle ne faisait pas le poids.

Mais elle était une mère et lui ne pouvait lutter contre ça. Alors peut-être tirait-elle sa force de l'arme dans sa main ou peut-être avait-elle été humiliée une fois de trop, mais aujourd'hui, c'était décidé. Elle ne faiblirait pas. Elle devait affronter la situation, dire ce qu'elle avait sur le cœur et ce qui pourrissait leur mariage. Trois choses en fait.

— Le mensonge, la tromperie, la violence, dit-elle.

— Il n'y a jamais eu de violence entre nous, protesta Lee, l'air toujours aussi ennuyé. Si tu comptes invoquer de prétendues violences physiques, tu ne pourras fournir aucune preuve.

— C'est subtil, silencieux, mais efficace. Et tout le monde en est affecté dans cette maison. À tel point que je suis devenue incapable de penser de façon cohérente.

— Va voir un psy. Je payerai. Je t'en ai déjà parlé.

— Un psy ne me sera d'aucune aide. Je suis incapable de continuer ainsi, Lee. Je ne peux plus supporter les autres femmes, que tu rentres au milieu de la nuit sans la moindre explication et la colère que ton attitude suscite en moi.

— Tu te fais des idées, dit-il de cette voix doucereuse qu'elle connaissait bien.

— Non. J'ai vu tes factures de carte bancaire et j'ai remarqué que tu payais des visites chez un obstétricien. Quelqu'un prend rendez-vous avec lui tous les mois et ce n'est pas moi.

Lee parut légèrement décontenancé.

— Tu m'espionnes maintenant ?

Les dés étaient jetés, pensa-t-elle, affolée. Lee lui

aurait peut-être pardonné d'avoir découvert le pistolet dans son tiroir en rangeant son linge, mais il ne lui pardonnerait jamais d'avoir fouillé dans ses papiers. Il lui avait toujours fait confiance. C'était fini.

Quelle importance ? Sa vie à elle avait complètement basculé. Les événements des deux dernières semaines y avaient largement contribué et ses vieilles craintes venaient de reparaître, plus fortes que jamais – craintes de se retrouver seule, sans Lee, sans personne, et totalement démunie – ces mêmes peurs qui l'avaient toujours retenue de quitter son mari jusqu'à ce jour et qui pourraient bien l'en empêcher, une fois encore.

Mais aujourd'hui, elle ne pouvait plus rebrousser chemin. Elle ne le pouvait plus.

— Oui, répondit-elle. Et inutile de tourner la situation pour me donner le rôle du méchant. Ça ne marchera pas, cette fois. Je redoute le divorce, cela me terrifie et tu le sais. C'est ce qui m'a poussée à accepter tes excuses et à te croire quand tu affirmais que tout était fini avec tes maîtresses. Mais inutile de se voiler la face. Rien ne va plus entre nous. Le poison se répand lentement, mais sûrement. Je pouvais encore le supporter quand j'étais seule à en souffrir. Mais pas quand le bonheur de mes enfants est en jeu.

— Les enfants vont bien, protesta-t-il.

— Lee ! s'exclama-t-elle, incrédule. Regarde Jordie et ce qui a failli lui arriver, ainsi qu'à Amanda. Sans parler de ce qu'il a fait à Gretchen. Il n'aurait jamais agi ainsi si tu n'avais cessé de rabâcher au sujet de cette peinture et s'il n'avait pas cru que tu étais le père de son enfant.

— C'est de ta faute. Ta colère, tes soupçons. Jordie n'aurait jamais cru une chose pareille sans tes scènes ridicules !

Étant allée trop loin pour faire demi-tour, Karen en éprouva brusquement un certain détachement qui lui fit considérer son mari d'un œil nouveau. Elle le trouva sou-

dain complètement ridicule avec ses cheveux décolorés et
ébouriffés.

— Ma colère, mes soupçons sont la conséquence de
tes coucheries et de tes mensonges.

Il leva la main.

— Ne t'imagine pas mettre toute la responsabilité sur
mon dos.

— Nous avons failli perdre Jordie ! hurla-t-elle. Est-
ce que tu comprends ça ?

Elle se reprit et tenta de se calmer. Amanda ne crierait
pas dans une telle situation. Ni Georgia. Elles conserve-
raient leur calme, s'exprimeraient avec conviction, même
si elles tremblaient intérieurement de peur.

— Ne te fatigue pas à répondre, reprit-elle. Ce que
tu as à dire ne m'intéresse pas. Je veux simplement que
tu fasses tes valises et que tu t'en ailles. Dans une heure,
les enfants seront à la maison. Je veux que tu sois parti
avant leur retour.

Lee parut déconcerté.

— De quoi parles-tu ?

Karen déglutit avec peine. Amanda et Georgia reste-
raient sur leur position malgré leur appréhension.

— Je veux que tu partes.

— Tu parles sérieusement ?

Elle hocha la tête.

— Voyons, chérie, commença-t-il en faisant un pas
dans sa direction.

Mais elle leva l'arme. Lee s'arrêta net et considéra le
pistolet, puis sa femme.

— C'est ma maison.

— Plus maintenant. J'irai au tribunal si c'est nécessaire. J'ai la copie des factures et le nom d'un très bon
avocat. Tu dois partir, Lee.

Il leva les deux mains dans un geste de conciliation.

— Tu es en colère. Tu penses encore à des choses qui
sont depuis longtemps terminées. Tu penses à Jordie en
haut de cette tour. Au début, tu n'as pas réagi, trop cho-

quée. Maintenant la réalité de son acte commence à t'apparaître ainsi qu'à moi.

— Il ne s'agit pas seulement de Jordie.

— Bien sûr que non. Nous traversons tous des moments difficiles. Ceci en est un pour toi. Tu ne penses plus clairement.

— Mes pensées sont très claires.

— On a tendance à perdre un peu les pédales quand on est confronté à une peur comme celle que nous avons vécue avec Jordie.

Karen poussa un soupir excédé. Elle était fatiguée de se voir sans cesse rabaissée par son mari.

— Je ne veux plus te voir, Lee, dit-elle en détachant bien ses paroles. Et je me moque de savoir où tu iras du moment que c'est loin d'ici.

— Mais pourquoi ?

— Mets ça sur le compte d'une femme de trop. Tu as une maîtresse, Lee. Je ne sais pas s'il s'agit de Gretchen ou d'une autre, mais je refuse de continuer ainsi.

Lee parut sur le point de nier, mais elle détenait des preuves. Il pouvait le lire dans son regard.

— Je suis faible, Karen. J'ai fait des erreurs. Mais ces femmes ne signifient rien pour moi.

— Est-elle enceinte ?

— Quelle importance ? Tout ce qui compte, ce sont nos enfants. Et toi.

— Pourquoi ne puis-je te croire ?

— Parce que tu es en colère.

— Non, répliqua-t-elle, surprise de ne pas éprouver plus de chagrin. Nous ne comptons pas pour toi. Sinon tu ne nous ferais pas souffrir ainsi.

— Mais elle ne compte pas pour moi, plaida-t-il. D'ailleurs, c'est fini entre nous. J'ai compris la leçon quand j'ai vu Jordie en haut de cette tour.

Karen ne le croyait pas. Il n'en était pas à sa première promesse.

— Va faire tes valises.

Il resta silencieux un instant.

— Ou quoi ? Tu comptes faire usage de cette arme ?

— En fait, j'envisage de la remettre à Russ. Il saura sûrement quoi en faire.

Elle baissa le canon, mais sa colère ne la quittait pas. Colère pour toutes les infidélités qu'il lui avait infligées au cours de ces années. Une colère qui lui donna le courage de prononcer les paroles qui lui brûlaient les lèvres.

— Je n'ai pas besoin d'un pistolet. Je possède d'autres armes et je m'en servirai. Si tu ne vas pas immédiatement faire tes valises, si tu ne quittes pas cette maison, si tu ne m'accordes pas un divorce à l'amiable, je raconterai aux enfants de quoi tu es capable. Tu les aimes, Lee, je le reconnais. Et ils t'aiment – même Jordie qui nous déteste probablement autant qu'il nous aime en ce moment. Alors voilà le marché. Tu pars, nous divorçons à l'amiable et tu conserves l'amour de tes enfants. Ou tu me compliques la vie et je rends la tienne insupportable.

C'était un véritable pari, un vrai défi pour elle qui n'avait jamais été joueuse. Un moment particulièrement difficile aussi. Jamais encore elle n'avait osé tenir tête à son mari – même pas quand il avait avoué ses précédentes infidélités – et une petite part d'elle-même espérait encore des excuses, une tentative de réconciliation de son mari, qu'il se rachète, un statu quo en quelque sorte qui maintiendrait la situation sans changement. Après tout, si elle savait ce qu'elle perdait, elle ignorait ce que lui réservait l'avenir.

Mais il ne s'agissait que d'une toute petite part d'elle-même. Jusqu'à présent, les aventures passées de Lee n'avaient touché qu'elle. Aujourd'hui, elles déstabilisaient ses enfants. Ce qui changeait considérablement la situation.

Lundi après-midi, Amanda quitta l'école un peu plus tôt et prit le chemin de l'hôpital pour rendre visite à Dorothy. Elle n'avait pas prévenu Graham de son intention.

Elle ne le faisait pas pour lui, mais pour elle. Elle espérait que si elle faisait un effort – si Dorothy en prenait conscience – cette dernière finirait par l'accepter dans sa famille.

Une horde de O'Leary passait dans le couloir. Les petits-enfants étaient venus cette fois, les bras chargés de cadeaux et de cartes dessinées à la main pour souhaiter un prompt rétablissement à leur grand-mère, et on les laissait entrer par petits groupes dans la chambre. Ils accueillirent Amanda avec plus d'enthousiasme que les adultes et elle leur rendit affectueusement leurs baisers avant de se tourner vers Sheila, la femme de James.

— Comment va Dorothy ? demanda-t-elle.

— Plutôt bien. Ils l'ont fait marcher et elle s'en est bien tirée, mais elle a peur de retomber.

— A-t-elle passé d'autres examens ?

— Oui. Il n'y a plus de doute. Il s'agissait bien d'une légère attaque. Mais il ne semble pas y avoir de séquelles graves. Même ses problèmes d'équilibre s'améliorent.

Amanda s'approcha de la porte comme les deux enfants de Will sortaient de la chambre. Ignorant le nœud dans son estomac, elle entra.

Dorothy avait les yeux fermés.

— Bonjour. J'espère que les enfants ne vous ont pas trop fatiguée.

La vieille femme ouvrit les yeux, vit Amanda et regarda derrière elle.

— Où est Graham ?

— Il ne pouvait venir. Il avait un rendez-vous avec un client à Litchfield. Je voulais juste prendre de vos nouvelles.

Dorothy fit un signe en direction de la porte et referma les yeux.

— Ils vous diront.

— Ils l'ont fait. Et il semblerait que les choses soient en bonne voie. Quel soulagement.

Comme Dorothy ne répondait pas, elle s'empara des cartes sur la table de chevet.

— Vous avez été gâtée.

— Mes petits-enfants sont merveilleux.

— Oui, c'est vrai et avec un peu de chance, vous pourriez bien en avoir d'autres.

Dorothy ouvrit alors les yeux et la force de son regard accusateur contrasta étrangement avec son corps inerte.

— Mac a dit que vous aviez cessé le traitement. Je ne vois pas comment vous pourriez tomber enceinte.

— Il s'agit simplement d'une pause.

— Je n'ai jamais fait une chose pareille. J'aimais mon mari et je n'ai jamais considéré que concevoir des enfants était une corvée.

Amanda n'apprécia pas sa réflexion, mais ne répliqua pas, jugeant le moment mal choisi pour argumenter. Elle se contenta de sourire.

— C'était plus facile à votre époque. Je me demande parfois si ce n'est pas dans l'air du temps.

— Jimmy dit que Graham est frustré.

— Moi aussi. Nous désirons autant l'un que l'autre avoir des enfants.

Les yeux de Dorothy se posèrent à nouveau derrière Amanda, mais cette fois, son regard s'éclaira.

— Ah, Christine ! C'est si gentil à toi de venir me voir. Je sais combien tu es occupée.

Ignorant le sous-entendu, la femme de Joseph adressa un clin d'œil complice à Amanda avant de se tourner vers sa belle-mère.

— Jamais trop occupée pour vous voir. Comment allez-vous, maman ?

Dorothy profita de l'arrivée de sa bru pour tenir Amanda à l'écart. Cette dernière tenta de prendre part à la conversation sur l'activité de Christine comme organisatrice de spectacles, mais l'attitude de Dorothy s'avéra si grossière et méchante qu'elle ne s'attarda pas.

En quittant la pièce, Amanda rumina sur ce qui

venait de se passer et en vint même à blâmer sa belle-sœur. Après tout, celle-ci aurait pu s'enquérir du travail d'Amanda devant Dorothy. Et elle ne douta pas un instant qu'elle l'aurait sûrement fait si Megan avait été à sa place.

Ne t'engage pas dans cette voie se dit-elle. Ça n'a rien à voir avec Graham et toi.

Malheureusement, ces petites attaques vicieuses et venimeuses faisaient leur chemin et finiraient probablement par ruiner leur couple.

Graham se rendit compte de quelque chose, ce soir-là, malgré les efforts d'Amanda pour le cacher.

Elle avait préparé un délicieux repas, arrosé d'un bon vin, avec une tarte aux fraises – son dessert préféré – et elle entretint la conversion, le mettant au courant des dernières nouvelles du quartier – Georgia avait refusé les exigences de ses acheteurs et attendait le verdict, Karen avait jeté son mari dehors. Elle lui dit combien elle avait été heureuse toute la journée à l'école en se remémorant leur merveilleux week-end, se sentant forte malgré les draps mortuaires qui décoraient encore certains murs de l'école.

Ce ne fut que beaucoup plus tard, après un appel de son frère, que Graham apprit qu'elle était passée à l'hôpital.

— Pourquoi ne me l'as-tu pas dit ? demanda-t-il, d'un ton de reproche.

Ils avaient pourtant convenu de tout se dire.

Elle se contenta de hausser les épaules comme si cela n'avait pas d'importance.

— Ce ne fut pas une visite très fructueuse. Amanda Carr au tapis, une nouvelle fois.

— Oh, Mandy. Ma mère est âgée. Elle est en colère en ce moment et elle a peur. Ne l'oublie pas.

— Je sais, mais c'est difficile. Crois-tu que je devrais commencer à l'appeler maman ? Ça lui plairait peut-être ? Mais cela paraît tellement surfait. Après tout, elle n'est pas ma mère, mais la tienne.

Cette pensée obséda Graham une bonne partie de la nuit. « Elle n'est pas ma mère, mais la tienne », s'était contentée de dire Amanda, sans chercher à s'étendre. Elle ne lui avait pas non plus demandé de prendre parti. D'ailleurs, elle ne lui avait jamais demandé quoi que ce soit quant à Dorothy. Elle acceptait le fait que cette femme soit malade et faisait preuve d'une grande indulgence malgré la froideur que lui témoignait sa belle-mère.

Et cette froideur ne datait pas d'hier. Graham y réfléchissait encore en se levant le lendemain matin. « Elle n'est pas ma mère, mais la tienne » s'était transformé pendant la nuit en « Elle n'est pas mon problème, mais le tien. »

Le nouveau départ qu'il avait pris avec Amanda le réjouissait et il reconnaissait volontiers le rôle actif que cette dernière y avait joué. Elle faisait autant d'efforts que lui pour que ça marche. Mais comment pouvait-elle lutter contre Dorothy ? Son choix était mince sinon se montrer encore et toujours patiente jusqu'au jour où elle capitulerait et baisserait les bras.

Mais comment aborder un problème aussi délicat tant que sa mère était hospitalisée ? De la même façon qu'il ne lui viendrait jamais à l'idée de planter un sycomore adulte qui requérait beaucoup d'humidité, au plus fort de l'été, il ne pouvait envisager d'affronter sa mère dans son état actuel. Son attaque, bien que légère, n'en avait pas moins été traumatisante. Mieux valait attendre des jours meilleurs.

Sa décision prise, il se rendit à l'hôpital, ce soir-là, sans se douter un seul instant que Dorothy allait lui forcer la main.

19

— Bonsoir, maman, dit Graham en pénétrant dans la chambre.

Mac qu'il avait croisé dans le couloir l'avait informé que les autres étaient rentrés chez eux pour dîner. Il était près de 18 heures et le repas de Dorothy se trouvait encore sur le plateau, à moitié entamé. Bien que la télévision soit branchée, le son baissé, elle ne la regardait pas. Elle contemplait le paysage derrière la fenêtre.

Ils allaient être tranquilles – ou du moins le croyait-il – mais à peine avait-il atteint le lit et Dorothy tourné la tête que Will faisait irruption dans la pièce.

— Eh, je te klaxonnais à deux camions derrière toi, mais tu n'as rien remarqué. Salut, maman. Comment ça va ?

— Mieux maintenant que mes garçons sont là. Je me sens un peu seule de temps en temps et je commence à me demander si le moment est venu pour moi de m'y habituer.

Will la fixa d'un air désapprobateur.

— À en croire ma femme, on affiche plutôt complet ici, toute la journée.

— C'est également ce que m'a dit Mac, appuya Graham. J'aurais pensé que tu apprécierais un peu de tranquillité.

— Non, j'aime bien avoir ma famille près de moi. Tes filles sont tellement mignonnes, Will, ajouta-t-elle en indiquant d'une main les dessins sur le mur. Elles restent assises près de moi et dessinent.

Graham s'approcha pour examiner les croquis.

— Ah, voilà grand-mère dans son lit, avec une infirmière à côté, commenta-t-il.

Difficile de ne pas remarquer la large croix rouge sur la coiffe, même si aucune infirmière ne portait de coiffe dans cet hôpital.

— Et qui d'autre est venu ? demanda-t-il.

Dorothy énuméra la liste de ses visiteurs.

— MaryAnne et Sheila. Quelques cousines et ta femme, Will.

Graham attendit qu'elle continue. Sur un des dessins, une masse de cheveux jaunes ne pouvaient appartenir qu'à Amanda, mais Dorothy ne la mentionna pas.

— On dirait bien Amanda dessinée là. Est-elle passée te voir ?

— Peut-être, je n'en suis pas sûre.

Will tenta de couvrir l'affront.

— Avec tous ces cachets qu'ils te font avaler, tu dois être un peu dans le brouillard.

Ce qui ne fit qu'agacer Graham qui en voulut à Will tout autant qu'à Dorothy. Pas maintenant, se répéta-t-il une nouvelle fois.

— Je suis content qu'Amanda ait pu trouver le temps de venir, dit-il. Ses journées sont bien remplies à l'école en ce moment.

— À cause du suicide ? demanda Will.

— Oui, mais aussi parce que la fin de l'année scolaire approche avec tous les problèmes de passage dans la classe supérieure.

— Inutile qu'elle se dérange, dit Dorothy. Tous les autres sont là.

— Elle ne considère pas ça comme un dérangement, répliqua Graham en jetant un coup d'œil d'avertissement à son frère. Elle s'inquiète à ton sujet autant que n'importe lequel d'entre nous.

— Eh bien, ce n'est pas pareil, lança Dorothy avec une étonnante désinvolture pour quelqu'un de si faible. Elle n'a pas exactement les mêmes rapports avec nous, tu sais.

— Elle n'est pas mariée depuis assez longtemps à un O'Leary, plaisanta Will.

Mais Graham se sentit offensé.

— Quels rapports, maman ?

— Oh, chéri, tu sais ce que je veux dire. Avec tous les enfants ici. C'est différent pour elle.

— Si c'est différent pour elle, ce devrait être différent pour moi. C'est ce que tu penses ?

— Gray, intervint Will. Pas maintenant.

Graham respira un grand coup. Il avait raison. Mais, bon sang, Amanda méritait mieux que ça.

Pour faire plaisir à son frère, il s'efforça au calme, mais pas question de laisser passer ça.

— Amanda fait de son mieux, maman. Elle aimerait se rendre utile, s'intégrer dans notre famille.

— Mais ce n'est pas le cas, répondit Dorothy d'une voix douce. Elle a toujours été différente. Ce qui ne veut pas dire que nous la rejetons. Maintenant que j'y pense, elle a dû passer en effet parce qu'elle a en général une bonne influence sur les enfants et qu'ils se sont particuliè-rement bien comportés aujourd'hui.

Graham serra les dents.

— Mes enfants adorent Amanda, renchérit Will. Elle sera une mère formidable.

Graham aurait pu le tuer.

— Pour ça, je ne peux que te croire sur parole, dit Dorothy en fermant les yeux.

Graham regarda son frère et lui fit signe de la boucler. Mais Will prit un air ahuri.

— Inutile de t'en prendre à ton frère, grogna Dorothy. Tu te montres si protecteur envers cette fille qu'on pourrait croire qu'elle est en porcelaine.

— Maman, s'il te plaît, la prévint Graham.

Mais Dorothy semblait avoir pris conscience du pouvoir que lui donnait le fait de se trouver dans un lit d'hôpital.

— Cela étant, je sais pourquoi tu la protèges ainsi, reprit-elle. Il y a quelque chose de fragile chez elle. Rien à voir avec nous sur ce point-là aussi. Pas comme Megan. Megan, elle, est robuste.

— N'insiste pas, maman.

— Elle est passée ce matin avec des cassettes. Elle m'a même acheté un magnétophone pour que je puisse les écouter. Elle pense à tout.

— Maman !

— C'est une femme formidable. Je n'ai jamais compris ce qui s'est passé entre vous.

— Je te l'ai déjà expliqué.

— Gray, intervint Will.

Mais Graham en avait assez entendu. Si sa mère avait retrouvé suffisamment de force pour dénigrer sa femme, elle pouvait entendre ce qu'il avait à dire.

— Megan est homosexuelle.

Dorothy continuait sur sa lancée.

— Elle s'occupe tellement bien de sa librairie. Je suis vraiment fière d'elle. J'aime bien son associée aussi, Brooke. Est-ce que je t'ai dit que Brooke avait emménagé chez Megan ?

— Brooke est sa compagne. Elles sont amantes. Megan m'a quitté, maman. Tu dois l'accepter.

Dorothy ne réagit pas.

— Je le ferais si toi, tu pouvais l'accepter. Mais je sais combien c'est difficile pour toi. Surtout maintenant avec tout ça.

— Tout quoi ? demanda Graham bien qu'il sache parfaitement où elle voulait en venir.

— Cette histoire de bébé.

Will posa la main sur le bras de Graham, mais ce dernier n'en avait pas fini. Il aurait préféré un autre moment, mais sa mère ne lui laissait pas le choix.

— Je ne voulais pas d'enfant de Megan.

— Je comprends pourquoi tu dis ça.

— Non, maman, je ne crois pas que tu comprennes. Je ne voulais pas faire un bébé avec Megan parce qu'elle et moi n'étions qu'amis. Nous n'avons jamais fonctionné comme un couple, ce qui se serait avéré catastrophique pour un enfant. Megan m'a rendu service en demandant le divorce.

— Ne dis pas ça.

— C'est la vérité. Ma relation avec Amanda est incomparable. Avec Megan, nous n'étions que des amis que les familles rêvaient de marier.

— Tu étais seul.

— C'est vrai, mais je suis sorti avec beaucoup de femmes avant de rencontrer Amanda et aucune d'elles ne m'a apporté ce que je cherchais. Amanda représente tout ce que j'ai toujours voulu. Je ne suis pas resté avec elle juste comme ça. Je l'ai choisie.

Dorothy parut perdre un peu de sa superbe, mais elle avait des ressources.

— Et maintenant, elle t'oblige de nouveau à choisir.

— Que veux-tu dire ?

— Elle t'oblige à choisir. Elle ou nous.

Graham la considéra d'un air étonné.

— Elle ne ferait jamais une chose pareille. Toi, oui.

— Ce n'est pas seulement moi, protesta Dorothy d'une voix indignée. C'est nous tous. Mac sait qu'elle n'est pas la femme qu'il te faut. MaryAnne et Kathryn également et...

— Maman, coupa Will. Ça suffit.

— Tu prends son parti ? s'écria-t-elle. Est-ce que tu entends ce qu'il me dit ?

— Il te dit qu'il aime sa femme.

— Pour commencer, poursuivit Graham.

Il se sentait tout retourné, mais tenait à exprimer tout ce qu'il gardait au fond de lui depuis si longtemps.

— Je te dis aussi que je suis avec Amanda pour toute ma vie, qu'elle est la seule mère que je désire pour mes enfants, que si nous ne parvenons pas à avoir un enfant naturellement, nous en adopterons un et que si ce bébé n'est pas le bienvenu dans cette famille, nous cesserons de la fréquenter.

Il passa une main sur sa nuque pour soulager ses muscles durs et tendus.

— Bon sang, jeta-t-il. Je m'en vais de toute façon.

Il se tourna vers la porte et s'arrêta net en découvrant Amanda qui venait apparemment d'arriver. La seconde suivante, il retrouvait ses esprits et l'attrapait par la main.

— Viens, ma chérie, dit-il. Partons d'ici.

Amanda prit sa main, mais ne bougea pas. Ses yeux allèrent de son visage en colère à celui choqué de Dorothy en passant par celui affolé de Will. Elle n'était là que depuis deux minutes et en avait entendu suffisamment pour aimer encore plus Graham, le respecter et comprendre que ses relations avec sa famille étaient en jeu.

— Mandy, grommela Graham. Allons-y.

— Attends, dit-elle.

Lâchant sa main, elle s'approcha du lit après avoir jeté un coup d'œil d'excuse à Will.

— J'étais en bas à la cafétéria. Je savais que Gray comptait passer et je voulais lui faire une surprise. Il y a un restaurant italien en face de l'hôpital et je me disais que nous aurions pu dîner ensemble ici. Il s'inquiétait beaucoup pour vous et pour moi.

— De quel droit écoutez-vous aux portes ? riposta Dorothy.

— Je n'ai rien entendu de nouveau. Je sais que Graham adore sa famille et je sais qu'il m'aime. Jamais je ne pourrais lui demander de choisir entre nous.

— Je ne lui ai pas demandé de choisir.

— Ni moi, répliqua simplement Amanda. Je suis contente qu'il soit issu d'une grande famille. Je vous accepte tous et je souhaiterais que vous m'acceptiez.

— Nous t'acceptons, affirma Will.

Amanda lui adressa un petit sourire triste.

— Je crois que vous le voudriez. Que vous essayez. Mais vous marchez tous sur la pointe des pieds à cause de Megan.

Elle se tourna vers Dorothy.

— J'aime bien Megan. Je crois que c'est une fille bien. J'espère qu'elle nous rendra visite et nous apportera des livres de sa boutique quand nous aurons un enfant, mais Gray a raison. Elle avait besoin d'autre chose, tout comme lui. Je peux lui apporter ce qu'il désire et si je suis différente de ce que vous espériez pour lui, j'en suis désolée.

— Il ne s'agit pas seulement de Megan, éclata Dorothy avec rage. Il s'agit aussi d'avoir un enfant. Graham est très malheureux depuis quelques mois.

— Moi également. Ce que nous traversons n'a rien d'une partie de plaisir.

— Il y a peut-être une leçon à en tirer ? lança Dorothy.

— Bon sang, maman ! protesta Will.

— Oui, il y a un message, répliqua Amanda calmement. Le message est que rien n'est facile dans la vie. Si vous demandiez son avis à Gray, il vous répondrait que c'est comme d'arracher les mauvaises herbes. Il vous expliquerait que si vous prenez soin de bien les arracher, vous pouvez espérer obtenir de belles plates-bandes parce que les mauvaises herbes pompent tous les éléments nutritifs de la terre. Dans notre cas, les mauvaises herbes, ce sont les difficultés que nous rencontrons pour concevoir un enfant ou pour me faire accepter par votre famille. Des difficultés qui finissent par user les bases même de notre mariage. Alors nous travaillons dur pour arracher ces mauvaises herbes et j'ai toute confiance pour ça dans l'amour de Graham.

Comment pourrait-il en être autrement après ce qu'elle venait d'entendre ?

— Et vous êtes persuadée qu'il n'aime plus Megan ? interrogea Dorothy, l'air nettement sceptique.

— Oui. Je lui fais également confiance sur ce point. Il ne reste donc plus que vous. Je ne lui demanderai pas de choisir, mais si vous continuez à me rejeter, c'est votre fils qui en souffrira le plus. Nous l'aimons toutes les deux. Il ne tient qu'à nous de lui éviter cette souffrance.

Graham mit du temps pour se calmer.

— Elle est insupportable, grommela-t-il tandis qu'il avançait à grandes enjambées le long du couloir.

— Ta mère a ses idées. Tu ne t'y es pas conformé et elle ne peut l'admettre.

— Elle se conduit de manière grossière et ingrate et elle est bornée. Si elle s'imagine que nos enfants auront envie de la voir – si elle s'imagine que nous laisserons nos enfants la voir...

— Nous les laisserons, intervint Amanda, non sans un coup au cœur en se remémorant tous leurs essais infructueux pour en concevoir un. Elle nous rendra visite. Elle reste ta mère, Gray, et elle n'est plus très jeune.

— En tout cas, elle se sent suffisamment bien pour faire des réflexions. Mais tout ça est de ma faute, reconnut-il en ralentissant le pas. J'aurais dû mettre les choses au point depuis des mois. Depuis des années même. Je suis désolé de t'avoir laissée tomber, ajouta-t-il en donnant un grand coup sur le bouton d'appel de l'ascenseur.

Amanda glissa son bras sous le sien.

— Tu viens juste de dire ce qui devait être dit et je t'en remercie.

La porte de l'ascenseur s'ouvrit et ils pénétrèrent dans la cabine presque pleine. Là, ils se tournèrent pour faire face à la porte et ajournèrent leur conversation jusqu'au rez-de-chaussée où Graham s'empara de sa main.

— On va au restaurant ? demanda-t-il d'un air presque intimidé.

— Il vaudrait mieux. Je n'ai pas eu le temps de prévoir quoi que ce soit.

— Un italien ?

— Bonne idée.

Il contempla leurs mains entrelacées d'un air vulnérable.

— Tu pensais ce que tu disais là-haut ? interrogea-t-il. Au sujet de la confiance ?

Elle hocha la tête.

Il l'observa une minute et parut retrouver espoir tandis que le vert de ses yeux s'intensifiait. Amanda fut émue de sa réaction. Graham O'Leary était un homme formidable et quand il la regardait ainsi, debout au milieu du couloir, oublieux des gens qui allaient et venaient autour d'eux comme s'ils étaient invisibles, elle aurait pu donner sa vie pour lui.

Avec un petit soupir, il l'attira contre sa poitrine, la serrant contre lui un instant avant de l'entraîner dehors, un bras autour de ses épaules.

Deux heures plus tard, ils regagnaient leur domicile, chacun dans son véhicule. Une séparation purement physique puisqu'ils n'avaient cessé de communiquer grâce à leur téléphone mobile tout le long du trajet.

— La nuit est sombre, commenta Graham en roulant au pas. La lune doit être cachée derrière les nuages puisqu'on ne la voit pas. Alors, comment savoir ce qui se passe par ici ? philosopha-t-il.

— Il n'y a pas d'étoiles. C'est ça le problème.

— D'accord, mais il y a de la lumière. Les Lange sont là. Georgia aussi ?

— Peut-être de façon permanente.

— Et les Cotter ? Pas d'ombres derrière les fenêtres. Tu crois qu'ils vont bien ?

— Je l'ignore. Tout dépend de Karen et de Lee. Elle a dit que tout irait bien et que Lee ne s'opposerait pas au divorce. D'ailleurs, comment le pourrait-il ? Question preuves de son infidélité, elle le tient. Il a emménagé avec sa maîtresse enceinte.

— Au moins, ce n'est pas Gretchen. En parlant d'elle, pas trace de vie dans sa maison.

— Attends, dit Amanda en ralentissant. Si là, une lumière. Que fait-elle dans la bibliothèque si tard ?

— Elle étudie, suggéra Graham.

— Le français ?

— Ou autre chose. Elle prend des cours par correspondance pour obtenir un diplôme.

Amanda appuya sur le frein. Voilà qui donnait une toute nouvelle signification aux livres aperçus sur la table.

— Comment le sais-tu ? demanda-t-elle.

— Elle me l'a dit.

— Pourquoi pas à moi ? Au contraire, elle a essayé de les cacher.

— Tu l'intimides. Voyons, Mandy, n'en fais pas toute une histoire.

— Je ne fais pas d'histoire. Enfin, si peut-être un peu. Comment pourrions-nous devenir amies si elle me cache des choses pareilles ?

— Elle n'a pas ton assurance, dit-il en s'engageant dans l'allée devant chez eux.

Amanda se gara près de lui. Quand elle sortit de la voiture, son irritation s'était dissipée. Il n'y avait pas de place pour la jalousie dans ses relations avec Graham. Il était fidèle, il l'aimait et ne lui avait jamais donné la moindre raison de le soupçonner de quoi que ce soit.

Ils venaient de pénétrer dans la cuisine quand le téléphone sonna. Amanda imagina aussitôt une brusque aggravation de l'état de Dorothy suite à leur querelle et, à en juger par l'air paniqué de Graham, la même pensée lui avait traversé l'esprit.

Il décrocha.

— Oui ? dit-il.

Amanda observa son visage cherchant des indices sur la teneur de la conversation. Graham lui jeta un coup d'œil, sans perdre son air inquiet.

— Quand ? demanda-t-il d'une voix tendue. Vous êtes sûre ?

Des éclats de voix suraiguë parvinrent à Amanda et son cœur se mit à battre précipitamment. Si elle était responsable d'une rechute de sa belle-mère – une nouvelle attaque, plus forte cette fois – elle ne se le pardonnerait jamais. Graham non plus, pensa-t-elle, effrayée.

— J'arrive tout de suite, dit-il en raccrochant. Gretchen saigne, annonça-t-il. Elle croit qu'elle est en train de perdre le bébé.

Pendant une minute, Amanda ne bougea pas un cil. Il lui fallut tout ce temps pour comprendre. Gretchen avait appelé Graham...

Puis sa raison reprit le dessus. Pas Graham. Elle avait appelé la maison et parlé à son mari parce qu'il avait décroché, lui et pas elle.

— Nous devons l'aider, affirma Graham. Nous sommes ses voisins et nous n'avons pas d'enfant. Elle nous fait confiance et n'a personne d'autre vers qui se tourner.

— Prenons ma voiture, proposa Amanda en lui tendant les clés et en se dirigeant vers la porte.

Laissant à Graham le soin d'approcher le véhicule, elle traversa en courant l'espace entre les deux maisons. Gretchen se trouvait déjà devant la porte, sa pâleur accentuée par la lumière blafarde du lampadaire.

— Je me sentais bien, expliqua-t-elle d'une voix tremblante. Très bien même. Mais quand je me suis levée, j'ai eu mal et j'ai vu le sang.

Amanda passa un bras autour de sa taille et l'entraîna tout doucement vers la voiture qui arrivait.

— Avez-vous appelé le médecin ? demanda-t-elle.

— Oui. Il m'a dit d'aller à l'hôpital. Je suis désolée de vous ennuyer ainsi. Vous avez sûrement mieux à faire. Mais je ne savais pas qui appeler.

— Vous avez mal ?

— Des contractions. Mais c'est trop tôt. Le bébé est trop petit.

Comme Graham reculait, elle attrapa le bras d'Amanda.

— Graham n'est pas le père, chuchota-t-elle précipitamment. Il n'y a jamais rien eu entre lui et moi. Ce n'est qu'un ami. Mais j'étais trop en colère, alors je n'ai rien dit.

— Je sais, la rassura Amanda.

— Ni Russ, ni Lee, d'ailleurs. Je n'aurais jamais pu vous faire une chose pareille.

Elle posa la main sur son ventre et ferma les yeux.

Amanda fit signe à Graham qui approchait d'attendre. Quand Gretchen retrouva une respiration normale, elle la guida vers la voiture. Puis elle s'installa près d'elle à l'arrière et lui tint la main.

Graham conduisait vite. Il n'y avait qu'un seul hôpital dans les environs qu'ils connaissaient bien puisqu'il abritait la clinique spécialisée dans les problèmes d'infertilité.

— Je ne vais pas perdre le bébé, n'est-ce pas ? demanda Gretchen d'une voix anxieuse.

— Pas si nous pouvons l'éviter.

— Est-il viable à sept mois et demi ?

— Bien sûr.

— Mais il sera si petit. Et s'il n'est pas bien formé ? S'il présente des séquelles neurologiques ? Ou pulmonaires ?

— Ne pensez pas à des choses pareilles, la gronda Amanda.

Pourtant elle-même avait envisagé une telle situation,

il n'y avait pas si longtemps. Elle pouvait donc comprendre la réaction de Gretchen.

— Pourquoi arrive-t-il si vite ? Quelque chose ne va pas.

Amanda tenta de la rassurer.

— Le bébé est peut-être juste impatient de voir le monde. À moins que vous ne vous soyez trompée dans vos calculs ?

Ce qui n'expliquait pas de toute façon l'hémorragie.

— Non. Je sais très bien quand cet enfant a été conçu. J'ai déjà tant perdu, murmura-t-elle. Je ne veux pas le perdre lui aussi.

— Nous arrivons, annonça Graham.

Franchissant les grilles de l'hôpital, il se dirigea droit sur l'entrée des urgences.

Il venait à peine de couper le moteur que des infirmiers surgissaient et aidaient Gretchen à descendre et à s'installer dans le fauteuil roulant qu'ils avaient apporté. Le médecin les rejoignit et posa une main réconfortante sur l'épaule de sa patiente, lui assurant que tout irait bien.

À l'écart, Amanda ressentait une terrible envie. Graham s'approcha d'elle et croisa son regard. Bien qu'il ne prononçât pas une seule parole, elle devina ses pensées. Pourquoi pas nous ? Mon Dieu, pourquoi pas nous ?

Gretchen s'abandonna aux mains de son médecin. Elle lui avait accordé sa confiance dès le début, probablement parce qu'il émanait de lui une assurance tranquille qui lui avait plu. Tranquille peut-être, mais qui ne l'empêchait pas d'agir vite quand les circonstances l'exigeaient. Prestement, elle fut admise et préparée avant d'être allongée sur un chariot et entraînée vers la salle d'opération. Là il lui administra une anesthésie péridurale. Une césarienne fut ensuite pratiquée, ce qui était aussi bien. Faute de conjoint, elle n'avait pas assisté aux cours pour apprendre à respirer et aurait été bien en peine de le faire efficacement.

Un drap posé sur elle l'empêchait de voir ce qui se passait, mais elle observait les yeux du médecin penché sur elle. Des yeux calmes et compétents. L'espace de quelques secondes, ils prirent une expression soucieuse, vite remplacée par un sourire éclatant tandis qu'un vagissement troublait brusquement le brouhaha de la salle.

— Gretchen, vous voici maman d'un beau garçon, annonça le médecin. Qui me paraît en excellente santé, ma foi. Et ça s'entend. Écoutez-moi un peu ça !

Gretchen n'avait jamais entendu plus beau son. Ne sachant si elle devait rire ou pleurer, elle fit les deux, de sorte que lorsqu'ils déposèrent le bébé dans ses bras, elle ne le vit qu'au travers de ses larmes. Mais ce fut suffisant. Elle distingua très bien le petit visage froissé et le corps minuscule, les bras et les jambes chétives, mais pourvu du nombre approprié de doigts et d'orteils. Puis l'infirmière emporta le précieux fardeau et le médecin lui expliqua qu'ils allaient le laver, l'examiner et le mettre dans l'incubateur le temps de déterminer s'il avait ou non souffert de sa naissance avant terme.

Elle aurait aimé connaître le genre de séquelles auxquelles il faisait allusion, mais avant tout, elle voulait savoir si elle allait survivre à cette épreuve.

— Survivre ? s'exclama le médecin d'un air incrédule. Je n'ai encore jamais perdu une patiente à cause d'une petite hémorragie. Tout est réparé maintenant. Survivre ? Vous allez vivre et très longtemps avec votre petit bonhomme.

Gretchen lui fut reconnaissante. Soulagée, elle ferma les yeux. Son corps la tiraillait un peu, mais elle ne ressentait aucune douleur. Alors, elle s'abandonna et se détendit enfin.

Amanda et Graham attendaient derrière la vitre de la nursery quand l'infirmière apporta le bébé, emmitouflé dans des couvertures. Elle le leur montra en chuchotant son sexe.

— Un garçon, répéta Amanda qui en avait la chair de poule. C'est merveilleux.

Graham tenait sa main.

— Tu dirais la même chose s'il s'agissait d'une fille.

— Regarde-le. Il est si petit.

— Tout va bien ? demanda Graham.

Aux cheveux gris de l'infirmière et à sa façon de tenir l'enfant, on devinait sa grande expérience. Elle leva le pouce avec un sourire avant de se diriger vers le médecin au milieu de la pièce.

Amanda la suivit des yeux. Puis elle examina les autres prématurés. Comme les bébés présentant de sérieux problèmes étaient transférés dans un plus grand établissement, tous les enfants présents étaient donc viables et en parfaite santé, malgré une naissance précoce. Elle aperçut un petit bonnet rose, un autre bleu et trois rubans jaunes. Le mot Timothy était inscrit sur un des incubateurs et, sur un autre, se trouvait perché un lapin en peluche.

— Alors ? demanda Graham. À qui ressemble-t-il ?

— Pas à toi. J'ai déjà imaginé ton enfant plus d'un million de fois et j'ai vu les autres bébés O'Leary. Tu n'es pas le père.

— Peut-être ressemble-t-il à sa mère ?

— Non, non. Les gènes O'Leary sont dominants et les bébés O'Leary ont vraiment un air de famille.

— Celui-ci est tout petit.

Elle tourna la tête vers lui.

— À qui penses-tu qu'il ressemble ?

— Ben.

Elle éclata de rire.

— Mmm. Ils sont tous les deux chauves.

Ils gardèrent un instant le silence. Puis, lentement, l'excitation de la nuit et la joie suscitée par cette naissance retombèrent et Amanda n'eut pas besoin de tourner la tête vers son mari pour deviner ses sentiments. Pourquoi ne contemplaient-ils pas leur propre enfant ? Le désespoir l'assaillit. Graham devait se dire qu'il avait vraiment épousé une incapable. Elle se demanda...

Non. Inutile de se torturer. Laisser son imagination s'emballer ne résoudrait pas leurs problèmes. Elle devait savoir.

— Que ressens-tu ? questionna-t-elle le cœur battant.

— De l'envie, avoua-t-il au bout de quelques secondes de réflexion.

— Quoi d'autre ?

— De la détermination. Si nous essayons encore une fois, ça marchera.

Ses mâchoires serrées en témoignaient.

— De l'appréhension aussi, ajouta-t-il. Je le reconnais. J'ai peur de tout recommencer. Je ne veux pas perdre ce que nous avons retrouvé et partagé ces derniers jours.

— Eh, vous deux ! appela une voix.

C'était Emily, leur médecin, qui s'approchait.

Amanda lui sourit, mais ne dit rien. Ni Graham.

— Est-ce une technique de préparation ? demanda-t-elle en indiquant la nursery.

— Non. Une de nos voisines vient d'accoucher. Y a-t-il quelques-uns de vos patients ici ?

Emily indiqua les rubans jaunes.

— Ces trois petits démons. Des triplés, résultat d'une fécondation in-vitro. Deux sœurs et un frère. Ils sont petits, mais en bonne santé.

Se détournant des bébés, elle s'appuya contre la vitre.

— L'ennui avec vous, c'est que nous ignorons la cause du problème. Le bon côté, c'est que nous pouvons essayer d'autres techniques. Comme d'augmenter le dosage du Clomid.

L'idée n'enchantait pas Amanda. Le dosage pourtant léger qu'elle avait absorbé avait déjà eu pour conséquence de la faire gonfler et de lui donner des bouffées de chaleur, sans parler de son humeur sombre.

D'après les analyses, le médicament avait pourtant

donné des résultats. Le nombre de ses ovules avait augmenté. Simplement aucun d'entre eux n'avait été fécondé.

Mais augmenter le dosage du Clomid risquait de trop stimuler les ovaires et de générer un kyste. Elle devrait donc être très sérieusement suivie, ce qui signifiait des examens quasi journaliers à la clinique et, si un kyste important se développait, une intervention chirurgicale pour l'ôter.

— Avec le Clomid, nous pouvons procéder à une injection de HCG le quinzième ou le seizième jour de votre cycle, ce qui déclenchera l'ovulation.

— Ovuler n'est pas le problème, fit remarquer Amanda.

— Non, mais ceci permettrait de coordonner la libération des œufs de leurs follicules. Nous pouvons aussi multiplier les inséminations – vous inséminer artificiellement tous les jours ou tous les deux jours – ou essayer Humegon, seul ou couplé avec des injections d'HCG.

Amanda ne put s'empêcher de frissonner à cette perspective. L'Humegon se prenait par piqûre – une injection douloureuse. Mais comme il provoquait une chute du taux de progestérone, des injections de cette hormone devaient être faites pour compenser, avant celle d'HCG. Un processus déplaisant, avec des effets secondaires réputés particulièrement négatifs.

— Nous pouvons aussi passer directement à la fécondation in-vitro. Le choix vous appartient.

Amanda ne voulait pas devoir choisir. Elle voulait un bébé et Graham aussi à en juger par son air.

— Je veux vous revoir, tous les deux, encouragea Emily. Qu'en pensez-vous ?

Graham ne dit rien. Son regard soutenait celui de sa femme, l'assurant de son soutien et de sa volonté de respecter sa décision. Mais il exprimait son désir d'aller jusqu'au bout et ce fut ce qui lui donna confiance.

— J'avais besoin de faire une pause. Aujourd'hui, je

suis prête, dit-elle en souriant sans quitter son mari des yeux.

Gretchen dormit peu, bien trop excitée, mais également gênée par la douleur, une fois les effets de l'anesthésie dissipés. Elle n'accepta toutefois qu'un calmant léger pour ne pas être assommée. Au contraire, elle mourait d'envie de se lever et d'aller voir son bébé. Il représentait tout pour elle et s'il se battait pour survivre, elle voulait se tenir à ses côtés.

Quand elle demanda de ses nouvelles, on lui assura que tout allait bien. Une infirmière la poussa même sur une chaise roulante jusqu'à la nursery où on l'autorisa à le prendre dans ses bras, mais seulement un court instant. Elle n'avait pas encore de lait et d'ailleurs il n'était pas encore prêt à téter. Pour l'instant, il dormait paisiblement.

Et il respirait – elle s'en assura. Elle passa la main sur sa bouche, sur la peau duveteuse de ses joues et sentit sa chaleur. Elle déposa un baiser sur le sommet de son crâne, là où une petite veine bleue battait régulièrement. Elle toucha sa menotte et les petits doigts s'enroulèrent aussitôt autour de son index.

Malgré son teint un peu jaunâtre – on lui affirma que c'était fréquent chez les prématurés – et son crâne dépourvu de cheveux, il était certainement le plus beau bébé qu'elle ait jamais vu. Le tenir serré contre elle lui fit monter les larmes aux yeux et lui procura une telle émotion qu'elle en eut le souffle coupé.

— C'est ça la maternité, lui affirma Amanda quand elle lui rendit visite le lendemain, une demi-douzaine de ballons à la main. Du moins, à ce qu'on m'en a dit. Avez-vous choisi un prénom ?

— Pas encore.

Elle avait prévu un nom pour une fille, mais pas pour un garçon. Elle ne cessait de repousser ce choix, en espérant que les choses s'arrangeraient et qu'un homme l'aiderait à décider.

— J'en reviens toujours à Benjamin. Mais si je fais ça, les fils de Ben vont être furieux.

— Vous êtes libre de faire ce que vous voulez, insista Amanda.

Et Gretchen lui en fut reconnaissante, comme de sa visite. Cela ne devait pourtant pas être facile pour elle ou pour Graham.

— Ce n'est pas trop dur pour vous de venir ici ?

— Non. J'adore les bébés.

— Vous en aurez un, vous aussi. Vous êtes quelqu'un de bien.

— Dommage que les deux choses n'aillent pas de pair. Mais nous en aurons un, c'est vrai. D'une façon ou d'une autre. Pour reprendre Graham citant Ralph Waldo Emerson « adoptez le rythme de la nature. Son secret est la patience ».

Gretchen aima cette citation.

— Vous aurez un enfant, répéta-t-elle avec conviction.

— En tout cas, pour l'instant, il y a le vôtre. J'ai prévenu Georgia et Russ qui étaient très heureux pour vous. Voulez-vous que je prévienne quelqu'un d'autre ?

— Non, merci.

Ses yeux se tournèrent vers la porte et son cœur fit un bond. Sur le seuil se tenait Oliver Deeds, un bouquet de fleurs à la main.

20

Gretchen ne voulait pas voir Oliver. Sa présence lui rappelait la mort de Ben et l'hostilité de ses fils qui n'hésiteraient sûrement pas à la jeter dehors si l'occasion s'en présentait. Ce n'était certes pas la présence d'un bébé qui risquait de les attendrir. Ces garçons avaient un cœur de granit. Difficile de croire qu'ils provenaient des gènes du si gentil Ben.

Amanda posa la main sur le bras de Gretchen.

— Je dois partir, dit-elle.

— Non, s'il vous plaît, restez encore un peu, supplia Gretchen, proche de la panique.

— J'aimerais pouvoir, mais je dois retourner au lycée. Avez-vous besoin de quelque chose ?

— Non. Et merci pour les ballons.

— De rien. Je vous appellerai plus tard.

Gretchen hocha la tête avec gratitude, les larmes aux yeux. Elle qui souhaitait se faire une amie n'aurait pu mieux tomber qu'avec Amanda.

Mais cette dernière venait de sortir et seul restait Oliver, tout de noir vêtu, l'air particulièrement mal à l'aise.

— Ces ballons sont très beaux, dit-il. C'était gentil de sa part.

Gretchen essuya les larmes sur ses joues.

— Comment vous sentez-vous ? demanda l'avocat.

— Très bien. Amanda et son mari m'ont accompagnée ici, la nuit dernière.

— Je sais. Je suis passé chez vous ce matin et Russ m'a informé de la situation. Vous auriez dû m'appeler.

— Je suis assez grande pour me débrouiller toute seule.

— On m'a dit qu'on vous avait fait une césarienne ?

— Oui, mais cela ne m'empêchera pas de prendre soin de moi. Et de mon bébé.

Oliver détourna la tête. Quand il la regarda à nouveau, une mèche de cheveux tomba sur son front.

— Je l'ai vu. C'est un beau gaillard.

Gretchen ne fit aucun commentaire.

— Écoutez..., commença-t-il, mais elle retrouva sa voix et l'interrompit.

— C'est mon enfant, dit-elle. J'ai plus d'argent qu'il ne m'en faut et je saurai m'en occuper. Si David et Alan me cherchent des histoires, je me défendrai. Vous pouvez les prévenir.

— Ils ne vous ennuieront pas. Je ne le permettrai pas.

— Je n'ai pas besoin de votre aide, dit-elle sachant qu'elle ne pouvait compter sur lui.

— Gretchen, je voudrais vous expliquer...

— Il n'y a rien à expliquer.

— Je ne vous ai pas laissée tomber. Mais vous étiez ma cliente. Je n'aurais jamais dû faire ce que j'ai fait. C'était contraire à l'éthique.

Contraire à l'éthique ? Il qualifiait leur bébé de « contraire à l'éthique » ! Il qualifiait la chaleur qu'il lui avait apportée – la douceur, la tendresse, la passion qu'il lui avait témoignées – de contraire à l'éthique ? Elle ne voulait certainement pas d'un homme capable de dire une chose pareille.

Son visage dut trahir ses pensées, car Oliver baissa les yeux. Il parut prendre conscience du bouquet de fleurs dans sa main, fronça les sourcils et s'avança pour le déposer sur la table de nuit. Puis il se dirigea vers la porte. Elle pensait qu'il allait disparaître comme ça, sans un mot de plus, quand il s'arrêta et se tourna vers elle.

— Avez-vous choisi un prénom ?

— Oui, répondit-elle parce qu'elle venait de prendre sa décision. Benjamin.

— Quel grand nom pour un si petit bonhomme.

Benji suffirait pour l'instant. Oui, elle l'appellerait Benji et, bien qu'il ne connaîtrait jamais Ben, il grandirait en sécurité dans sa maison. Amanda avait raison. Alan et David ne comptaient pas. Gretchen pouvait faire ce qu'elle voulait. Elle était libre. Et elle avait maintenant des amis. Elle n'avait plus besoin d'Oliver. Pour la première fois de sa vie, elle avait ses propres amis.

Graham refusait de penser à Emily et à la clinique, aux médicaments et à leurs effets. En fait, il refusait de penser au bébé tout simplement. Il comprenait brusquement la réaction de certains de ses amis qui préféraient attendre plusieurs années avant d'avoir des enfants, pour le simple plaisir de pouvoir profiter de leur femme et de la garder pour eux tout seuls. Évidemment, il s'agissait d'une attitude égoïste, mais quel homme n'aimait pas être – et rester – le centre du monde pour une femme ? Pas Graham en tout cas. Il adorait dîner avec Amanda et se dépêchait de rentrer le soir pour passer le plus de temps possible avec elle. Il aimait la regarder préparer le repas et l'aider à mettre la table.

Il aimait être avec elle, point final. Elle était si belle qu'il éprouvait de la fierté à être vu en sa compagnie. Elle était intelligente et il aimait l'écouter parler de son travail. Depuis qu'ils avaient recommencé à communiquer, elle lui racontait ses journées et s'enquérait des siennes, voulant connaître tous les détails de ses nouveaux projets.

Il aimait aussi leur intimité et savait qu'elle subsisterait bien après que leurs enfants auraient grandi et quitté la maison. Il s'imaginait vieillir auprès d'Amanda.

Ensemble, ils contempleraient le coucher de soleil sous le porche de la maison de vacances qu'ils envisageaient d'acheter, un jour, assis sur des rocking-chairs ou même sur les marches en bois du perron. Parfois, ils iraient se promener le long de l'eau et observeraient les étoiles.

Pourtant, tout en se réjouissant de leur intimité retrouvée, il restait conscient de sa fragilité. Avec Emily sur leurs talons, il n'allait pas être facile de la conserver.

Amanda ne souhaitait pas plus que Graham penser à Emily et à la clinique.

Mais à moins d'un mois de la fin des cours, ses journées se trouvaient fort heureusement chargées en réunions diverses nécessitant toute son attention.

Il ne lui restait donc que peu de temps pour s'inquiéter de son prochain traitement.

Le jeudi, Dorothy sortit de l'hôpital et Amanda insista pour qu'ils lui rendent visite. Graham refusa d'abord, préférant laisser sa mère méditer un peu, mais, après moult pourparlers, Amanda finit par obtenir gain de cause.

Et puis, il y avait Gretchen. Ils la ramenèrent chez elle, le bébé confortablement installé dans un couffin que Gretchen avait acheté des mois auparavant. Amanda savait qu'elle devait conserver une certaine distance, du point de vue émotionnel, afin de se protéger. Se trouver près d'un bébé pouvait en effet créer très vite une véritable dépendance. L'odeur seule – du talc, des crèmes, du lait – devenait comme une drogue qui la mettait en état de manque quand elle s'éloignait.

Oui, mais si la raison lui dictait de se montrer réservée, son cœur, lui, l'en empêchait. Le bébé l'attirait comme un aimant, en partie, il faut bien le dire, parce que Gretchen, novice en la matière, recherchait ses conseils – comme si elle possédait plus d'expérience qu'elle ! D'ailleurs, le fait que le bébé soit né six semaines avant terme aurait eu de quoi donner des sueurs froides même aux parents les plus aguerris. Elles étaient donc devenues complices. Amanda aidait à changer les couches ou à donner le bain à Benji et le berçait pour l'endormir quand Gretchen faiblissait.

Mais Amanda n'était pas la seule à être attirée par la maison. Russ venait régulièrement et Georgia y passait des heures. Les enfants du voisinage s'arrêtaient eux aussi pour voir le bébé. Même Karen pointa un nez curieux.

— Je suis venue pour chercher des ressemblances, dit-elle en guise d'excuse pour se retrouver au pied du berceau.

Mais Amanda ne fut pas dupe. Karen avait toujours été une mère aimante et, en tant que telle, ne pouvait qu'être attirée par un nouveau-né.

En fait, Karen était plus calme qu'elle ne l'avait été depuis des mois. Depuis que Lee avait quitté la maison, sa colère était retombée et elle redevenait lentement la femme qu'Amanda avait connue. Déterminée à se construire une nouvelle vie pour elle et ses enfants, elle avait loué une petite maison au bord de l'océan, à Martha's Vineyard, pour une semaine après la fermeture de l'école. Décision fort courageuse aux yeux d'Amanda.

— Je ne lui trouve aucune ressemblance, dit cette dernière en observant le bébé.

— Alors, s'il ne s'agit pas d'un de nos maris, qui est le père ? demanda Karen.

Amanda avait son idée, mais préférait garder le silence en attendant que Gretchen se sente suffisamment en confiance pour le lui dire. L'occasion se présenta de manière détournée. Un soir qu'Amanda se trouvait chez la jeune femme, Oliver Deeds vint lui rendre visite. Le refus de Gretchen de le recevoir aurait suffi à la trahir si la façon dont l'avocat contempla le bébé n'avait été à elle seule particulièrement éloquente.

Graham n'eut d'ailleurs pas besoin d'un dessin. Il tenait Benji dans ses bras quand Oliver apparut sur le pas de la porte. Ce dernier sortait de toute évidence de son travail comme en témoignait sa tenue vestimentaire, mais ses yeux tranchaient avec cette allure sérieuse et maîtrisée. Tristes, il révélait son malaise, mais également sa vulnérabilité.

C'était la première fois qu'il voyait le bébé de près. Il regarda derrière Amanda pensant apercevoir Gretchen, chercha un endroit où poser les cadeaux qu'il avait apportés, se dandina en fixant le sol ou les murs, mais malgré lui, ses yeux revenaient toujours se poser sur l'enfant.

— Vous voulez le prendre ? proposa Graham.

Amanda s'empressa de débarrasser l'avocat de ses paquets et, avant qu'il ait pu refuser, le petit ballot emmailloté fut mis dans ses bras.

Oliver rougit.

— Je... Je n'avais jamais tenu un enfant avant, avoua-t-il.

Le bébé ne parut pas s'offusquer de ses gestes un peu maladroits. Les yeux fermés, la peau soyeuse, il reposait, calme dans sa couverture.

— J'aurais cru qu'ils le garderaient plus longtemps à l'hôpital... comme il est né si tôt.

— Ils ont constaté qu'il était en bonne santé et ils ont estimé qu'il serait tout aussi bien chez lui, expliqua Amanda.

— Mais il est si petit. Il peut me voir ? demanda-t-il en chuchotant quand l'enfant ouvrit les yeux.

— Vaguement. Il distingue les formes.

Le bébé fit la moue et agita les bras.

— Il va sucer son pouce, dit Graham.

— Je le faisais moi aussi, commenta Oliver qui rougit de plus belle à cet aveu. Il ne pèse pas plus lourd qu'une plume.

— Presque trois kilos, annonça Gretchen dans l'escalier.

Ils se tournèrent tous vers elle et une minute de silence salua son arrivée.

— Il est très beau, commenta Oliver d'une voix fière.

Gretchen hocha la tête, mais resta sur la dernière marche, appuyée contre la rambarde.

— Il mange bien ?

Elle hocha une nouvelle fois la tête.

— Vous l'allaitez ?

— Oui. Je dois le prendre maintenant.

Elle adressa à Amanda un regard qui ressemblait autant à une demande qu'à une prière.

Gentiment, Amanda récupéra l'enfant et l'apporta à Gretchen qui remonta à l'étage sans un mot.

Les yeux d'Oliver la suivirent et Amanda ne put s'empêcher de remarquer son désir. Elle tentait de trouver le meilleur moyen pour aborder la question quand Graham, peu embarrassé par de telles subtilités, lâcha brusquement.

— Où étiez-vous donc pendant tout ce temps ?

Oliver ne tenta pas de jouer les innocents.

— Perdu, répondit-il.

Ses yeux avaient retrouvé toute leur tristesse.

— J'ignorais qu'elle était enceinte jusqu'à cet acte de vandalisme.

— Alors vous vous êtes contenté de... le faire et de disparaître ?

Oliver fronça les sourcils et sa pomme d'Adam monta et descendit au-dessus de son nœud de cravate.

— Ce n'était pas aussi simple.

— Pourquoi ?

— D'abord, il s'agissait de la femme de Ben – une jeune veuve, seule et vulnérable – mais également de ma cliente et je n'étais pas supposé être attiré par elle.

— Mais c'était le cas, fit remarquer Amanda, aussi irritée que Graham.

L'identité du père de l'enfant avait soulevé tant de problèmes au cours des dernières semaines.

— Je croyais que ce que nous ressentions était réciproque, expliqua-t-il. Alors, j'ai pensé que si je m'éloignais un temps et qu'elle prenait l'initiative de me recontacter, tout ne serait peut-être pas perdu. Mais elle ne m'a pas appelé.

— Non, dit Graham. Elle manque d'assurance quand il s'agit du sexe opposé.

— Moi aussi, répondit Oliver en soutenant son regard.

Gretchen redescendit juste après le départ d'Oliver. Le bébé n'avait eu aucun besoin d'être allaité, mais elle tenait à le garder loin de l'avocat. S'asseyant sur une des marches, elle le posa sur ses cuisses. Les yeux de l'enfant étaient fixés sur elle, et ceux de Gretchen sur Amanda et Graham. Elle s'attendait à y découvrir de la déception, mais elle n'y découvrit qu'une attention affectueuse.

Amanda vint s'asseoir près d'elle.

— Vous auriez dû nous en parler.

— Je ne pouvais pas. C'était à lui de le faire.

— Que s'est-il passé ?

Par où commencer ? Elle n'avait jamais voulu que cela arrive.

— Après la mort de Ben, il venait souvent. Il me conseillait pour les questions légales et savait comment tenir Alan et David à l'écart. Il m'a également appris plein de choses comme de tenir mes comptes. Avant Ben, je n'avais jamais possédé assez d'argent pour avoir à m'en inquiéter. Pas très maligne, n'est-ce pas ? dit-elle en jetant un coup d'œil vers Graham.

— J'en connais d'autres, répliqua ce dernier.

— C'est moi qui m'occupe des comptes à la maison, expliqua Amanda non sans adresser un sourire attendri à son mari.

Gretchen se sentit un peu mieux.

— Il n'y a eu qu'une nuit, c'est tout. Une seule nuit. Ensuite, j'ai attendu un appel de sa part, mais rien. Peut-être aurais-je dû l'appeler moi-même, mais j'avais fini par me convaincre qu'il n'était probablement pas intéressé et je redoutais de me l'entendre dire.

— Je comprends, dit Amanda. Avez-vous eu envie de l'appeler parfois pendant l'hiver ?

— Souvent. Des milliers de fois, mais je me suis toujours dégonflée.

Elle caressa la joue du bébé qui tourna la tête vers le doigt.

— Je l'ai rencontré une ou deux fois, pour des raisons professionnelles et il n'a jamais semblé désireux d'aborder le sujet. À l'époque, ma grossesse ne se voyait pas et ensuite, il me suffisait d'enfiler un pull large pour dissimuler mon ventre.

— Vous l'aimez ? demanda Amanda, une question que Gretchen se posait constamment.

— Je crois que je l'ai aimé à ce moment-là. C'était un peu mystique, vous savez. Comme si Ben l'avait choisi pour prendre soin de moi.

Même à ses oreilles, ses paroles semblaient pathétiques. Elle n'osait imaginer ce que devaient en penser Amanda et Graham.

— Je veux dire, je n'ai pas besoin qu'on prenne soin de moi. Seulement... à l'époque, je l'ignorais.

— Et maintenant, en avoir pris conscience vous met dans une position de force, conclut Graham en se rapprochant.

Gretchen ne parut pas comprendre.

— Vous êtes plus forte aujourd'hui, expliqua Amanda. Vous pourriez aborder la question avec lui, chercher à connaître ses sentiments, ses intentions.

— Et s'il n'est pas intéressé ?

— Il est intéressé, affirma Graham.

— Comment le savez-vous ?

— Je le sais.

— Il suffisait de le voir regarder l'enfant.

— Si c'est uniquement pour le bébé, ce n'est pas suffisant.

Elle avait besoin de quelqu'un qui l'aime. Non. Elle

se reprit. Elle n'avait pas besoin. Elle le désirait. C'était différent.

— Vous n'en saurez jamais rien tant que vous n'aurez pas essayé, conclut Graham.

Essayer... Le maître mot, décida Amanda un jour qu'elle s'autorisait à envisager le début du nouveau traitement. Tenter sa chance.

Dans la foulée, elle résolut également de ne pas laisser son désir gâcher ce qu'elle possédait déjà, pour une chose qui semblait inaccessible. Elle avait Graham. Un regard vers Karen qui se retrouvait seule avec quatre enfants et une route difficile devant elle, suffit à lui faire apprécier sa chance. Un autre regard vers Gretchen qui ignorait si Oliver l'aimait ou non et son mariage lui apparut comme une bénédiction. Elle avait toujours senti que quelque chose de spécial existait entre elle et Graham et chaque jour qui passait la confortait dans cette idée.

Graham ne se lassait pas d'Amanda. Il avait cru que, passés les premiers élans de passion liés à la crise de Jordie, son désir diminuerait. Mais ni la confrontation avec Dorothy ni la présence de Gretchen et de son bébé ne l'émoussèrent.

Amanda avait donné le meilleur d'elle-même au cours des dernières semaines, laissant son mari dans un état d'excitation permanent. Le seul fait de l'apercevoir ou même d'entendre sa voix lui faisait perdre les pédales.

— C'est incroyable, murmura-t-il la bouche dans son cou après un intermède enthousiaste.

À son retour du travail, le premier geste d'Amanda avait été d'ôter son pull taché de café et de se diriger vers la buanderie. Que pouvait donc faire Graham sinon la suivre ?

— Pas même un bonjour, plaisanta-t-elle, mais ses jambes entouraient sa taille et le retenaient fermement.

— Tu brouilles mes idées, dit-il en prenant son visage entre ses mains.

Son regard se posa d'abord sur ses lèvres humides et roses, puis sur ses joues aussi douces que celles du bébé de Gretchen, et s'arrêtèrent enfin sur ses yeux qui possédaient un véritable pouvoir sur lui. Il en avait toujours été ainsi et il doutait que ça change un jour. Quand elle le contemplait avec cette adoration muette comme s'il représentait pour elle le centre de l'univers, il perdait la tête.

— Est-ce que je t'ai dit récemment que je t'aimais ?

Elle sourit paresseusement.

— Mmm... Possible, mais tu peux le répéter.

— Je t'aime. J'aime quand nous sommes seuls toi et moi, comme si nous venions juste de nous rencontrer.

— Oui. Nous revenons de loin.

— Mais en mieux.

Il le pensait sincèrement. Ils avaient traversé des moments difficiles et, s'il s'agissait d'un test, ils l'avaient brillamment réussi.

— Peut-être devrions-nous en profiter un peu plus longtemps ?

— Que veux-tu dire ?

— Peut-être devrions-nous attendre un mois de plus avant de... Tu sais, fit-il, hésitant sur chaque mot.

Lentement, elle secoua la tête.

— J'ai dit que j'avais besoin d'un mois. Pas de deux.

— C'est moi qui propose deux. Je le veux vraiment.

— Parce que tu aimes faire les choses quand tu le décides.

— Parce que j'ai peur, lança-t-il tout à trac. Pas toi ?

Son sourire disparut et elle respira un grand coup.

— Si, bien sûr. J'ai peur que tout recommence, en pire, parce qu'il s'agit de notre dernière chance d'avoir un enfant par insémination artificielle. Si elle échoue, nous allons devoir envisager autre chose.

— Je ne parle pas seulement de ça. Je pense aussi à nous.

— Je sais. Mais il n'y a pas moyen de l'éviter. Nous pourrions repousser l'échéance de trois mois ou même de trois années, mais nous nous retrouverions toujours au même point et dans une situation encore plus délicate. Tu veux un enfant et moi aussi. Alors, il ne faut pas hésiter.

— Nous pourrions en adopter un. Cela suffirait peut-être à ôter le poids sur nos épaules et si ça se trouve, tu tomberais enceinte ensuite.

— Non. Je ne suis pas encore prête à adopter.

— Seigneur, je redoute de tout recommencer.

— Parce que la procédure est particulièrement froide. Nous avons besoin de la réchauffer un peu. Je peux m'en charger. Ainsi, tu n'aurais pas besoin de lire *Playboy*.

Joignant le geste à la parole, elle glissa une main entre eux et le caressa. En quelques secondes, le corps de Graham réagit avec enthousiasme.

— Tu ferais ça ? demanda-t-il d'une voix rauque.

— Tu parles.

Ils optèrent pour une dose plus forte de Clomid accompagnée d'une piqûre de HCG et de plusieurs inséminations.

Ils avaient convenu d'appeler Emily dès qu'Amanda aurait ses règles et de passer la voir dans les deux jours pour qu'elle leur donne les médicaments, accompagnés de ses instructions.

Amanda n'avait aucun besoin de tenir un calendrier. Son cycle s'avérait régulier. Elle aurait ses règles mercredi, appellerait Emily jeudi et se rendrait à la clinique vendredi. Ensuite, elle et Graham partiraient pour le weekend. Ils avaient réservé une chambre dans une auberge sur la côte du Maine. Leur détermination à donner la priorité à leur relation pendant tout le processus d'insémination restait ferme. Ils étaient convenus de tout faire ensemble pendant cette nouvelle tentative, les ultrasons comme la courbe de température, procéder aux tests d'ovulations, produire du sperme ou l'injecter.

Un mois auparavant, elle avait passé la journée sur sa chaise de peur d'un mouvement brusque susceptible de provoquer la venue de ses règles. Ce mois-ci, elle les attendait avec impatience parce qu'elles marqueraient le début d'une nouvelle tentative. Et le plus tôt serait le mieux. Aussi ne cessa-t-elle de bouger toute la journée jusqu'au moment de rentrer à la maison. Elle ne ralentit qu'en apercevant Jordie Cotter debout devant la porte de son bureau.

Un plâtre entourait toujours sa jambe, mais un plâtre de marche, cette fois et il s'appuyait sur une béquille, un sac à dos accroché à l'épaule.

— Bonjour, chéri, salua Maddie dans sa cage.

— Bonjour, dit gentiment Amanda. Entre.

— Vous alliez partir.

— J'ai toujours du temps pour toi.

Elle lui indiqua le fauteuil. Ils n'avaient pas parlé depuis la nuit sur la tour.

— Je pense souvent à toi. Comment ça va ?

— Pas trop mal.

Il indiqua son plâtre d'un geste du menton.

— Je ne peux pas jouer de toute façon, alors ça m'est égal de rester sur le banc. Sinon, c'est un peu bizarre.

— Tu fais allusion à ton père ?

Tourner autour du pot ne lui semblait pas une bonne méthode pour des choses aussi évidentes. Les jeunes s'en apercevaient toujours.

— Ouais, mon père. On le voit beaucoup. Il se montre très gentil avec ma mère. Julie pense qu'ils vont se remettre ensemble.

— Et toi ?

— Non. Il s'est passé trop de choses. Parfois, je m'en veux.

— Tu n'as rien à te reprocher.

— C'est ce qu'ils disent. Que leurs problèmes ne datent pas d'hier.

— Je pense que c'est la vérité. En tout cas, ils ont raison. Rien de ce qui est arrivé n'est de ta faute.

— Est-ce que Gretchen me déteste ?

— Non, ce n'est pas son genre. D'ailleurs, son bébé la rend bien trop heureuse pour qu'elle puisse penser à autre chose.

— Mais son tableau est foutu.

— Elle en mettra un autre.

Jordie hocha la tête.

— Je l'espère. Maddie est drôlement tranquille, fit-il remarquer en sautillant jusqu'à la porte.

— Elle n'a aucune raison de jurer. Tu es calme et elle ne se sent pas agressée. Ton psychologue te plaît ?

Il s'arrêta à la porte.

— Oui, mais ce n'est pas vous.

— C'est gentil de dire ça.

Son regard croisa le sien et il détourna les yeux timidement. Mais quelques secondes plus tard, ils revenaient se poser sur elle.

— Je vous dois beaucoup. Je n'oublierai jamais ce que vous avez fait pour moi cette nuit-là.

— J'ai fait ce que je devais faire. Il le fallait, autant pour moi que pour toi.

— À cause de Quinn ?

Elle hocha la tête.

— Il me manque, reprit-il.

— À nous tous.

— Ces dates resteront gravées dans ma mémoire à jamais. Vous savez quand il est mort et tout le reste. Hier, ça faisait quatre semaines exactement qu'il avait bu la vodka de mon père. On dirait une année.

— Quatre semaines aujourd'hui, corrigea Amanda.

— Non. C'était un mardi. Je me souviens très exactement de l'endroit où je me trouvais quand j'ai reçu le coup de téléphone m'informant qu'il s'était fait prendre. Le premier événement d'une longue série.

Amanda ne répondit pas. Il avait raison. Quinn avait

bu le mardi. Comment avait-elle pu se tromper ainsi dans les jours ? Soudain, l'implication de cette erreur lui apparut.

Son visage dut trahir son désarroi parce que Jordie s'inquiéta.

— Vous vous sentez bien ? demanda-t-il.

Le cœur d'Amanda battait la chamade.

— Oui, bredouilla-t-elle. Tu veux que je te ramène ? s'enquit-elle.

— Non. Mon père doit passer me prendre.

Amanda en fut soulagée. Elle souhaitait faire un détour avant de rentrer. Oh, les tests de grossesse ne manquaient pas à la maison, mais elle en voulait un nouveau.

Elle en prit trois – chacun fabriqué par une société différente, mais tous utilisables à n'importe quel moment de la journée et dès le premier jour de retard, avec un taux de réussite de plus de quatre-vingt-dix-neuf pour cent.

Elle trembla pendant tout le trajet du retour, puis elle se trompa en manipulant le premier test. En restait deux. Elle procéda au premier et attendit les cinq minutes requises. Le résultat fut positif.

Mais elle ne voulait pas encore y croire. Elle attrapa le dernier et recommença. Le résultat donna deux lignes rouges. Deux lignes signifiaient qu'elle était enceinte.

Elle posa les deux bandes témoin sur le lavabo et se lava les mains. Puis elle s'empara de son téléphone portable et composa le numéro du bureau de Graham.

— C'est moi, dit-elle quand il décrocha. Il faudrait que tu rentres à la maison.

Immédiatement, il s'affola.

— Que se passe-t-il ?

Elle déglutit et fit un effort pour cacher son excitation. Elle tenait à ce qu'il voie les deux bandes, elle voulait qu'il ressente lui aussi l'incrédulité, puis la surprise et enfin, le bonheur qu'elle venait de vivre.

Nous avons réussi ! eut-elle envie de crier.

Lui aussi avait mal calculé. Comment avaient-ils pu se tromper ainsi ?

Elle s'efforça de contrôler le tremblement de sa voix.

— Rien de grave, répondit-elle. Je voudrais juste te montrer quelque chose.

— Quelque chose de bon ou de mauvais ?

— De bon.

— Une chose grande ou petite ?

— Graham... Viens ! Tout de suite !

Dix minutes plus tard, il se garait devant la maison. Le cœur battant, l'estomac noué, elle lui ouvrit la porte, le prit par la main et l'entraîna à l'étage, puis dans la salle de bains où elle indiqua les deux tests.

Graham les fixa un moment, puis la regarda. Ses yeux se posèrent à nouveau sur le résultat des tests. Il s'approcha, les examina. Il contempla les boîtes qui les avaient contenus et ses yeux s'agrandirent soudain.

— Mon Dieu ! murmura-t-il avant de se tourner vers elle. Nous avons réussi ?

Elle hocha la tête.

— Mais aujourd'hui...

— Hier, cria-t-elle d'une voix suraiguë, incapable de contenir plus longtemps son excitation. Nous nous sommes trompés dans les calculs. Mes règles auraient dû arriver hier.

— Tu es enceinte !

— Je suis enceinte !

Cette constatation procurait à Amanda une joie incroyable, mais son plus grand bonheur fut de lire l'euphorie dans le regard de son mari.

Graham la souleva soudain et la serra dans ses bras si fort qu'elle crut qu'elle allait éclater. Quand il la reposa, il prit son visage entre ses mains.

— Quand est-ce arrivé ?

— Lors d'une des centaines de fois où nous avons fait l'amour au cours des deux dernières semaines.

— Mais tu n'as rien senti ? Pas le moindre indice ? Et cette fameuse intuition féminine ?

Elle éclata de rire.

— Comment aurais-je pu sentir quoi que ce soit alors que tu étais en moi ? Quand tu es près de moi, plus rien d'autre ne compte. Seulement toi.

Une chose à ne pas oublier...

Remerciements

Certains de mes livres ont exigé de nombreuses recherches. Ce ne fut pas le cas pour *La Fille d'à côté*. Des années passées à observer les gens, leurs réactions et interactions, et à discuter avec mes amis des dilemmes de leurs vies personnelles m'avaient très bien préparée à la rédaction de ce roman. Cela dit, je ne suis pas un conseiller professionnel et si les psychologues scolaires existaient du temps de ma jeunesse, le secret était bien gardé. Pour cette raison, j'ai eu beaucoup de chance de recevoir l'aide d'Ann Cheston durant la rédaction de ce livre. Psychologue pour enfants à la Fay School de Southborough, dans le Massachusetts, elle m'a permis de mieux appréhender les relations compliquées des adolescents d'une petite école. Je la remercie pour sa disponibilité et sa compétence. Mes remerciements également à Bonnie Ulin pour m'avoir donné les connaissances de base du métier d'architecte paysagiste.

En ce qui concerne les questions de stérilité, j'ai pu me documenter en lisant de nombreux ouvrages et en naviguant sur le Web. Il me faut remercier des douzaines de femmes (et d'hommes) anonymes pour leurs précieux témoignages. À ceux qui rencontrent ce problème dans leur vie, je voudrais dire que le scénario développé dans mon livre n'est qu'un parmi tant d'autres et que tous mes vœux les accompagnent !

Comme toujours, ma famille s'est montrée merveilleuse. Merci à mon fils Andrew qui a bien voulu écouter avec attention mes intrigues compliquées et me donner un avis éclairé, grâce à son expérience de professeur. Je remercie également mon fils Eric pour ses connaissances musicales et mon fils Jeremy pour son expérience des affaires. Merci encore à la femme d'Eric, Jodi, et à celle de Jeremy, Sherrie, pour leurs précieux conseils. Et mon mari, Steve ? Le pauvre homme. Tous les soirs après son travail, il a dû partager avec moi les douleurs de l'enfantement de ce roman. Pour cela, il mérite une vraie médaille d'honneur !

Je remercie mon amie et collègue, Sandra Brown, pour ses recommandations inestimables en matière d'écriture et mon agent, Amy Berkower, ainsi que mes éditeurs, Chuck Adams et Michael Korda.

Mais surtout, je vous remercie vous, mes fidèles lecteurs, pour votre soutien inconditionnel. Vous ne m'avez jamais laissée tomber et je vous promets de donner le meilleur de moi-même en retour.

Ouvrage composé par Nord Compo (Villeneuve-d'Ascq)
Impression réalisée sur CAMERON par
BRODARD ET TAUPIN
La Flèche
en mars 2003

Imprimé en France
Dépôt légal : mars 2003
N° d'édition : 37675 – N° d'impression : 18136